27 ott

R

LIALA

R

V

UITWARENTIW

ISBN 88-454-1513-9

©1977 Gruppo Editoriale Fabbri, Bompiani, Sonzogno, Etas
S.p.A.
©1998 RCS Libri S.p.A.
Via Mecenate, 91 - Milano

III edizione "Supplemento Tascabili" agosto 2004

LIALA

Donna Delizia

I

Repentinamente l'automobile sbandò andando a finire con il fianco contro il parapetto. La manovra rapida e sicura del guidatore evitò un urto serio, quasi per miracolo.

− Che ti prende, Marini? − chiese Enrico Folchi, senza scomporsi.

− Non mi piglia nulla: la gomma, però, deve aver pigliato un grosso chiodo.

− Mi spiace per te − sospirò Folchi. − Con questo caldo e questo sole, non deve essere troppo divertente cambiare una ruota.

Lido Marini sbirciò l'amico, scosse il capo, brontolò:

− Già, non sarà divertente. Soprattutto perché tu non mi aiuterai.

− E come potrei aiutarti? Hai già dimenticato che nell'ultimo incidente di volo ho avuto una spalla fratturata?

Marini scese a terra, sollevò il proprio sedile, ne trasse la borsa dei ferri, protestò:

− Tu ci speculi sugli incidenti di volo! Tu ci vivi, ci guadagni, ci ingrassi! Mai che ne capiti uno a me! Che cosa voglia dire rompersi una costola o un dito, non lo so ancora. Tutte le fortune a quel lazzarone!

Il lazzarone scelse con cura fra le sigarette quella che gli parve più morbida, cominciò a fumare beatamente, mentre Marini, già sudato, si toglieva la giubba per cominciare il lavoro attorno alla gomma bucata.

E mentre il collega lavorava, sparando qualche

moccolo, Folchi, fumando, si guardò attorno. S'accorse allora che erano fermi davanti al grande cancello d'una villa fiorita e vide che di qua e di là del cancello, c'erano due alti e massicci pilastri di marmo veronese. Sul pilastro di sinistra c'era scritto in caratteri rosso fuoco: «Villa» e sull'altro pilastro stava scritto: «Delizia». «Se lo dicono i proprietari che questa villa è una delizia, deve essere veramente così. Eccola lassù, la villa. Colore rosso cupo, tipo macelleria di paese, persiane verde cupo, tipo sede dei canottieri, grande vasca con zampillo altissimo e probabili pesciolini rossi, molti fiori. E bei fiori, anche! E lassù, a sinistra, che delizioso padiglioncino e che fresco ci deve essere e che aria buona!»

Sporse il capo, guardò Marini curvo e gli disse:

– Guarda lassù, in alto, che bel padiglioncino! Ci deve essere un fresco impareggiabile!

– Crepa!

– Nemmeno per sogno! Voglio vivere e voglio andare lassù a vedere quel padiglioncino.

– Non fare storie, Folchi, ti prego... – gridò Marini, preoccupato.

Conosceva l'amico, sapeva che quello sarebbe stato capacissimo di suonare il campanello della villa e chiedere di vedere il padiglioncino. E non voleva grane, Marini, ché Folchi gliene aveva già date troppe.

Capitani tutt'e due dell'arma azzurra, Marini e Folchi erano stati compagni di Accademia e poi di aeroporto. Cacciatori d'alto valore, uniti da una salda amicizia, compagni di rischi e di vittorie erano, l'uno all'altro, fraternamente legati. Tuttavia, dei due, Marini rappresentava la saggezza, il buon senso, la logica; l'altro rappresentava lo scavezzacollo, colui sul quale si può contare sì e no, colui che della logica ne fa uno scacciapensieri. Diversi moralmente, diversi fisicamente, ché, pur essendo tutt'e due aitanti e alti, non avevano nessun tratto somigliante, parevano nati per vivere insie-

6

me. Marini non aveva mai avuto il benché minimo incidente di volo, Folchi ne aveva una serie. Pilota abilissimo, pareva andasse a cercare la buca, per principio, tutte le volte che atterrava. E se non era un fossatello, era un atterraggio lungo, e se non era un atterraggio lungo, era uno *scadere* repentino... Diceva per scusarsi:

– Io dovrei stare sempre su. Su, faccio tutto quello che volete. Ma quando si tratta di scendere, divento un caprone e batto le corna dappertutto.

Ma poiché «su» egli non poteva restare sempre e doveva pur tornare sulla terra, almeno una volta ogni sei mesi, Enrico Folchi era con le ruote all'aria. L'apparecchio ne usciva con qualche semplice sbucciatura e lui, con qualche graffio. Tuttavia, l'ultima caduta era stata meno fortunata delle solite: frattura dell'omero, complicazioni muscolari e altre piccole conseguenze. Guarito già da un mese, Folchi tirava sempre in ballo quel suo incidente per schivare ogni fatica. Così, mentre Marini sudava attorno a certi bulloni che non volevano tornare al loro posto, il giovane Folchi si beava contemplando un padiglioncino da dove, secondo lui, si doveva respirare la più salubre aria del mondo.

– Ora scendo, schiaccio quel fico che dev'essere un campanello e prego di farmi visitare il padiglione – dichiarò.

– Tu stai lì e non scocci la gente.

– Che gente ci dev'essere in questa villa? Brava gente ritirata a vita cheta e lietissima di fare una cortesia a un povero ragazzo incidentàto come me. Peccato che abbia lasciato la fascia nera all'aeroporto! Ci pensi, Marini, che figurona avrei fatto col braccio al collo?

– Figura da fesso, avresti fatto.

– O perché?

– Perché un ragazzo che si rispetta, sta su e non viene giù.

– Ma figlio di buona mamma, non potevo stare su in eterno.

– Ma venendo giù...

– Storia vecchia. Me la dite ogni giorno, da molti anni. Però, io piglio i colpettini e rimango in piedi. Il giorno che lo piglierai tu, il colpettino, resterai lì, molle molle e dovrò venirti a prendere col mestolo per farti un bel funerale.

– Accidenti!

– A me? Non attacca!

– Ma che a te! A un'unghia che se n'è andata.

– Te ne restano altre nove, fin troppe per un biondo ceruleo come te. Le unghie servono a noi brunoni, e alle donne più o meno fatali. E ora, scendo davvero.

– Ma io ho quasi finito!

– Se tu sapessi come non me ne importa nulla!

Scese, stirò le lunghe gambe sparando un paio di calci all'aria. S'avvicinò al cancello.

– Ti prego, Folchi, non fare lo stupido!

– Ma è da stupidi aver sete? O avere il radiatore senz'acqua? O non conoscere la strada? Guardati attorno. Deserto. Prati, colli, cipressetti; laggiù Assisi lassù Perugia, più in là Sant'Egidio e il nostro aeroporto velato e invisibile, e null'altro. Bisogna sonare a Villa Delizia e chiedere acqua per il radiatore.

Suonò. Né uscì squillo alcuno, perché la villa era alta e vi si saliva per scalini larghissimi e bassi che parevano una corsia rossa, ai lati della quale emergevano le teste multicolori di numerosissimi astri.

Ma d'improvviso, da un viale che scendeva a sinistra ed era quasi totalmente celato dal muraglione limitante il giardino, s'udì sulla ghiaia il cricchiare di passi pesanti. E un uomo in tuta di tela azzurra e largo cappello di paglia gialla apparve.

– Buon giorno – disse col suo bell'accento umbro. – Chi desiderano?

– Non desideriamo nessuno – rispose Folchi. – Soltanto vogliamo un poco d'acqua. Il radiatore è vuoto e non sappiamo...

– Li accontento subito – rispose l'uomo, toccando un'altra volta il cappellone. – Basterà un annaffiatoio da tre litri?

– Altroché!

L'uomo se ne andò e Marini, inviperito, si rivolse al collega:

– È ora? Che cosa hai ottenuto? Avrai disturbato un povero diavolo che era al lavoro...

– Ma lascia che arrivi e poi vedrai che cosa avrò ottenuto! Molla l'acqua tu!

– Sei sempre fortunato. Non ne ho che pochissima.

– Vedi? Lascia sempre fare a me tu, e ti farai una posizione.

– Al manicomio...

Il passo pesante del giardiniere fece nuovamente cricchiare la ghiaia e, presentandosi sorridente e lieto, l'uomo annunciò:

– Se non basta, vado a prenderne ancora. Posso aiutare?

– Grazie, date a me – rispose Marini. – E voi fatevi dare la mancia dal mio collega.

– Ma le pare? – sorrise l'uomo. – Per quel che ho fatto! Portare acqua ai fiori o portarne a loro per me è lo stesso!

– Grazie! – rise Folchi. – Grazie per volerci paragonare a fiorellini. Siete molto gentile. Umbro, vero, siete?

– Umbro.

– Giardiniere di questa villa?

– Sì, da cinque anni. Da quando la villa venne acquistata da donna Delizia.

Marini che versava acqua nel radiatore continuò a versare, ma l'acqua scappò fuori per il brusco movimento che egli fece. E Folchi, che, mani in tasca, gambe larghe, berretto di sghembo, sigaretta in bocca, guardava l'uomo, domandò senza scomporsi:

– Donna Delizia? E chi è mai?

– La mia padrona.

– Vecchia?

– Che vecchia! – esclamò il giardiniere. – Giovane e bella.

– Fatecela conoscere! – si lasciò scappare Folchi. S'aspettava uno scatto di sdegno. Invece il giardiniere strizzò l'occhio e rispose:

– Chi sa quante volte l'avete già vista!

– Io? Noi? E dove?

– In teatro!

– Artista? E come diavolo si chiama?

– Delizia Barbàro.

– Mai sentita nominare.

– Sicuro, perché in teatro ha un altro nome. Un nome difficile, che non ricordo mai.

– E che cosa fa? Canta, recita, balla?

– Tutt'e tre le cose.

– Ho capito. La vostra padrona è una *rivistaiola*. Ma per la miseria, s'è messa insieme un bel feudo, l'amica. Se mi sapeste almeno dire approssimativamente il suo nome di battaglia, saprei apprezzarne il valore artistico, fisico e morale...

Il giardiniere pensò un poco, poi, movendo le dita come se contasse, mormorò:

– Lili... Lili...

– Eh, perdio! Lili Sybel! E Lili Sybel abita qui in questo luogo di delizie? Accidenti, chi glielo ha fatto questo nido?

– Il padre della ragazza...

– C'è anche una ragazza?

– Un angelo...

– Il demonio ha partorito un angelo... Ed è sposata Lili?

Il giardiniere strizzò un'altra volta l'occhio:

– Che sposata! Il padre ha dato un gran capitale e se n'è andato. E lei, lei fa quello che fanno certe attrici.

– Ora dov'è?

– Dorme.

– Peccato! Non si potrebbe svegliare?

– Si potrebbe: ma la scusa...

Folchi era ormai su una pista e in discesa. Marini sapeva bene che qualunque tentativo per fermarlo sarebbe stato inutile. S'adattò, lavò le mani nell'annaffiatoio, le asciugò in un fazzoletto, si rimise la giubba, pettinò con le dita i suoi bei capelli biondi e folti, attese, rassegnato ma a un tempo incuriosito. Decine di volte aveva visto in scena Lili Sybel. Bel corpo fine e tornito, gambe sottili e nervose, gran chioma color mogano, grandi occhi color oro. In scena gli era parsa giovanissima. E poiché in quell'epoca Lili Sybel era riconosciuta la più elegante attrice di rivista, guardando la villa, Marini si disse che quei gioielli che potevano dalla platea essere scambiati per falsi, con ogni probabilità erano veri. Una donna padrona d'una villa come quella che si chiamava «Delizia» non poteva avere che meravigliosi brillanti.

Marini e Folchi s'erano subito accorti che il giardiniere non era il solito fedele servo di tutti i romanzi, ma era un uomo come tutti, che capiva il bene e il male del mondo e giudicava la moralità del suo prossimo, anche se quella moralità apparteneva a colei dalla quale riceveva un salario. Evidente era che Lili Sybel e donna Delizia Barbàro non davano molto affidamento al giardiniere, che giudicava e la signora e l'attrice per quel che valevano, non distinguendole una dall'altra, forse perché una valeva l'altra.

Senza pensare troppo, quindi, Folchi mise mano al portafogli e, toltone un biglietto da cinquanta lire, lo offrì all'uomo dicendo:

– Fate in modo che la signora ci riceva. Vi darò altre cinquanta lire.

– Non è difficile essere ricevuti dalla signora. Ma bisogna avere un motivo...

– Ditele che siamo in avaria e qui crepiamo dal caldo.

– Una buona idea... – sorrise l'uomo. – Vado subito...

E s'avviò. E Folchi, volgendosi a Marini:

– Hai visto? – gli chiese, trionfante.

– Per quel che otterremo.

– Non si sa mai! Qualche cosa ne può uscire!

– No, sai. Con quella roba da vetrina, non m'immischio.

– Meglio per me.

– Stai attento.

– Fatti fotografare! E non dire parolacce, ché arriva il padrone dell'arem...

Il giardiniere, sorridente e beato, arrivò per annunciare:

– La signora dice che, se vogliono favorire nel giardino...

Parlava con molto ossequio e molto forte. Era palese che voleva farsi udire da qualcuno che ancora non si vedeva. E come potè, strizzò per la terza volta l'occhio, così che gli altri, come se avessero ricevuto l'imbeccata, dissero in coro:

– Oh, molto gentile la signora!

Una chiara voce, che arrotondava la erre e che era evidentemente usa a tenere un tono alto, si fece udire:

– La signora è felice di poter essere gentile con due poveri sperduti...

I capelli ricciuti e color mogano di Lili Sybel apparvero. Gli occhi dorati brillarono, la larga bocca dal sorriso cinematografico scintillò, il bel corpo sottilissimo e ben tornito mise un'ombra snella a curve gentili sulla ghiaia chiara e minuta. Indossava, la donna, un prendisole lungo fino ai piedi, aderentissimo, ma spaccato fino all'inguine. I seni, piccoli e alti, erano celati dalla sottile seta bianca, ma la schiena, solo leggermente brunita, era totalmente nuda.

– Avanti, avanti! – cantò, tendendo le mani lunghe e nervose. – Siamo amici, certo mi conoscete...

Curvandosi a baciare tutt'e due le mani, Folchi rispose:

– Chi non conosce e non ammira Lili Sybel...

– Oh, mi avete riconosciuta all'istante e quasi non mi avete guardata... O mi ha tradito questo mio giardiniere?

– Il vostro giardiniere, bella signora, non ha neppure pronunciato una sillaba del vostro celebre nome: ci ha con molto sussiego dichiarato che questa villa appartiene a donna Delizia Bar... Bar...

– Barbàro! – rispose Lili Sybel. – Il mio vero nome. Ma non si poteva andare in scena con un nome simile, che tutti pronunciano erroneamente, facendomi diventare un *barbaro*!

– Barbaro è chi non vi ama! – sussurrò Folchi.

– Oh, oh... zitto là! Entrate.

– Permettete? Capitano Enrico Folchi. Il mio amico capitano Lido Marini.

– Di dove venite? – chiese Lili Sybel, salendo la rossa gradinata e precedendo i giovani.

– Veniamo dall'aeroporto di Sant'Egidio, signora, dove siamo destinati da pochi giorni. Giunti qui, ci accorgemmo di essere senz'acqua e allora, per non disturbare, tentammo di andare avanti. Ma il radiatore era vuoto e qualche cosa di brutto dev'essere accaduto.

– Mi spiace per la macchina. Per me, sono contenta. Un diversivo! E per tornare all'aeroporto, se l'avaria vostra non sarà riparabile, vi darò la mia automobile.

– Siete davvero buona...

Erano giunti all'ingresso della villa. Un gran portale a cristalli si apriva sotto una pensilina dalla quale traboccavano gelsomini, nasturzi e verbene in allegra confusione. Lili Sybel entrò, gli uomini la seguirono. Attraversato un atrio perfettamente rotondo, ornato unicamente di piccole sedie di legno rosso e di grandi piante verdi, di bellezza rara, furono introdotti in una sala dai mobili chiari, dai chiari tappeti, dai grandi specchi. Tutto era nuovo e moderno, tutto aveva tuttavia qualche cosa di impersonale, di appena sistemato, di provvisorio, che dava subito all'occhio.

– Sedete e ditemi che cosa volete bere. Tè freddo? Aranciata? Un liquore?

I giovani scelsero il tè freddo.

– Vado a dare ordini – dichiarò Lili Sybel. – Non ho ancora fatto mettere i campanelli. Qui, solo pochi giorni fa, c'era la dispensa.

S'allontanò, e i giovani seguirono quella seminudità che cominciava a sconvolgerli.

– Che inventi, ora, per la macchina? – attaccò subito Marini.

– Nulla. Telefono al mio attendente mentre tu intrattieni la Sybel e gli dico di venire qui e di fingere di mettere tutto a posto. Con la bicicletta, in un'ora potrà raggiungerci...

– Che voglia di creare grane hai sempre! – sbuffò Marini.

E non proseguì, perché seguìta da una giovane cameriera, Lili Sybel apparve.

La cameriera spingeva un tavolino a rotelle e sul piano del mobiletto erano preparate le tazze, i biscottini, il servizio da tè.

– Servo io, Luisa, puoi andare.

Servì il tè con molta destrezza, ma con poca eleganza. Pareva che Lili Sybel avesse solo fretta, fretta di fare conoscenza, fretta di parlare, fretta di vivere.

Enrico Folchi, guardandola, non potè far a meno di osservare:

– Come siete agile e svelta, signora. Si direbbe che dopo l'atto da voi compiuto, già sappiate di dover compiere centinaia di altri atti.

– È così. Mentre faccio una cosa, ne penso un'altra. Detesto la lentezza. Mi piace non perdere tempo...

Rise forte, aggiunse:

– Forse per questo sono diventata mamma tanto presto. A sedici anni avevo una figlia.

– A sedici anni? – fece Marini. – Non avete perso tempo davvero.

– E vostra figlia quanti anni ha? – domandò Folchi senza esitare. – Tre o quattro?

– Caro! Voi volete sapere la mia età! Indovinatela.

– Mi pare di avervi dato poco più, poco meno di vent'anni – ribattè Folchi. – Sedici voi, quattro vostra figlia, il conto non è poi difficile...

E mentre guardava la donna ridere, contenta, pensò:

«Ma vista così, cara Sybel, ai venti te ne appiccico altri dieci. Sei bella, interessante, carina, fatta a pennello... Ma quei venti anni che ti ho dato, fanno parte del mio bagaglio di frottole. Comunque, se per conquistarti bastano le frottole, eccomi pronto a servirti».

E attaccò:

– Quale fortuna per noi, signora, essere capitati davanti alla vostra villa! E pensate che prima di sonare dovetti sostenere una vera lotta con Marini. Non voleva assolutamente che disturbassi qualcuno, non voleva a nessun conto che chiedessi aiuto.

– Ma perché mai? – domandò Lili Sybel.

– E chi lo sa! Uomo stravagante, il mio amico! Unico in tutto. Anche nel nome. Lido Marini si chiama! Avete mai sentito un nome simile voi?

– Mai! Ma è tanto bello, questo nome. Lido! Fa pensare al mare, alla spiaggia, ai bei costumi da bagno.

– ... alle belle nuotate...

– Oh, io non so nuotare! – dichiarò subito la Sybel. – Io ho una paura terribile delle onde.

– Eppure, lo scommetto, al Lido siete stata chi sa quante volte.

– Moltissime. E dicevo a tutti che i bagni freddi mi facevano male, per non dare un'idea troppo esatta del mio coraggio...

– E in costume da bagno stavate tutto il giorno... – sorrise Lido Marini.

– E che bei costumi! – trillò Lili Sybel. – Uno venne fotografato per essere riprodotto in una famosa rivista francese. E sotto scrissero: «Uno degli splendidi costumi indossati al Lido da Lili Sybel».

– Dove avete pescato lo pseudonimo di Sybel? – domandò Folchi.

– È il cognome di mia nonna, che era tedesca.

– Allora è uno pseudonimo che vi appartiene almeno in parte. E vi sta bene. Ma ora, permettete che io vada a telefonare: debbo far salire fin quassù il mio attendente, che, essendo anche autista, saprà trovare il guaio alla macchina. Noi, sapete, i motori li rompiamo; ma ripararli è un'altra faccenda...

– Uscite da quella porta, Folchi; a destra troverete una sala. Entrate: lì c'è il telefono.

Folchi uscì; Marini rimase con Lili Sybel.

– Parlate poco voi – osservò la donna.

– Parla tanto il mio collega...

– Quello dev'essere un poco matto.

– È un ottimo ragazzo.

– Io direi «è un buon ragazzo». L'ottimo mi pare troppo per lui. E ottimo dovete essere voi.

– Siete indulgente.

Lili Sybel guardò il bel ragazzone biondo. D'improvviso, i suoi occhi ridenti si fecero cupi, ogni gaiezza disparve, il volto subitamente invecchiò.

– Come siete biondo.... – disse quasi a se stessa.

– Troppo biondo, forse. Le donne preferiscono gli uomini bruni.

– Non tutte. Io preferisco i biondi.

– Grazie.

– Ma non ho mai trovato nella vita un biondo disposto a volermi bene.

Le parole erano scherzose, il tono di voce no. E Marini capì che, continuando su quell'argomento, Lili Sybel sarebbe sdrucciolata nelle confidenze. Sapeva bene il giovane, che per quella categoria di donne le confidenze sono facili; e sapeva pure che la confidenza porta al conforto e che dal conforto ai primi approcci d'amore il passo è breve. Quel passo, Marini, non intendeva né compierlo né farlo compiere, ché non si sentiva nato per essere l'amante d'un'attrice di riviste. Fortunamente rientrò Folchi il quale, dopo aver dichiarato che l'attendente avrebbe riparata in breve la macchina, osservò:

— Ci dovrete sopportare ancora per qualche tempo, signora. A meno che vogliate metterci fuori dal cancello...

— Figuratevi! Voi avete portato nella mia casa e nella mia vita un diversivo. Mi annoiavo molto.

— E come mai? — domandò Folchi. — Una donna come voi non dovrebbe mai essere in condizioni di annoiarsi.

— Lo so: ma le circostanze, qualche volta, costringono anche alla noia.

— Posso chiedervi perché siete costretta ad annoiarvi? Sono indiscreto?

— Molto, ma non importa. Sono costretta ad annoiarmi per... per ragioni materne. Mia figlia deve arrivare in questi giorni e io debbo attenderla. Attendo anche una governante nuova e né l'una né l'altra si fanno vive. La governante ritarda perché indisposta, mia figlia ritarda perché nel collegio si deve festeggiare il compleanno della direttrice generale. E in attesa che quella buona donna compia il suo secolo, io debbo attendere mezzo secolo qui, inoperosa, poiché mia figlia si è dimenticata di dirmi in quale giorno si festeggia la nascita di quella cara signora. So che è di questo mese, ma agosto ha 31 giorni.

— Vostra figlia è in collegio?

— Non vorrete che la porti con me in giro per il mondo! E non vorrete che per la mia bamboccia io rinunci alla mia arte!

Disse la mia arte con così vivo sussiego che Folchi e

17

Marini furono costretti a sorridere. Ma la donna non vide il fine sorriso degli uomini e continuò:

– Avrò una compagnia di gran classe per il prossimo inverno. Verrete ad applaudirmi, spero!

– In qualunque parte del mondo sarete – assicurò con molta disinvoltura Folchi.

– E voi, Marini, verrete?

– Credevo che la risposta del mio collega valesse per un plurale.

– Siete così parco di parole!

– Lui è per i fatti – sorrise Folchi, con un poco di ironia.

– Che intendete dire?

Col suo tono spregiudicato di bel ragazzo abituato ad averle tutte vinte, Folchi rispose:

– Intendo dire che io chiacchiero, chiacchiero e non concludo nulla, e che lui, invece di ciarle, mette insieme baci. Non ha tentato di baciarvi, mentre ero a telefonare?

– Credo non gli sia neppure passato per il cervello di farlo.

– Bel cretino! Io...

La giovane cameriera entrò di corsa e tutta affannata avvertì:

– Signora! C'è la signorina!...

– La signorina? – fece Lili Sybel, balzando in piedi. – La signorina, ora? E con quale mezzo? Doveva telefonare dalla stazione perché le mandassi la macchina...

– È qui in macchina, signora. Con lei, c'è una signora anziana e c'è pure un'altra signorina...

I due ufficiali erano in piedi, pronti a congedarsi. Lili Sybel li trattenne con un gesto:

– Ma no, dove volete andare? Vado a ricevere mia figlia, a vedere chi è con lei, e torno a voi... Sedete, abbiate pazienza...

E volgendosi alla cameriera ordinò:

– La giacca del mio prendisole, Luisa. Se mi vedono così vestita, le collegiali si fanno il segno della croce.

E ancora, ai due giovani:

– Silenzio, sapete. Io sono soltanto donna Delizia Barbàro. Lili Sybel da questo momento è morta.

Luisa tornò con un leggiadro copritutto, la donna lo infilò, scappò via.

I due ufficiali, un poco incuriositi, andarono a mettersi dietro le persiane girevoli, abbassate ma non connesse. Di tra gli spiragli, guardarono nel giardino.

– Oh! ecco due fanciulle che avanzano. E Lili Sybel che si inchina come se fosse in palcoscenico, davanti alla vecchiotta signora che la guarda con l'occhialino. Pare una vignetta dell'ottocento. La suocera e Santerellina... E quelle due ragazze... Quale sarà la figlia di Lili Sybel? La bionda? La bruna? Belle figliole, perdinci, ma su i diciotto anni, certamente... E quanti anni ha, allora, quella Sybel del diavolo?

– I trenta non li aspetta più – rispose Marini, – ma comunque, non li dimostra subito... E in scena, non li dimostra mai.

– Darei qualche cosa per sapere qual è la sua figliola. La bionda è molto snella: ha la linea della Sybel. La bruna è un poco più bassa e più tonda: ma è ben fatta anche lei. Però, io preferisco la bionda. Amo i contrasti. A te lascio la bruna, mio biondo Marini!

– Non so che farmene della bionda e tanto meno della bruna. Ho una gran voglia di andar via di qui, ecco tutto!

Le ragazze erano presso la finestra ora, e si salutavano affettuosamente, baciandosi e ribaciandosi.

– Ora vedremo qual è la figlia. Quella che se ne va è l'amica.

– Bella scoperta! – beffò Marini.

Lili Sybel pregava la signora dall'occhialino di voler essere sua ospite, almeno per un giorno: ma la signora rifiutava decisamente l'invito e a un tratto i giovani l'udirono esclamare:

– Oh, non posso davvero restare qui un minuto di più! Andiamo, Vanna!

L'appellata Vanna, che era la fanciulla bruna, si staccò dalle braccia della bionda, che piangeva singhiozzando forte.

La cameriera riaccompagnò le visitatrici al cancello. Laggiù, Vanna si volse, mandò ancora un bacio alla compagna. Lili Sybel circondò con un braccio le spalle della figlia e le disse:

– Ma non piangere, l'ho invitata, verrà la settimana prossima, starete insieme, vi farete compagnia e se vorrai, per essere maggiormente libera di fare ciò che vuoi, io me ne andrò...

– Generosa, lei! – bisbigliò Folchi.

– Stai zitto, rientra...

Lili Sybel s'annunciò con una risata:

– Ma vieni! – diceva. – Vieni, Pervinca! Ti presento.

Folchi e Marini udirono una voce morbida ma decisa rispondere:

– Sono stanca e triste. Non voglio conoscere nessuno. Scusa.

Lili Sybel rientrò, fece un atto desolato, disse, sbuffando un poco:

– Che faccenda! È in lacrime perché la sua diletta amica non può fermarsi. Pare abbia il padre molto malato e quella signora che l'accompagna, la madre, non le ha concesso di restare qui. Gente antica, che forse sente odore di teatro in questa casa... Ma che posso farci? È un odore, quello, che ci segue, che ci rimane nella pelle. Avrei voluto presentarvi Pervinca, ma sarà per un'altra volta.

– Pervinca si chiama vostra figlia? – chiese Marini.

– Sì. Fin dalla nascita ebbe occhi del colore di questo fiore. E «lui» volle la chiamassi appunto così, per... S'interruppe, domandò:

– Ma sono cose che interessano a voi queste?

– Tutto ciò che vi riguarda ci interessa – rispose Folchi.

– Parlate sempre anche per Marini?

– Sempre, per risparmiare fatica al diletto amico.

Marini non disse nulla. Un nome dolce gli risonava all'orecchio. Non aveva mai udito un nome più bello, più mite, più luminoso. Un nome che faceva pensare a un inizio di primavera, a un giorno di sole dopo freddo e molta nebbia, a un'ora di pace dopo un travaglio di troppe ore. «Pervinca!» – si disse. – «Con gli occhi azzurri e i capelli biondi. Con le gambe snelle, col viso fine, con la pelle delicata...»

Era così immerso nel suo pensiero, che trasalì quando la solita cameriera venne a dire che l'attendente del capitano Folchi aveva riparato la macchina e che i signor ufficiali potevano partire.

Folchi balzò subito in piedi. La curiosità se l'era tolta. Lili Sybel gli piaceva, ma non tanto da fargli dimenticare d'essere invitato a casa d'un collega che gli aveva parlato di piatti prelibati e succolenti. Pervinca lo aveva incuriosito, ma gli aveva anche dato la sensazione di essere una piccola collegiale piena di scrupoli e di citazioni sagge: cominciava ad annoiarsi. E fu quasi sdegnato, vedendo che Marini non si moveva.

– Bisognerà andare, sai, Marini...

Il capitano Lido Marini si levò in piedi a malincuore. «Stai a vedere che s'è sbandato per Lili!» – pensò Folchi. – «Ma se vuole, io lo lascio qui, a badare ai suoi affari. Posso andarmene benone da solo...»

E al collega, ridendo:

– Mi pare che tu parta mal volentieri. Tenetelo donna Lili!

– Che ti viene in mente? – scattò Marini. – Sono di servizio...

«Le frottole sa raccontarle anche lui» si disse Folchi. «E allora venga, senza far storie...»

Si congedarono da Lili Sybel. La donna li accompagnò fino al cancello e lì si fece promettere che sarebbero tornati. Poi, sottovoce, quando già Marini era al volante, gli sussurrò:

– Venite solo, un giorno...

Marini non rispose: sorrise alla donna, sfrenò la macchina, partì.

– Che t'ha susurrato? – fece subito Folchi.

– Che vuole vedermi solo.

– Ho capito.

– Ma mi può aspettare per un bel pezzo.

– Scemo!

– Sarà. Ma qualche volta mi piace essere scemo.

– Un boccone da imperatore. E magari, con un solo mazzo di fiori o una scatola di fondenti... In te, io accetterei subito e tornerei questa notte stessa...

– Ma io mi chiamo Marini...

– E vai al diavolo!

Marini continuò a guidare senza pronunciare parola. Una visione bionda gli era rimasta negli occhi, una voce morbida e pure decisa ripeteva al suo orecchio:

«Sono stanca e triste. Non voglio conoscere nessuno».

Il bel cielo umbro s'incupiva dolcemente, senza bruschi mutamenti, senza dare repentinamente ombre alle cose terrene. Dai prati, saliva un vapore leggero che qua s'infittiva, là si diradava. I molti campanili mettevano note scure nel cielo, i bei cipressi disegnavano rabeschi nella luce pallida, i dolci colli ondulavano la terra, donandole un aspetto vario, or di verde cupo, or fra il giallo e il rosso.

– Che fai questa sera? – domandò Folchi.

– Andrò a sbattere in qualche cinematografo perugino. Tu?

– Io sono invitato da quei coniugi zii di Farese. Hanno grande simpatia per me, perché somiglio, dicono, al loro figlio morto. L'idea di somigliare a uno che sta già di là mi diverte molto, mi metterà un appetito formidabile. Certo non farà piacere a quei coniugi vedere il loro trapassato divorare allegramente, ma...

– Perché scherzi sempre su tutto, Folchi? Quei po-

Folchi. Ricordatevi, capitano Folchi... Spiegate voi in che località siamo...

– Vado io, sarà servito, signor capitano...

L'uomo filò via in bicicletta; Folchi si curvò sull'amico.

– Come va, Marini?

– Be', potrebbe andar meglio. Il cavallo?

– Ha avuto un brutto colpo. Ha una spellatura lunga al fianco, ma non dev'essere cosa grave. Fai vedere...

– Guarda il cavallo!

– Ma il cavallo sta lì, perché tu sai che i cavalli, quando cadono, attendono di essere sollevati. Pensa a te, perbacco! Sempre tenero sei!

– Non sono morto.

– Per fortuna! Altrimenti Lili Sybel si desolerebbe... Oh, a proposito, non sarà un'emerita iettatrice, la bellona?

– In tal caso, gente viva ce ne sarebbe poca. Credo che non ci sia un uomo in Italia che ancora non abbia visto le gambe di Lili Sybel.

– Come tu possa aver voglia di parlare, non capisco. Ti cola il sangue, come se lo buttasse qualcuno incaricato di far questo.

– Se morirò, salutami Pervinca.

– E chi è Pervinca?

– Santi numi! La figlia della Sybel.

– E chi se la ricordava più, quella monachina? Che cerchi? Che vuoi?

– Nulla... Vorrei poggiare il capo... Mi gira... Ho la sensazione di avvitarmi.

– Sei a terra, Marini, non sei in volo... – fece l'altro, tentando di scherzare, ma seriamente preoccupato per il gran pallore dell'amico. – Stai su, ché ora vengono con la mia macchina. Ma tu stai male, Marini. Ascolta, Marini... Lido... Lido...

Marini s'era abbattuto sul volante e non dava più

alcun segno di vita. Ma quasi contemporaneamente a quell'abbandono, il rombo d'un motore si fece udire e con gioia Folchi riconobbe il motore della sua automobile. Guidata da un aviere, la macchina apparve. Il medico del campo era a bordo.

— Che cosa è successo? — chiese questi. — Chi si è fatto male?

— Marini, dottore. E poco fa è svenuto.

— Potevi avvisare, si veniva con l'autoambulanza.

— Credevo fosse cosa da poco...

Balzato di macchina, il capitano medico si curvò su Marini, lo sollevò.

Il sangue non colava più in abbondanza, ma la ferita era ben aperta e visibile.

— Un brutto colpo... — disse il medico. — Chiama qualcuno...

— Ti aiuto io... Dimmi come devo prenderlo.

— Così, mettiti qui...

L'aviere si prodigò, Marini venne issato a bordo della macchina di Folchi.

— Voi andate — disse questi. — Io rimango per sistemare la faccenda.

Poco dopo, Marini veniva adagiato nell'infermeria dell'aeroporto. La visita attenta del medico dichiarò che la ferita non era grave; tuttavia potevano esserci lesioni interne. E allora si decise per il trasporto del ferito all'ospedale di Santa Giuliana, a Perugia.

Durante il tragitto il giovane rinvenne. Chiese di Folchi. Gli dissero che era ancora presso la macchina. Come fu adagiato nel lettino in una camera dell'ospedale, Marini si riprese completamente.

— Bisogna che tu stia tranquillo e non ti muova per alcuni giorni. Hai perduto una quantità di sangue e devo vedere se non ci sono complicazioni... — disse il medico.

Quando la notte scese, Folchi entrò nella camera di Marini.

– Tutto a posto – annunciò. – Il cavallo se la caverà con qualche giorno di stalla, salvo complicazioni. Tu, se credi, puoi chiedere i danni. Ne hai tutti i diritti.

– In che stato è la macchina?

– Un poco ammaccata, ma, nel complesso, pronta a riprendere la strada. Fortuna per te, hai preso più paglia che carro. Ma la tua testa ha dimostrato di non poter sopportare gli urti violenti contro pareti dure.

– Evidentemente, non abbiamo teste uguali – sorrise Marini.

Le bende candide mettevano in risalto il suo bel viso di biondo brunito dal sole. Sotto la stretta fasciatura, gli occhi azzurri, dolci e sereni avevano un'espressione infantile.

– Potevo rompermi io qualche cosa! – brontolò Folchi, battendo affettuosamente la mano dell'amico.

– Un poco anche a me, no, di bendatura?

– Ma tu non ci sei abituato. E poi, tu devi far felici molte donne, io...

– Sei andato dai tuoi conoscenti?

– Sei matto? Ti pare sera da pranzi questa? Sono andato a sbrigare le tue faccende, e ora eccomi qui.

– Digiuno?

– Come un comunicando.

– Ma allora fila!

– Non ho appetito. Voglio stare qui. Dimmi se vuoi litigare con quel carrettiere.

– Ma lascia andare!

– Uomo tenero. Hai sonno? Un poco?

– Sì...

Poco dopo, Marini dormiva. Folchi, come lo vide tranquillo, se ne andò. E allorché giunse al campo, l'attendente gli comunicò che una signora aveva chiesto del capitano Marini.

– Non t'ha detto il suo nome?

– Sì, ma non ricordo. È un nome strano...

– Lili Sybel, forse?

– Ecco... Signorsì...

– Va bene, telefonerò io.

Trovò il numero telefonico dell'attrice, chiese in che cosa potesse servirla. E la donna, di là dal filo, affannata rispose:

– Mi è stato riferito che avete avuto un incidente di macchina. Chi è ferito?

– Marini, signora, ma non gravemente...

– Posso venirlo a trovare?

– Qui? Ma egli è all'ospedale di Santa Giuliana a Perugia.

– Ci vado subito!

– Eh, no! In un ospedale militare non si può entrare tutte le volte che si vuole, soprattutto se si è donne e per di più non parenti...

– Ma io mi farò fare un biglietto da un pezzo grosso.

– Come volete, signora! – rispose Folchi, che cominciava ad essere annoiato. – E scusate se vi lascio, ma da un campo non si può telefonare a lungo.

Se ne andò, un poco scontento. Capiva bene a che cosa voleva sfociare l'interessamento di Lili Sybel. E sapeva che con Marini le cose potevano finire male. O Marini mandava la donna a quel paese o se ne innamorava.

«Gli uomini molto saggi e molto giudiziosi tipo Marini, sono quelli che quando infilano sciocchezze, non la finiscono più.»

Un poco innervosito da tutti gli avvenimenti della giornata, andò a dormire. E la sua camera d'aeroporto gli parve triste e squallida come non mai. S'affacciò alla finestra, guardò il cielo, guardò Assisi. Una mezzaluna anemica, di mala voglia, saliva per l'arco del cielo. Assisi, pallida e mistica, diventava quasi irreale nel chiarore uniforme di quella luna malata.

«Si crepa d'allegria» – pensò Folchi, schiacciando rabbiosamente la sigaretta sul davanzale. – «C'è un'atmosfera così allegra che a confronto i funerali di terza classe diventano baccanali.»

Chiuse le persiane, si coricò.

La luna continuò a salire, pallida e svogliata, per l'arco del cielo e Assisi, a poco a poco, mutò colore. Da bianca si fece grigia, poi si oscurò. Ed era tutta d'oro quando Folchi, completamente rasserenato, spalancava la finestra al nuovo sole.

II

Seduto in una poltrona, Marini beveva una tazza di latte chiacchierando. Accanto a lui, uno di qua una di là della poltrona, stavano Folchi e Lili Sybel. Quest'ultima era riuscita ad avere un lasciapassare che le permetteva di andare tutti i giorni a trovare l'amico ferito. Era stata, per Marini, una devota amica. L'aveva circondato di attenzioni e di premure e ora, mentre il giovane si preparava a lasciare l'ospedale, si prodigava ancor più verso di lui, ma in modo differente. Quel giorno, Lili Sybel aveva inaugurato un vestito di gran classe, che la vestiva e denudava a un tempo, che valorizzava le sue snelle forme e tuttavia non le esponeva. Le suore avevano sbirciato quella donna fin dalle prime visite: continuavano a sbirciarla, ma poiché Lili Sybel si comportava benissimo e aveva anche offerto una somma per la piccola cappella dell'ospedale, non potevano dimostrarle né odio né simpatia. Soltanto, quando Lili Sybel se ne andava e Marini restava solo, l'una o l'altra delle piccole suore, entrando, esclamava:

− Che odore di mondo!

− Se il mondo fosse così odoroso, sorella − disse un giorno Marini − sarebbe più bello viverci.

Ma la suora, senza esitare, spalancava la finestra, batteva l'aria con le mani come per cacciare un insetto pericoloso e noioso e ripeteva:

− Odore di mondo... Odore di mondo...

E Marini, dal suo letto, aggiungeva:

– Il mondo puzza... Il mondo puzza...

Quel giorno, il profumo di Lili Sybel era più acuto del solito e una suora, entrando, aveva ripetutamente arricciato il naso. Marini, che se ne era accorto, aveva strizzato l'occhio a Folchi, il quale, senza esitare, domandò alla suora:

– C'è odore di mondo?

– Altroché! Si soffoca...

E forse, indispettita più del solito, s'avvicinò alla finestra e la spalancò.

– Ma c'è gran vento! – protestò Lili Sybel.

Perugia, infatti, viveva una di quelle sue giornate di vento senza sosta. Tutto si agitava, tutto pareva vivere di una vita propria. E come la suora ebbe spalancato la finestra, tutto, nella camera, si abbandonò a una danza strana. La coperta del letto si sollevò e s'arrovesciò, alcuni giornali si sparpagliarono per terra, un asciugamani sventolò, gli abiti di Lili Sybel si capovolsero sulle belle gambe.

Disperata e scandalizzata, la suora scappò fuori. E Folchi, ridendo, osservò:

– Ciò che fa accorrere certa gente, ne fa scappare dell'altra. Avete gambe mirabili, Lili... lunghe, sottili, snellissime, eppure così tornite da far pensare che qualcuno si sia divertito a metterle in tornio.

– E voi, Marini, che ne pensate delle mie gambe?

– Non posso pensarne che bene – rispose il giovane – ma io non uso fermarmi alle estremità delle donne. Salgo... Salgo...

– Ed è lecito sapere dove ti fermi? – chiese Folchi.

– Prima al cuore. Ascolto, busso, sento se c'è qualche cosa che mi risponde. Poi salgo e vado a scrutare nella testa. Se ci trovo dentro un cervello, mi sento felice.

– E quante volte dalle gambe sei salito al cuore e poi al cervello?

– Fin ora mai, perché sapevo a priori che sarebbe stato un viaggio inutile.

31

– E con me? – chiese Lili Sybel. – Che intenzioni avete?

«Oca!» – pensò Folchi. – «Son domande da fare? Hai forse la presunzione di avere qualche cosa di bello da far scoprire nel tuo cuore e nel tuo cervello? Nel cuore devi avere una patata e nella testa due o tre pesciolini rossi. Non c'è da essere satolli neppure in un giorno di magro.»

– Che intenzioni ho? – fece Marini. – Ma nessuna!

– Non volete vedere se c'è qualche cosa per voi nel mio cuore? Nel mio cervello?

Prendendole una mano e baciandogliela, forse per mitigare la risposta che stava per dare, Marini mormorò:

– Con voi è bene accettare solo ciò che mettete in mostra. Con quello non ci si delude.

– Ma voi avete detto che di una donna cercate anche il cuore e il cervello.

– È vero.

– E allora?

– Allora non potete capire.

Lili Sybel si offese.

– Mi ritenete tanto stupida? Eppure, una donna che ha saputo farsi la mia posizione non può essere stupida!

– Ecco l'errore, Lili! Sapersi fare una posizione, come dite voi, e nel modo che voi sottintendete, significa molto, ma non certo intelligenza e cuore. Non ho mai sentito dire che per spennare un pollo occorre avere acume speciale o cuore tenero! Occorre semplicemente avere il pollo!

– Ma voi mi offendete!

– No, cara, io vi dico ciò che risponde a verità.

– Siete cattivo perché non mi amate!

– Non vi amo, Lili. Vi ammiro molto. Non vi basta? Sul volto dell'attrice passò un'ombra, una lieve ombra di dolore.

«Ma guarda!» − si disse Folchi. − «Possibile che una femmina così sappia amare? Ma guarda un po'...»

− Siete sincero! − mormorò Lili Sybel.

E la sua voce era triste e si sentiva che la gola doveva essere contratta nello sforzo di trattenere le lacrime.

− Dovete ammirare la mia sincerità − rispose Marini. − Preferireste ai vostri piedi un uomo che vi desse l'illusione di un amore e poi, alle vostre spalle, potesse ridere di voi e della vostra tenerezza?

− Ah, no! Sarebbe una sofferenza atroce, perché...

S'interruppe. Cercò nella borsetta qualche cosa che non trovò, richiuse la borsetta, si guardò attorno...

− ... perché... − incoraggiò Folchi.

− Perché se Lili Sybel dovesse amare, amerebbe davvero. E sarebbe molto crudele ingannarla. Vi pare?

− Io non sarò mai crudele con voi né con un'altra donna − dichiarò Marini.

La suora, che mentre parlavano era entrata e uscita più volte, si affacciò decisamente sulla porta e disse:

− Il capitano dovrà riposare...

− Ce ne andiamo, sorella − rispose Folchi. Si levò in piedi, imitato da Lili Sybel.

− Quando lascerete l'ospedale? − chiese la donna.

− Lunedì. Oggi è sabato.

− Potrò avervi a cena con me, una sera?

− Bisognerà vedere come sto e quanto lavoro troverò all'aeroporto.

− Ma non dovrete subito mettervi a volare!

− E voi credete che un pilota debba solo volare? Magari fosse così!

− Allora?

− Allora verremo appena possibile. Contenta?

Folchi salutò l'amico e con Lili Sybel uscì dalla camera. Parve a Lili che mai quell'ospedale fosse stato tanto tetro. La scala larga di pietra, i gradini bassi qua e là consunti dagli anni, il cortile che ricordava il vecchio convento, la costruzione stessa, cupa e rossastra, le strinsero il cuore. Imbruniva e Perugia assumeva quell'aspetto un poco teatrale un poco languido, che le donano i tramonti.

L'automobile di Lili Sybel attendeva nello spazio antistante l'ospedale.

– Volete andare subito a casa? – chiese Folchi.

– Non so... Non ho voglia di nulla, oggi.

– Una proposta, Lili. Mandate a casa il vostro autista e la vostra macchina. Salite sul mio carrettino motorizzato e andiamo su in città a bere un aperitivo. Poi, piano piano, chiacchierando da buoni amici, vi riporto a casa. Questa sera sono libero e non tornerò neppure all'aeroporto. Debbo cenare al Brufani con alcuni colleghi, ho quindi a mia disposizione tutto il tempo che vorrete.

– Vi ringrazio e accetto. Non ho alcuna voglia di andare a casa e di incontrare gli occhi scrutatori e tristi di Pervinca.

– È malinconica vostra figlia?

– Molto, né so perché.

– Sarà innamorata.

Lili Sybel tacque un istante, poi rispose:

– Vorrei che lo fosse, che si sposasse, che facesse la sua vita.

Ma subito, con mosse agili, si staccò da Folchi, andò presso l'autista, gli disse:

– Potete andare. Avvertite la signorina che rimango fuori a cena con amici.

La bella macchina elegante partì. Lili salì nella piccola automobile di Folchi.

– Vedete – osservò questi, ridendo, mentre avviava la macchina – vedete che ho saputo darvi un diversivo? Modesto, da bazar a prezzo fisso, ma comunque diversivo. Ora andiamo per corso Vannucci e il primo bar che troviamo sgombro di gente lo prendiamo d'assalto.

Scesero davanti a un caffè posto a metà del corso.

Era parso a Folchi che il bar fosse sgombro, ma, come furono entrati, si avvidero che un gruppo di ufficiali dell'aeronautica stava seduto attorno a un tavolino.

— Sacrapanto! — brontolò Folchi. — C'è anche il colonnello...

Ma il colonnello, al saluto di Folchi, rise cordialmente come per dirgli: «Ma divertiti, già che ci sei!».

Folchi sedette accanto a Lili e le sussurrò:

— È il colonnello Riva. Un emerito lavativo al quale vogliamo tutti un gran bene perché strilla, strepita, minaccia e poi ce le passa tutte. Purché si voli bene, lui spolvera le grane. E quello è il maggiore Ponti. È caduto sette volte e s'è rotto sette costole. Una costola ogni volta, sistematicamente, una dopo l'altra. Sa fare miracoli in volo, quell'uomo.

Lili Sybel sorbiva il suo aperitivo guardando gli ufficiali. Ma era evidente che il suo pensiero andava oltre quegli uomini. E Folchi, sorridendo, osservò:

— Io chiacchiero, ma voi siete là, proprio là, dove una suora in questo momento starà ancora sgranando rosari contro il vostro profumo.

Lili sorrise, senza negare. Poi sospirò:

— Avete ragione, ragazzo! Sono proprio là.

— Una sbandata, insomma! State attenta: le sbandate sono sempre pericolose, in terra e nell'aria. Se si pigliano in terra, il cuore rischia di andare a pezzi, se si pigliano in aria è l'apparecchio che rischia di andare a pezzi con noi.

— Perché dovrei stare attenta? Non ho conti da rendere a nessuno, io!

— Nemmeno a voi stessa? Non dovrete poi un giorno dirvi: «Sono stata molto sciocca e ho sbagliato tutto».

— Pazienza.

— Ma amate a questo punto quel ragazzo?

— L'ho amato subito.

— Vi siete messa in un brutto pasticcio, Lili!

— Perché?

– Perché non sarete mai ricambiata. Marini è un puro, che si innamorerà soltanto della donna che dovrà diventare sua moglie. Gli vivo accanto dal periodo dell'Accademia. E voi potete pensare se due giovani accademici, amici, possono avere segreti l'uno con l'altro. Tutto ci si diceva, come oggi. E posso assicurarvi che come Lido non aveva allora nessuna amante, così non ne avrà oggi.

– Ma...

– Capisco. Ma quelle non sono amanti. Sono il cestino da viaggio che si compera a una stazione per satollare lo stomaco; sono, qualche volta, la buona colazione di vagone ristorante, con l'antipasto, il gelato e una specie di caffè. Ma il cestino da viaggio si paga come la colazione in vagone ristorante, e non ho mai sentito dire che per l'uno o per l'altra un uomo ci abbia rimesso un pezzetto di cuore. Mi capite, Lili? Non vorreste, spero, essere per lui ciò che sono state le altre, cento o mille donne, passate come ombre nella sua vita di giovanotto.

– Non so...

– Lili, Lili... Voi perdete di dignità. Usciamo, Lili. Furono ancora nella piccola automobile.

– Dove andiamo? Volete che si vada verso il «Frontone?».Volete restare a cena con me? Mando i miei amici a farsi friggere e resto con voi.

– A che ora tornerete all'aeroporto?

– Sono libero fino a domattina.

– Allora venite in villa.

Ma oramai Folchi aveva una sua idea precisa.

– No. Venite a cena voi, con me. Vi passerà lietamente la serata. Se vorrete chiacchierare con i miei amici, vi presenterò; se vorrete restare sola con me, resteremo soli.

La donna invece di rispondere, domandò:

– Voi credete proprio che Marini non potrà mai amarmi?

– Ne sono convinto, Lili.

Senza esitare ella ordinò:

– Portatemi al Brufani. Debbo telefonare a casa.

Folchi ubbidì. La donna si diresse a una cabina telefonica posta nell'atrio dell'albergo e alla cameriera ordinò:

– Mandatemi subito qui, all'albergo Brufani, la valigetta con il necessario da toeletta. Dite alla signorina che ho trovato qui alcuni amici che desiderano portarmi all'opera. Rientrerò domani mattina.

Folchi che era rimasto sulla porta della cabina e aveva udito, la guardò interrogandola. E Lili Sybel, senza aprire bocca, con il capo disse di sì.

Con un poco di strategia, Folchi ottenne due camere sullo stesso piano e molto prossime. L'autista di Lili Sybel portò la piccola valigia della signora e la donna salì nella sua camera, mentre Folchi, un poco perplesso, un poco nauseato, restava in una delle sale dell'albergo.

Era quasi buio. Nel cielo già brillava qualche stella e stelle parevano i lumi della città che, salendo dolcemente, finiva in un morbido abbraccio di case e di alberi. Dalla poltrona dove era sprofondato, Folchi poteva vedere l'aeroporto e qualche luce che già vi si accendeva. Pure vedeva Santa Giuliana, tutto scuro e massiccio nell'ombra che sopravveniva sempre più densa.

«Bella Perugia!» – pensò il giovane. – «Bella e cara città di incanti! Pare impossibile che laggiù vi sia una città Santa, che poco più avanti ci sia un severissimo aeroporto, che tutto qui attorno spiri aria mistica e poi ci si debba imbattere in donne come Lili Sybel. Che roba, perdio! Io mi domando come crescerà quella Pervinca...»

Lili riapparve. E al suo passaggio, tutti si voltarono.

«Be', mi fa fracasso questa donna... Purché non abbia grane!»

E a Lili, levandosi in piedi:
– Che volete fare?
– Mangiare e poi andare a dormire.
Gli amici di Folchi, tre giovani capitani, arrivarono tutti insieme.
Ma visto il collega con Lili, salutarono e tirarono via.
Lili e Folchi mangiarono in fretta, poi la donna salì nella sua camera.
E Folchi, che per rispetto all'albergo e alla divisa che indossava doveva salvare le apparenze, andò a unirsi ai suoi colleghi.
– Dove l'hai pescata? – chiese uno.
– È Lili Sybel...
– Ah, mi pareva... Accidenti, che spese pazze... Hai ceduto il quinto?
– Che quinto! Ho ceduto il cuore. Io a lei, lei a me. Amore, cari ragazzi!
– Ma vai a farti ripassare! Amore!... Folchi innamorato... E di quel tipo berlina di lusso innamorato...
– Be' – scattò Folchi. – Non sono ragazzo da ispirare amore, io?
– Altroché, ma non a quella! Comunque, se s'annoia presto di te, noi siamo qui, pronti a sostituirti...
Parlavano di Lili Sybel come si parla di una donna facile. Nessuna parola gentile, nessuna allusione cortese.
«Eppure» – si disse Folchi – «eppure è madre, questa donna. E ha a casa una figlia di diciotto anni, una creatura che viene da un collegio, che forse è veramente onesta, che...»
Un cameriere venne ad avvertirlo che era chiamato al telefono. Andò e fu stupito di udire la voce di Marini.
– So che resti al Brufani, questa sera. Mi sto annoiando a morte. Non potresti venire a farmi passare un'ora?
– Non posso, Lido...

— Ho capito. Ti sei imbarcato... Bene, almeno?

Folchi restò un poco silenzioso e bastò quella sua esitazione, perché di là dal filo Marini, ridendo, chiedesse:

— Accidenti! Con te? Benone! Come innamorata, non è troppo fedele! Questa volta, raccomando io a te: attenzione!

— Grazie per la premura e dimmi se ti scoccia.

— Mi scoccia? Mi fai un piacere! Soltanto...

— Dimmi...

— Penso a quell'altra.

— E chi è?

— Pervinca.

— Ah, il biondo fantasma. Se ne parla troppo di questa Pervinca e non la si conosce.

— Meglio così. Potremo illuderci che almeno lei sia una donna onesta. Buona notte, Folchi.

— A rivederci, Marini.

Non tornò nella sala. Salì le scale, infilò il corridoio dove era la sua camera. Ma naturalmente sbagliò numero.

III

Lido Marini disse a Folchi:

– È una scocciatura che potevi evitarmi.

– Ma come potevo fare? Ha insistito tanto...

Indossavano tutt'e due l'abito borghese ed erano molto eleganti, ché l'uniforme non toglieva e non aggiungeva nulla alla gagliarda distinzione delle loro giovani figure.

– Accidenti alle cravatte! – protestò Marini. – Quando s'è abituati alla cravatta nera, tutte quelle borghesi sembrano sgargianti. Che te ne pare di questa?

– Per me è un capolavoro.

– Di cattivo gusto?

– Ma no, è magnifica. E poi, credi tu che Lili abbia occhi per la tua cravatta? Guarderà te...

– Guarda me e viene a letto con te. Posso domandarti se la faccenda continua?

– Continua.

– Sei fortunato.

– Potevi esserlo tu.

– Grazie, non ho davvero rimpianti.

Erano pronti, ormai. Uscirono dalla camera dell'aeroporto, con la macchina di Folchi si diressero a «Villa Delizia». Chiusa in un bell'abito da sera, che pareva un abito da teatro tanto luceva e frusciava, Lili li accolse ridendo. E, ridendo, avvertì Folchi:

– Stai attento, non mi dare del tu. C'è anche la compagna di Pervinca arrivata fresca fresca da Firenze. Una monachina.

A Marini diede la mano da baciare e domandò:

– Siete già pentito d'essere venuto?

– Non ancora, signora Delizia!

Era evidente che Lili Sybel aveva voluto invitare i due giovani per mostrare loro di che cosa è capace un'attrice del suo rango quando ci si mette d'impegno. Nella sala da pranzo, che era vastissima e assomigliava a una di quelle sale che si vedono nei film, dove i commensali mangiano su un piano di cristallo e stanno a tre metri di distanza l'uno dall'altro, c'era un lusso di cristalli e argenterie che faceva pensare a una ricchezza antica o a una eredità troppo recente. La tavola, lunghissima, rettangolare, aveva cinque coperti.

– Le due ragazze le mettiamo vicine – spiegò Lili Sybel. – Sarebbero capaci di spaventarsi se le staccassi l'una dall'altra.

E al cameriere ordinò:

– Chiamate le signorine, dite che vengano nel salottino.

Il salottino era tutto d'oro, tutto nuovo, tutto appena fatto. Le sete odoravano ancora di telaio. Lili sedette allargandosi attorno i veli del suo abito color rosa antico. Aveva una scollatura abbastanza saggia, ma al collo, alle braccia, agli orecchi e nei capelli aveva troppi brillanti.

– Bevete! – pregò, porgendo un bicchiere a Marini.

– Non attendiamo le signorine?

– Quelle non bevono! – rise Lili. – E stupiscono quando vedono che ingoio qualche liquore.

– Ma scusate, Lili – fece Marini – a vostra figlia come... come vi siete presentata?

– Come una ricca signorina di buona famiglia tradita da un vilissimo seduttore.

– Ah... ben trovata! E forse la figliola ammira la generosa madre che ha affrontato lo scandalo pur di non separarsi dalla sua creatura.

– Forse...

– Ma... ma voi pensate che questa finzione potrà sempre durare? Perché non lasciate il teatro? Un giorno o l'altro vostra figlia saprà...

– Che importa? Sappia! Se non fossi stata Lili Sybel, non avrebbe avuto tutto ciò che ha; e il giorno in cui sarà a conoscenza di tutta la verità, non potrà fare altro che ringraziare Lili Sybel. Da donna Delizia Barbàro credete pure che avrebbe avuto ben poco...

I due giovani si levarono in piedi. Sulla grande porta incorniciata in cristalli lucenti, s'erano inquadrate le due fanciulle. Alta e snella Pervinca; un poco più bassa e più formosa, Vanna. L'una vestiva un ricco abito azzurro, l'altra un semplice abito rosso. Bionda era Pervinca, bruna come la pece Vanna.

– Avanti, avanti, bambine! – invitò Lili. – Questi sono i miei due grandi amici, che diventeranno anche i vostri. Il capitano Marini, il capitano Folchi. Questa è la mia Pervinca, questa è la sua grande, inseparabile amica Vanna Berté.

I due giovani si inchinarono e quando si eressero videro due visetti rossi rossi e molto confusi. Vanna aveva due grandi occhi neri, da zingara; Pervinca due grandi occhi azzurri, da angelo. I tratti di Vanna erano decisi e forti, ma ben fatti; quelli di Pervinca erano morbidi, dolci, perfetti. Tutt'e due avevano la bocca grande e bei denti; tutt'e due avevano belle mani senza ombra alcuna di vernice o ritocco. E puri, puliti, limpidi erano i due volti. Bianca e rosata la pelle di Pervinca, scura e senza ombra di rosa quella di Vanna. Erano assai impacciate, le ragazze; si tenevano vicine, ma di sotto le lunghe ciglia che, di tanto in tanto, rapide come palpito di farfalla si sollevavano, guardavano gli uomini.

– Si può essere più distratti, Pervinca? Scarpe bianche? Ma tu hai le scarpe azzurre...

– Lo so, mamma.

Vanna, poco riverente, sbruffò una risata:

– Signora – disse – le ha provate, le scarpe. Le ho provate anch'io. Ma non possiamo camminarci. Siamo abituate alle scarpacce di collegio, senza tacco, come le ciabatte delle contadine o alle scarpe con il tacco sportivo ben saldo e grosso. Con le scarpe ortopediche, così alte da terra, non sappiamo stare in equilibrio.

– Bisognerà imparare! Ma ti pare, Pervinca, che si possano mettere scarpe da tennis con un simile abito? E a te, Vanna, pare decente un simile tacco con un abito da mezza sera? Eppure ho visto nel tuo baule scarpine rosse molto eleganti.

– Signora, la mamma mi ha fatto fare quelle scarpe perché facessi buona figura qui... Ma io la buona figura la farei a terra, se le calzassi.

– Lasciate stare, signora! – intervenne Marini. – Noi, se vorremo vedere scarpe elegantissime, guarderemo le vostre che, se non erro, sono di laminato d'oro... Viste e ammirate, dunque. Contenta?

Un cameriere, con voce da ribalta e molto ossequio, annunciò che la signora era servita.

Con un'idea sua particolare sull'etichetta, Lili aveva voluto che le due estremità della tavola fossero occupate dai giovani. Per lei s'era scelta un posto a lato e le due fanciulle le stavano di fronte.

Il pranzo si annunciò subito squisito, raffinato, ma eccessivamente lussuoso. Marini, come fu seduto a tavola, guardò Pervinca. La fanciulla a sua volta guardò il giovane e gli sorrise. Un sorriso dolce, timido, di bimba che dice:

«Scusa se sbaglierò. Entro ora nel mondo...»

Per quello sguardo, per quel sorriso, Marini si sentì pronto a dare il mondo stesso, che da se stesso si sarebbe impegnato a conquistare. Pervinca era cheta: lo rivelavano i suoi atti, i suoi movimenti. Vanna, no. Vanna, ed era evidente, si tratteneva a fatica. Ella aveva desiderio di mangiare, di bere, di parlare, di muoversi. Parlava sottovoce alla compagna, tratteneva risatelle, sollevava il tovagliolo per celare forse una risata, forse una smorfia. Viva, limpida, tutta sangue caldo era Vanna. Tranquilla, luminosa, tutta palpitante di luce interna era Pervinca.

Un cameriere serviva in modo irreprensibile i cibi. Un altro si occupava dei vini. Quando un liquido dorato e dal sapore amarognolo venne versato nei bicchieri delle fanciulle, Marini non potè trattenersi dal dire:

– Con questo antipasto da mille e una notte, si deve bere. Ma le bimbe devono bere poco.

Vanna gli saettò uno sguardo di carbone e brillanti e rispose:

– So perché dite così. Ma io già presi una sbornia... quando battezzarono il mio cuginetto.

– Belle cose! – fece Marini con voce grossa. – Una sbornia! E che cos'è mai una sbornia?

– È una cosa che fa girare la testa, fa venir sonno e fa sollevare dal letto... Io mi sentivo tutta sollevata; mi pareva di essere come quelle donne che vanno in catalessi e che poi restano sospese nell'aria anche se tolgono di sotto le seggiole. Ne ho vista una a teatro, una volta. Stava su, su e non cadeva mai!

– Voi andate dunque a teatro? – domandò molto severamente Folchi. – Ma dove siamo? Signorine che escono di collegio e parlano di sbornie e di teatro...

Vanna, come soleva, sollevò le spalle; parve voler nascondervi dentro la testa e rise nascondendo la bocca nel tovagliolo. Pervinca, invece, disse:

– Io non sono mai stata a teatro. La mamma dice che ci si annoia tanto. Tuttavia, lei ci va.

– Io non mi annoio perché posso capire.

– Ma un'opera, mamma, un'opera, lasciamela vedere! Ora c'è la stagione a Perugia...

– Vedrete un'opera! – assicurò Marini. – Vi porterò io, se lo permetterà donna Delizia!

Quel donna Delizia, buttato là davanti a quelle due bambine, risuonò più sprezzante di Lili Sybel.

«Delizia» – pensò Marini. – «Un nome che fa programma. Non capisco perché si sia scelta uno pseudonimo. Andava tanto bene il nome di battesimo, a questa donna! Come la detesto, questa donna. Ha un angelo di figlia, ha quattrini da buttare via e si ostina a voler mostrare il suo corpo nudo a tutto il mondo. Che schifo!»

Vanna parlava con Folchi e gli raccontava che suor Teresa era stata nel mondo e aveva lasciato questo mondo per una delusione d'amore che l'aveva spinta a cercare conforto e pace nel convento.

– Era un'attrice, pare. E qualche volta ci raccontava di aver visto tante opere. Ma io credo che le opere le interpretasse lei. Sentiste come canta bene! Ci fa sempre piangere!

– Un bel divertimento! – osservò Folchi.

– Oh, sì! – fece Vanna che non aveva raccolto l'ironia. – Quando sappiamo che canta suor Teresa, ci batte il cuore. E la immaginiamo con vesti lunghe lunghe, con capelli lunghi lunghi, in un palcoscenico dove ci siano tanti fiori, tante luci, tanti uomini in corazza e spadone.

– Vi porteremo a vedere «La Traviata» – disse Marini. – Ne danno una edizione abbastanza sopportabile.

– Si piangerà? – fece Vanna.

– Oh, figuratevi! C'è da piangere in tutti i toni...

– Che gioia! – scappò fuori a Vanna e battè le mani.

Folchi e Marini si guardarono e poi risero.

Lili era così preoccupata per il servizio che badava poco agli ospiti. Quando venne portato in tavola un gelato che rappresentava un'aiuola fiorita, le ragazze mandarono trilli di gioia. Lo spumante le aveva elettrizzate, i dolci al liquore, serviti dopo il gelato, le misero in follia. Cheta follia quella di Pervinca. Spassosissima follia quella di Vanna. Ma poiché erano veramente pure e ingenue, nulla di triste era nella loro gioia. Parlavano, parlavano e raccontavano di suore, di

45

rappresentazioni nel teatrino del collegio, di piccoli dispetti fatti alla direttrice, di piccolissime bugie dette in confessione.

– L'avevo proprio rotto io, quel vetro... – disse Vanna. – Ma in confessione rivelai che non sapevo se ero stata io sola, che credevo ci fossero altre ragazze, ché in molte giocavamo con la palla... Sulla palla che spezzò il vetro della direzione, non c'era scritto il mio nome, è vero?

– Hai pure rotto tu il vaso azzurro, in Chiesa – aggiunse chetamente Pervinca. – E ti tagliasti raccogliendo i cocci. E per celare il taglio inventasti una scottatura così che suor Marta, la cuciniera, ti fece dare fette di patate per curare il tuo male... Eri molto bugiarda.

– Anche tu! Per poterti cambiare camicia due volte la settimana, invece di una sola come era prescritto, ti macchiavi sempre con l'inchiostro il grembiule nero. L'inchiostro andava di sotto... e suor Battistina del guardarobe strillava perché doveva sciupare latte per togliere le macchie. Ricordi, quando scoprimmo che si faceva dare un bicchierone di latte, ma per togliere le macchie ne usava un cucchiaio e il resto se lo beveva? Rimase col bicchiere incollato alle labbra e poi ci disse che stava assaggiandolo perché le pareva acido, ché il latte acido allarga le macchie e non le fa sparire. Vedi bene che bugie ne dicono anche le monache! Figurati che m'hanno detto per farmi stare quieta che chi si muove troppo nella vita dovrà poi stare nell'inferno sempre, sempre immobile, con gli occhi fissi e i piedi uniti. Qualche volta mi diverto a fare le prove e mi metto ferma ferma, con...

Gli uomini ridevano. Lili Sybel meno. Ella guardava un poco stupita, un poco annoiata le ragazze. Evidentemente, quella serata «bianca» non la divertiva. Ma divertiva immensamente Marini e Folchi, i quali aizzavano le ragazze e volevano sapere i loro piccoli segreti. Folchi, a un tratto, domandò:

– E con il giardiniere, andavate d'accordo?

– Altroché! – rispose Vanna. – Quando poteva rubare frutti ce li dava di nascosto.

– E scommetto che vi piaceva.

– Chi?

– Il giardiniere.

– Buon Dio! Avrà mill'anni!

Lili Sybel si levò, volle andare nel gran salotto, quello che aveva così profonde poltrone che parevano letti. Le ragazze si buttarono ognuna in una poltrona e Vanna, quasi repentinamente, reclinò il capo, mormorando:

– Io dormo...

– Non dormire, non dormire, andiamo a letto – disse Pervinca. – Ho io pure gran sonno.

Vanna volle reggersi, non ci riuscì. Pervinca andò in suo aiuto, ma barcollò a sua volta, brontolando:

– Santo cielo, sei pesante come un sacco di farina! Appoggiati a me, andiamo.

Marini intervenne:

– Appoggiatevi a me, signorina Vanna. Vi accompagno io. Ci volete precedere, Pervinca?

– Sì, buona notte, capitano Folchi. Buona notte, mamma.

Pervinca s'avviò. Vanna, appoggiata al braccio di Marini, disse:

– Se mi vedessero le suore appoggiata a voi, mi metterebbero in cella!

– Ma le suore fortunatamente sono lontane e pericoli di celle non ve ne sono di sicuro!

Al pianerottolo del primo piano, Pervinca si fermò, dicendo:

– Ecco le nostre camere. Potete entrare nella mia che comunica con quella di Vanna.

Aprì la porta. Marini vide una grande camera azzurra, tutta azzurra, dai mobili al gran tappeto, e sentì subito un odore di giovinezza pulita che gli allargò il respiro. Sul letto era disteso un pigiama scarlatto che in tutto quell'azzurro pareva una risata di bella bocca.

Per la porta di comunicazione entrarono nella camera di Vanna, la quale, staccatasi da Marini, piombò subito sul letto e, dopo aver mugolato qualche cosa, chiuse gli occhi e si addormentò.

– Sempre così! Anche in collegio! Chiacchierava, chiacchierava, poi, d'improvviso, chiudeva gli occhi e addio, andava con gli angeli! Ora le tolgo le scarpe e poi le metto una coltre addosso. Fino a domani mattina dormirà.

Tolse le scarpe alla compagna, la coprì con il piumino, spense la luce, tornò nella sua camera.

– Come è bella e stravagante la vostra camera, Pervinca!

– Vi piace? Fa parte delle molte sorprese che m'ha preparato la mamma. A ogni ritorno dal collegio, una cosa nuova! Peccato che io torni dal collegio solo una volta l'anno, cioè solo per le vacanze, e dall'agosto a metà ottobre...

S'interruppe, sorrise felice:

– Ma ora in collegio non torno più e pur di restare nella mia casa, sono disposta a rinunciare a ogni sorpresa... Non saprei, del resto, che cosa desiderare ancora. Vedete? Ho un piccolo appartamento tutto mio: camera azzurra, stanza da bagno rosa e cristalli neri, salottino dove sono raccolti tutti i colori dell'arcobaleno. Vi piace?

– È tutto così bello e nuovo!

Pervinca si lasciò cadere su una poltroncina. E Marini, quasi senza avvedersene, s'accostò a lei e sedette su un bracciolo. Per parlare con la fanciulla, si curvò un poco su di lei e nell'atto che compì un caro odore di erbe tenere e di sole gli salì alle nari.

– Come siete bella, Pervinca!

Si attendeva la solita risposta piena di ritrosìa di tutte le collegiali. Gli rispose invece un limpido sorriso.

– Lo sapete di essere molto bella?

– Lo so. Figuratevi che me lo dicevano anche in collegio, aggiungendo però che, poiché ero bella, avevo l'obbligo d'essere anche buona. E quando mi toccavano i capelli, le insegnanti mi dicevano di ringraziare Dio per questo biondo dono che m'aveva fatto.

– Ma sono vostre queste trecce che avete attorno al capo?

– E di chi dovrebbero essere? – rise la fanciulla.

– Già; di chi dovrebbero essere? Voi non siete certo tipo da portare capelli finti!

Pervinca allungò le gambe, incrociò i piedini. Si mise in attitudine comoda, ma composta. Marini guardò quelle lunghe gambe che pur essendo snelle e sottili avevano forma perfetta ed erano simili a quelle celebri di Lili Sybel. Tutto il corpo di Pervinca somigliava a quello della madre: snello, longilineo e tuttavia con gentili curve colme di femminilità. Soltanto nel volto, le donne differivano. Volto non bello, ma caratteristico e sommamente espressivo, quello di Lili Sybel; volto perfetto di tratti e finissimo, quello di Pervinca. Gli occhi di Lili Sybel rivelavano la donna e il genere di donna; gli occhi di Pervinca rivelavano la fanciulla e la grande ingenuità della fanciulla. Se la somiglianza dei due corpi spiacque a Marini, la differenza estrema dei volti lo rasserenò.

– Siete buona, Pervinca? – chiese curvandosi sulla ragazza.

– Eh, non lo so. Io credo di sì. Ho sempre avuto dieci in condotta.

– Dieci in condotta è molto.

– È il massimo che si può dare.

– Infatti è il massimo che si può dare. Questo significa che siete una brava bambina. E io vorrei...

Pervinca rise e lo incoraggiò:

– ...che?

– ...che poteste restare sempre una brava bambina.

– Oh, ma questo è certo! L'ho promesso anche alle suore, le quali mi hanno detto che io debbo essere buona e saggia ancor più delle altre. Chi sa perché, poi.

Marini si sentì stringere il cuore. E pensò:

«Le suore hanno intuito che la madre di Pervinca ha molto da farsi perdonare. Per questo, hanno raccomandato alla piccola di essere più saggia delle altre... Povera Pervinca! Quale condanna l'attende! Qualunque cosa farà le sarà criticata. E se un giorno darà un bacio a un uomo, questo bacio sarà valutato come un peccato grande e ognuno dirà «Non poteva essere che così... Con una simile madre... Talis mater...»

Ebbe una improvvisa pietà per la ragazza. Odiò quella madre che non si faceva viva, che lasciava la sua figliola così, nella camera sua con un giovanotto, che neppure pensava alla possibilità del male perché il male, per lei, era cosa logica, stabilita da una sua legge, da una sua moralità.

Accarezzò lievemente le belle trecce bionde, mormorò:

– Credo di volervi un poco di bene, Pervinca.

Con un sorriso tremulo, che le metteva un brivido sulle labbra, la fanciulla, candidamente domandò:

– Mi volete sposare, capitano Marini?

Egli la guardò, sbalordito.

– Tutte le mie compagne – continuò Pervinca – che come me non rientreranno in collegio, hanno qualcuno che le vuol sposare. Io non ho nessuno... Sposatemi voi!

Era certo un poco brilla, Pervinca. Ma forse, anche a mente serena, avrebbe detto così, ché le pareva logico di avere anche lei qualcuno che la volesse sposare. E continuò:

– Vanna ha un cugino che vuole sposarla, ma non so se il matrimonio si farà, perché quel cugino non deve piacere troppo alla mia amica. Non è bello e non deve essere neppure simpatico. Quando con la madre di Vanna veniva al collegio, nessuna ragazza lo guardava. Appunto perché non poteva rappresentare il principe azzurro dei nostri sogni.

– E io, Pervinca, potrei rappresentare il principe azzurro di una bella fanciulla?

– Oh, sì! Voi siete bellissimo.

– Mi accontento di bello: gli uomini bellissimi esistono solo nei romanzi. Comunque, sono lieto di constatare che non detestate i biondi, cosa che accade, qualche volta, nelle donne.

– Io preferisco gli uomini biondi agli uomini bruni!

– Che cosa mai volete preferire, bambolina? Che ne sapete voi?

E a se stesso, disse:

«Ha già le preferenze materne: anche Lili Sybel, a quel che pare, tende verso i biondi».

E ancora a voce alta:

– Allora sono felice di rappresentare il vostro ideale. Quando poi mi vedrete in divisa, vi innamorerete follemente di me. E io vi inviterò a fare un giro in macchina, con me: noi due soli, Pervinca.

– Va bene. Ma baciatemi. Io voglio sapere come sono i baci.

Ancora quella stretta al cuore, che poco prima l'aveva fatto soffrire, lo prese dandogli una sofferenza più acuta.

– Non dovete parlare così, Pervinca. Una brava ragazza non deve dire a un giovanotto: «Baciatemi».

– E a chi deve dirlo?

– A nessuno, perbacco!

– Ah, sì? In collegio si parlava sempre di questo.

– Parlavate molto male, in collegio. E mi meraviglio...

Chetamente, Pervinca si toglieva dal capo le forcine che trattenevano le sue trecce. Chetamente, scioglieva i bei capelli.

– Pesano, le trecce, questa sera! Forse perché ho sonno...

Marini vide un sole biondo cadere sulle spalle di Pervinca. Fu certo di non aver mai visto una creatura più bella, più nuova, più ingenua. Prese nelle sue mani la piccola testa un poco stanca, la strinse avvicinando la bocca alla bocca.

– Pervinca... Io ti amo.

Ella non rispose. Chiuse gli occhi come li aveva chiusi poco prima Vanna; parve pronta ad addormentarsi.

– Pervinca, ascolta. Apri gli occhi, guardami. Domani ti parlerò a lungo. Domani ti bacerò a lungo. Ora vai a dormire.

– Sì...

L'uomo voleva andarsene, il maschio voleva restare. Con sforzo, Marini si levò in piedi, aiutò Pervinca ad alzarsi. E l'ebbe così tra le braccia. E il bacio che da tanto gli bruciava sulle labbra, andò a bruciare due altre labbra che, inconsapevoli, si offrivano.

– Ecco, amore; ti ho baciata. Ma tu che credi in Dio, giurami che non ti lascerai mai baciare da nessun altro uomo. Giuralo, Pervinca!

– Lo giuro... – rispose la fanciulla. – Questo si diceva anche in collegio. Noi dobbiamo morire piuttosto che tradire il nostro amore.

– E sarò il tuo amore, io, Pervinca?

Lasciandogli cadere la testa sulla spalla, Pervinca mormorò:

– Sì...

Poi gli rimase tra le braccia, cheta e un poco ansante, ché stava per addormentarsi davvero.

L'adagiò sul letto, le tolse le scarpine, guardò il piccolo piede, la lunga gamba. Poi, decisamente, si staccò dalla fanciulla, spense la luce, discese.

E arrivò in tempo per vedere Lili Sybel levarsi dalle ginocchia di Folchi, andare davanti a uno specchio a rimettersi il rossetto che il giovane le aveva tolto dalle labbra.

– Oh, bentornato! – rise Lili. – Che fanno le marmottine?

– Che cosa possono fare le due marmottine? Dormono! Vanna s'è addormentata subito, Pervinca ha parlato molto delle suore. Credo di conoscerle anch'io, ormai, come se fossi stato in collegio da loro. Poi anche lei s'è addormentata e ora è sul letto, vestita. Bisognerà, Lili, farla spogliare.

– Alla sua età, non è certo un abito quello che impedisce di dormire bene. Si spoglierà domattina. Volete bere?

– No, grazie. Vorrei andarmene. Mi pare che sia molto tardi, Folchi.

– Voi andatevene, Marini – rispose di scatto Lili Sybel. – Folchi rimane.

– Rimane? – fece Marini impallidendo un poco. – Qui? Nella vostra casa?

– Che c'è di strano?

Marini ebbe un sorriso cattivo.

– Nulla – rispose. – Ma sarei davvero grato a Folchi se venisse con me.

– Ma perché? – fece Lili Sybel, contrariata.

– Donna Delizia – disse Marini, scandendo bene le parole, – donna Delizia non dovrebbe dimenticare che in questa casa dorme sua figlia.

Lili Sybel guardò il giovane e nei suoi grandi occhi nacque d'improvviso un'espressione impreveduta, nuova, indefinibile. Un'espressione che non era di Lili Sybel, non era neppure di donna Delizia, ma soltanto di una donna che avrebbe voluto tornare indietro rapidamente, velocemente, per poter avanzare su un'altra strada dalla quale fosse eliminata Lili Sybel, dalla quale fosse eliminata anche donna Delizia. Una strada cheta e ombreggiata, lungo la quale camminare con una persona cara che la chiamasse con un nome semplice e puro.

– Avete ragione, Marini – mormorò Lili Sybel. – Scusate...

– Di che?

– Di tutto.

– Lili Sybel è una deliziosa sventata. Le insegneremo a vivere – rise Marini.

– Forse lo potevate voi. Ma non mi avete voluta. E Folchi non può fare nulla, come tutti gli altri.

– Grazie! – rise Folchi.

– Oh, non ti offendere! Lo sai tu stesso che non vali più d'un altro. Sei un uomo e basta.

– È già qualche cosa.

– E mi piaci. Ma non ti do importanza.

– Grazie ancora. E buona notte, bella Lili...

– Quando tornerete?

– Io sarò di servizio domani – rispose Folchi. – Se vuoi Marini...

– Domani verrò a prendere Pervinca. Voglio portarla fuori con me. Credo che potrete fidarvi, Lili.

– Figuratevi! E Vanna?

– Ah, Vanna tenetela con voi. Portatela ad Assisi, per esempio. Io penso che un bagno nella luce di Assisi potrebbe far bene anche a voi, Lili. Andate.

– Andrò – rispose la donna, docilmente.

E furono nella strada, chiusi nella piccola automobile. Albeggiava. I rami degli ulivi ondeggiavano appena appena, pallidi, qua e là argentei. Sulla fioca monotonia delle cose terrene ancora colme di sonno, le passere mettevano un cinguettìo discreto, quasi timido.

Marini guidava in silenzio e, sbirciandolo, Folchi gli vide quella contrazione di mascelle che ben gli conosceva.

– Che c'è? – gli chiese.

– Che ci deve essere? Ho un gran sonno.

– Null'altro?

– C'è anche dell'altro.

– Fuori! Butta fuori!

– C'è che mi sto innamorando come un cretino.

– Di Pervinca, si sa.

– Di Pervinca.

– È bella. Ed è pura.

– Be', tutte le donne sono state pure, un giorno.

– No, Folchi, non prenderla così. T'ho detto che sono innamorato.

– Buon divertimento.

Marini tacque. E Folchi, senza pietà alcuna per l'amico, disse:

– Essere innamorati deve far piacere.

– Non sempre.

– E perché mai? Si ama, si gode, si passa oltre.

– Dovrebbe essere così, quando ci si imbatte in una Lili Sybel. Ma se ci si imbatte nella figlia di Lili Sybel la cosa diventa più seria.

– Più seria? E perché mai? La figlia di Lili Sybel non si può sposare, quindi, si può mettere pari o quasi alla madre.

Marini sentì un malessere profondo prendergli lo spirito. Un malessere così vivo, intenso, irrefrenabile che diventò quasi fisico.

«La figlia di Lili Sybel non si sposa» ripetè a se stesso.

– Non ragiono bene, Marini?

– Non so... Non mi rendo conto di una tua frase. Perché la figlia di Lili Sybel non si sposa?

Folchi cominciò a ridere, con quella sua risata larga, ironica, squillante, che Marini ben gli conosceva:

– Ah, senti! – disse. – Non farmi della poesia. Non vorrai meditare la losca faccenda di un matrimonio fra te e la figlia di Lili Sybel. Prenditela per amante, e non fare storie. Tanto, se non arrivi in tempo tu, arriverà un altro...

– Piantala, Folchi! Quando sei così cinico mi fai rabbia.

– E tu, quando sei così scemo mi fai ridere. Che ti piaccia una collegiale, passi; ma che tu pensi a sposarla, quando sai che questa collegiale discende da quel bel ramo che discende, via, è troppo!

– Non ha colpa lei, povera figliola!

– Lo so, lo so... Tutte belle parole; ma lasciala crescere, la piccina, e vedrai che è della stessa pasta. Ha già la stessa linea, le stesse gambe, lo stesso corpo! Ti dò un paio di mesi e vedrai che sarà uguale alla madre anche nel resto. Approfitta dell'occasione e prendi il bel fiore.

Erano giunti all'aeroporto. Lasciarono la macchina nel deposito e salirono nelle loro camere. Folchi si addormentò subito, Marini restò a lungo sveglio, pensando a due trecce bionde e a due care labbra ingenue che inconsapevolmente gli si erano offerte.

«La figlia di Lili Sybel non si sposa...»

Le parole di Folchi gli martellavano il cuore. Il cinismo di Folchi non poteva essere il suo, egli capiva che Pervinca era ben diversa dalla madre e che sarebbe stato facile salvarla e tenerla in alto dove la purezza di donna non sarebbe mai stata offesa.

E sognando una Pervinca tutta sua, una giovane bocca pura baciata da lui solo, finalmente si addormentò.

Fu una giornata lunga, per lui, l'indomani. E dopo i voli, senza neppur salutare Folchi, partì velocemente verso «Villa Delizia». Pervinca lo attendeva, vestita d'un abito a giacca di lino azzurro.

– La mamma è partita con Vanna – avvertì la fanciulla.

E questo spiacque a Marini, che pensò:

«Con quale facilità me l'affida. Se fossi un mascalzone...»

Guardò la fanciulla, così sottile e ben fatta nell'abito di distinzione estrema, così squisitamente bella, così ridente e rosea.

– Andiamo, allora, Pervinca?

Ella salì sulla piccola macchina, gli si mise a lato. Teneva fra le mani un berretto azzurro di antilope e sulla spalla la cinghia della grande borsa di antilope turchina.

– Come siete bella ed elegante, Pervinca! – mormorò il giovane non appena la macchina cominciò a correre per la via deserta.

– Oh, io non capisco nulla, sapete! La mamma, prima di uscire, mi disse: «Metti questo e questo, e poi metti questo profumo e poi guardati bene nello specchio e stai attenta che nulla sia fuori di posto».

Ella parlava senza volgersi verso Marini, così che il giovane poteva mirare il bel profilo delicato e roseo che pareva di alabastro luminoso.

– Non vorresti darmi del tu, Pervinca?

– Se volete...

– Allora bisognerà dire: «Se vuoi».

– Se vuoi.

Per la bella strada ombreggiata dalle robinie, la macchina andava piano piano. Marini passò un braccio dietro le spalle di Pervinca e le domandò:

– Ti ricordi qualche cosa di ieri sera?

– Ricordo tutto.

– Anche il bacio che ti ho dato?

– Certo!

– E sei contenta di avermi baciato?

– Sì.

– Perché sei contenta, Pervinca? Mi vuoi un poco di bene?

Ella si strinse nelle spalle e rispose:

– Credo di sì. In collegio avevamo tutte stabilito di farci baciare da un uomo appena ne avessimo incontrato uno che ci fosse simpatico.

– Io sarei quell'uno?

– Proprio!

– E se Folchi fosse venuto nella tua camera in vece mia...

– Oh, Folchi non mi guarda neppure!

– Ti spiace?

– No, perché dovrebbe spiacermi?

Marini fermò dove un folto gruppo di robinie mettevano ombra e frescura. Il pomeriggio di fine agosto era colmo di profumi e un vento leggero leggero scompigliava le foglie, accarezzava le erbe.

– Come si sta bene, qui! – mormorò Pervinca. Marini la strinse contro il petto.

– E così non stai meglio?

Svincolandosi dolcemente, ma decisamente, la ragazza rispose:

– No. Non mi piace essere stretta. Mi pare di essere imprigionata.

– Ma se mi vuoi un poco di bene, dovrai pure lasciarti stringere.

Senza battere ciglio, senza quasi muovere la bocca, Pervinca mormorò:

– Io mi lascerò stringere solo dal mio fidanzato. Perché io voglio sposarmi, avere una casa mia e tanti bambini. So quanto ha sofferto mia mamma per il suo grave errore... Tu forse non sai, ma mia mamma...

– So! – rispose deciso, Marini.

Non voleva sentire, da quella bocca ingenua, tutta la menzogna che Lili Sybel aveva ideato. Gli faceva male sapere Pervinca ingannata; gli doleva doverla deludere.

– E se tu sai, perché vuoi che mi comporti male? Mi pare che basti una donna sfortunata nella famiglia.

Sulle labbra di Marini apparve un sorriso. Egli vedeva Lili Sybel felice e trillante, la immaginava ben paga della sua fortuna e non sapeva pensarla certo sventurata. Tuttavia, le parole di Pervinca gli risuonavano all'orecchio e gli pareva assurdo lasciare nella sua ignoranza quella povera bambina. Disse:

– Tua madre ha saputo dimenticare, del resto. E, nella sua sventura, ha avuto la gioia di avere te.

– Lo so. Ma ciò che lei ha sofferto, non lo possiamo sapere noi.

– Le donne, per non soffrire, devono camminare su una sola strada...

– Lo so.
– E tu...
S'interruppe. La fanciulla lo guardò interrogandolo con l'ingenuo splendore dei suoi occhi.
– E io?
– Tu... saprai camminare su una sola strada?
– Certo.
Allora Marini pensò:
«E basterà questa tua onestà, piccola Pervinca, per far dimenticare che sei figlia di Lili Sybel? Potrai far dimenticare che tua madre visse irregolarmente e ancora vive irregolarmente? Potrai un giorno camminare nella folla, senza che questa ti additi e ti chiami, non già col tuo nome, ma semplicemente: «figlia di Lili Sybel»?
La fanciulla taceva come se rispettasse il silenzio di Marini. E scuotendosi, egli le domandò:
– Potresti restare fuori a cena?
– Non lo so; ma lo credo.
– Dobbiamo andare a cena in un luogo che ti piaccia.
– E dove? Io non conosco nessun luogo.
– Facciamo così, Pervinca. Ti porto a Perugia a cena, poi ti porto a teatro. Sei contenta?
Ella sorrise e per ringraziarlo gli strinse tutt'e due le mani.
– Se ti parrà necessario chiederemo il permesso alla mamma, telefonandole. Va bene?
– Va bene. Grazie.
– Ma un bacio... un bacio potresti darmelo.
Ella esitò un poco, poi offrì la bocca.
– Odori di aria – egli mormorò, stordito, staccandosi da quella bocca. – Hai lo stesso odore che qualche volta ci avvolge in volo, nelle giornate chete e serene.
La macchina uscì dall'ombra delle robinie, riprese la corsa. A Perugia, Marini fermò davanti all'albergo Brufani, alto sulla città. Entrò un istante, uscì, risalì in macchina e a Pervinca disse:

– Ceneremo qui. Ora dimmi che cosa vuoi fare.

– Voglio vedere la città e poi chiacchierare con te.

E vagarono così, per la città. Poi tornarono all'albergo e scesi di macchina cercarono due poltrone in una grande sala dalla quale si domina Perugia.

– Vedi? Laggiù c'è il mio aeroporto.

– Vedo. E penso che deve essere molto bello volare.

– Molto.

– Ti piace?

– Che cosa?

– ll volo.

– Se non mi piacesse, credi che sarebbe molto facile essere aviatori? Le ali bisogna prima averle nel cuore, poi all'apparecchio...

Ella s'era allungata in una poltrona accogliente, aveva accavallato le gambe, incrociate le mani sulle ginocchia e un poco arrovesciato il capo sulla spalliera. Tutta nitida e bionda, così da parere forbita, ella si offriva ingenuamente e totalmente all'ammirazione del giovane.

Un gruppo di uomini passò nella sala attigua e, per la grande porta a vetri, guardò nell'interno. Tutti gli sguardi maschili si rivolsero alla fanciulla, la quale, senza dar segno di noia o di gioia, guardò a sua volta gli uomini che l'ammiravano. Marini vide lo sguardo indifferente della ragazza, vide che ella sopportava senza disagio quell'attenzione maschile e, come gli uomini furono scomparsi, osservò:

– Tu non devi guardare gli uomini che ti guardano...

Con stupore vide che Pervinca alzava leggermente le spalle, chiedendo:

– Perché?

– Perché una brava ragazza non deve dimostrare di aver piacere dell'ammirazione altrui, specialmente se questa ammirazione è maschile.

Pervinca non rispose, ma sul suo viso si distese un lieve velo di noia.

Un poco indispettito Marini le domandò:
- Non ti piacciono le mie piccole paternali?
- Mi lasciano indifferente.
Il giovane ebbe uno scatto.
- Ma che ti accade, Pervinca? - proruppe. - Poco fa sembravi la bimba più mansueta del mondo e ora ti riveli capricciosa e alquanto prepotente. Perché mai?
- Ma sei tu che mi rimproveri per nulla. Ho guardato quegli uomini per vedere se guardavano me, e, in tal caso, per chiedermi che cosa mai potevano volere...
- Eh, via, Pervinca! Non esagerare in ingenuità! Che tu sia ignorante in certe cose è logico, ma che tu debba cantare a me la canzoncina del più bel candore, è stupido!
Vide il gentile volto diventare di fiamma. Fu desolato di aver detto le frasi crudeli, tentò di rimediare:
- Scusa, Pervinca. Ma non posso credere che tu non sappia che cosa vuole un uomo quando ti guarda. Se un uomo ti guarda, può anche non volere nulla, ma il più delle volte vuole constatare quanto gli possa piacere, in certe circostanze, una certa donna. In collegio non sarete tutte rimaste allo stato di pulcini appena usciti dal guscio. E fra ragazze le confidenze corrono. Sii dunque sincera con me, se vuoi piacermi.
- E quando ti piacerò molto che farai di me?
La domanda le uscì dalle labbra così spontanea e il volto era così limpido mentre ella parlava, che Marini restò perplesso. Limpida era la domanda, ardite erano le parole. Che poteva rispondere? Che poteva dirle? Egli pensava che della figlia di Lili Sybel non si poteva fare che un'amante, ma il suo cuore onesto si ribellava a questo pensiero, pur non accettando di accogliervi Pervinca come moglie. Rispose:
- Mi fai delle domande tanto curiose, Pervinca! Che dovrei fare, di te? Una bimba come te non è un oggetto o qualche cosa che, comunque, possa...
La parola gli morì sulle labbra.

Pervinca lo guardava con quei suoi occhi che erano veramente uguali al suo nome e a quegli occhi non poteva dire cattive parole. Sorrise con un po' di malinconia, aggiunse:

– Di Pervinca si potrebbe fare una piccola moglie, ma...

Ancora s'interruppe. E fu la fanciulla che disse, con la consueta semplicità:

– ...ma poiché sono una figlia illegittima, non mi si può sposare.

– Ma che pensi? Figli illegittimi si sono sposati a mille e mille. Potrebbe un figlio rinunciare alla gioia del matrimonio e della famiglia, unicamente perché la sua nascita non è regolare? Sarebbe una cosa inumana, questa!

– E allora, che cosa volevi dire?

La sala era deserta, le ombre scendevano. Marini si fece più vicino alla ragazza, le prese una mano, mormorò:

– Volevo dire che mi piaci tanto, che, appena sarò sicuro di volerti anche tanto bene, ti sposerò. Ma bisogna prima che io sia proprio sicuro del mio bene. Mi capisci, Pervinca?

– Sì. Ma è molto triste, questo.

– Che cosa è triste?

– Che tu non sia ancora sicuro di volermi bene.

– E tu lo sei?

– Io lo sono.

– Piccola! Non si può essere pronti ad amare tutta la vita, dopo così breve conoscenza! Tu sogni, ti illudi, credi di non sbagliare.

– Io ti voglio bene e ti vorrò bene per tutta la vita.

– Sei adorabile. E ti ringrazio. Ma un giorno sarai forse tu a dirmi che ti sei sbagliata: e quel giorno io non sarò felice.

E per mutare argomento domandò:

– Vuoi telefonare a casa per avvertire tua madre

che resterai a cena con me e che poi andremo a teatro?

– Sì, grazie.

Furono presto in comunicazione con «Villa Delizia». E Lili Sybel, ridendo, rispose a Marini:

– Ma sì, restate, andate a teatro. Solo vi raccomando di non illudere troppo la piccola Pervinca. Se si innamorasse di voi, come me ne innamorai io, lei non potrebbe poi prendere, per scacciapensieri, un Folchi qualunque...

La risata che seguì le parole, sferzò Marini fino alle ossa. Troncò bruscamente la conversazione e scuro in faccia tornò da Pervinca.

– Tua mamma è contenta che tu resti con me. Evidentemente si fida del sottoscritto.

– Perché non dovrebbe fidarsi? Non vorrai uccidermi!

– E chi lo sa, Pervinca!

Ella rise.

E lieta fu tutto il tempo che durò la cena.

Marini si accorgeva che la fanciulla attirava l'attenzione della gente e ne provava una viva pena. In lui non esisteva per nulla l'orgoglio d'ogni uomo che vede ammirata la propria donna, ma dominava una specie di turbamento che gli faceva continuamente pensare:

«Perché la guardano? Che cosa vedono in lei? È bella, è fresca, elegante, giovane. Ma la guardano come se da lei si potesse sperare qualche cosa!».

Studiava ogni atto della fanciulla, valutava il tono della voce, teneva conto delle sue parole. Si convinceva che Pervinca non faceva nulla che potesse farla credere una donna equivoca e, tuttavia, la sensazione penosissima restava in lui.

Come ebbero cenato, si levarono per andare a teatro.

C'era al vecchio teatro «Pavone» una compagnia di prosa e Marini trovò un palco. La fanciulla non era mai stata in un palco e tanto meno sola con un uomo.

Ella sedette al parapetto e Marini, che aveva scorto, e nei palchi e in platea, alcuni colleghi, si mise alle sue spalle. Pure da quel posto, egli s'avvide che gli occhi maschili si fissavano su Pervinca, ma con gioia constatò che la ragazza non aveva occhi che per la scena.

– Ti diverti? – le chiese sottovoce.

Una compagnia di prosa, abbastanza buona, rappresentava «Gelosia».

Senza prevedere la fine del dramma, Pervinca osservò, a un certo momento:

– È perfida quella donna. Io la ucciderei...

Marini non rispose. Stando alle spalle di Pervinca, egli poteva bere la fragranza giovane e sana di quel freschissimo corpo femminile. Dalle trecce bionde nasceva un profumo di cosa viva, dalla leggera stoffa dell'abito, scaturiva un tepore odoroso di fiori e di carne.

Lievemente passò una mano attorno alla vita della ragazza. Ella si volse e sorrise.

«Perché sorride? Dovrebbe ribellarsi...» pensò scontento.

Sentiva, sotto le dita, la carne fresca della fanciulla. E il vivo calore che gli veniva da quel contatto, gli invadeva le vene.

– Mi piaci tanto, Pervinca... – le sussurrò.

– Sì?

E quel sì gli parve colmo di audacia. Quasi con rabbia, strinse le reni cedevoli, poi, con sforzo, abbandonò la stretta.

– Mi hai fatto male...

– Vorrei spezzarti.

Ella non rispose, non chiese. Guardò la scena. E parve così intenta e così lontana da ogni cosa che la circondava, che Marini pensò:

«O non capisce nulla o capisce troppo. Nell'uno o nell'altro caso bisognerà saper tenere la testa a posto, perché qui c'è pericolo di perderla seriamente».

Lo spettacolo finì che la mezzanotte era prossima.

In silenzio risalirono in macchina, in silenzio ripresero la strada verso «Villa Delizia».

A un tratto, Pervinca disse:

— Anch'io, se fossi stato il marito di quella donna, l'avrei uccisa... E tu?

— Io? Ma... non mi sono mai chiesto se potrei uccidere.

— Neppure io mi sono chiesta se saprei uccidere; tuttavia, in circostanze simili, credo che saprei e potrei diventare assassina.

— Ma che discorsi fai, bambina?

Fermò la macchina, domandò:

— Ti pare notte adatta per parlare di morte, questa? Tutto parla di vita. Ascolta...

Vicino a loro, attorno a loro, una sinfonia fatta dal gentile stormire delle fronde colmava il silenzio. E solo il cielo, tutto stellato, stupiva per il silenzio profondo in cui si ammantava. I mille odori della terra, fusi in un solo divino profumo, erano nell'aria e davano ai polmoni la sensazione d'essere liberi, forti, sani. La brezza lieve accarezzava il volto, le vesti, le cose.

— Tu parli di morte e io non mi sono mai sentito vivo come questa sera. A che pensi, Pervinca?

— A nulla...

— Non pensi neppure che tra poco ci dovremo separare? Non ti spiace lasciarmi?

La voce dell'uomo s'era fatta dolce, quasi malinconica. Ella percepì quella malinconia e chiese:

— Sei triste?

— Un poco, Pervinca.

— Mi vuoi dire il perché?

— Questa sera non posso dirtelo, cara. Ma può darsi che un giorno, non lontano, io te lo dica.

Sfrenò la macchina, riprese il cammino. E mentre andava così, sotto il silenzio d'un cielo stellato, in una notte divinamente pura e limpida, pensava: «Forse presto ti dirò che ti voglio bene, ma che sei figlia di Lili Sybel e non ti posso sposare. Deciderai tu, allora, che cosa si potrà fare, per non soffrire in due...».

Davanti al cancello di «Villa Delizia» egli scese, aiutò la ragazza a scendere, e già stava per congedarsi, quando il giardiniere avvertì:

– La signora è ancora alzata. C'è il capitano Folchi e se volete accomodarvi farete molto piacere.

Pervinca lo prese per mano e pregò:

– Vieni...

Lili Sybel, che indossava un abito a fiori lucenti, scollato e sbracciato, li accolse con fragore scenico.

– Oh, bentornati! Grazie per aver fatto divertire la mia piccola!

– Ah, non so se si sia divertita... Figuratevi che l'ho portata a vedere «Gelosia»... Ma non c'era altro da vedere!

– Chi sa che compagnia sbulinata! – fece Lili Sybel, con un certo disprezzo. – Di questa stagione, cosa volete che venga a Perugia? Le compagnie di lusso, ad agosto riposano!

Era chiaro che ella alludeva alla sua compagnia e una viva luce d'orgoglio brillava nei suoi occhi.

Pervinca, cheta e silenziosa, attendeva in piedi.

– Non vai a nanna, piccola? Vanna t'ha preceduta da almeno due ore.

– Sì, mamma, vado. Grazie, Marini, stai bene...

– Vi date del tu? – rise Lili Sybel. – Sono molto contenta... Buona notte, piccola!

Baciò la figlia sulla fronte, ridendo, dandole uno schiaffetto. Folchi strinse la mano di Pervinca e le augurò di non sognare il bel Marini. E questi aggiunse:

– Ma neppure Folchi, ti prego!

Pervinca se ne andò. I tre rimasero un istante silenziosi. Poi Lili Sybel, rivolgendosi a Folchi disse:

– Tu volevi bere un poco di spumante?

Marini si sentì la nausea salire fino alla gola. Ecco che Lili Sybel non si faceva scrupolo di trattare con il «tu» il nuovo amante. Ecco che nella casa dove dormiva sua figlia, Lili Sybel accoglieva colui che divideva con lei ore certamente liete.

Folchi rispose:

– Non volevo nulla, grazie. Forse Marini.

– Nulla, vi prego, Lili.

– Come si è comportata Pervinca?

– Da brava e ben educata bambina.

– Oh, lo credo! – fece la donna, poggiando il capo sulla spalla di Folchi. – È stata in uno dei collegi più signorili d'Europa. Figuratevi che la direttrice è una principessa decaduta...

Folchi fumava e a un tratto osservò:

– Mi solletichi con i capelli. Non puoi tenere la testa dritta, senza appoggiarti a me?

– Non posso, non posso davvero.

– E allora ricomponi un poco i capelli.

Ella si sollevò un poco, passò le mani sulla chioma color mogano, sorrise, scoccò un bacio sulla bocca di Folchi.

Questi, divertito, l'afferrò alle spalle, la scosse, disse, ridendo:

– Se non la smetti di impiastricciarmi di rosso il viso, ti do una scarica di scapaccioni.

Era evidente che Folchi piaceva, almeno per il momento, a Lili Sybel. Era evidente che il giovane cominciava a essere annoiato. Incapace d'essere costante più di quindici giorni, Folchi era ormai sulla via di rientrare, come diceva, in se stesso. E Marini non poteva ancora dire come Lili Sybel avrebbe accettato l'abbandono di Folchi. Ben sapeva, Marini, che quando certe donne si incapricciano sono capaci di tragedie ignote alle donne oneste.

– Vedete, Marini? – fece Lili Sybel con una spudoratezza che lo fece rabbrividire. – Vedete? Per colpa vostra, mi sono innamorata di Folchi, il quale mi fa soffrire.

– Per colpa mia?

– Certo! Io avevo scelto voi, voi non mi avete voluta e io, per vendicarmi e per dimenticare, mi sono presa questo brutto mostro che mi farà certo pagare tutti i peccati del mio passato.

– Non ti illudere! – esclamò Folchi. – Io non ti farò pagare nulla. Appena mi sarà passato questo bruciore che mi hai messo nelle vene, ti saluterò e tu, da brava donnina, farai altrettanto.

E Marini pensava, mentre i due giocavano sul loro amore, a Pervinca che dormiva. Ma dormiva, la fanciulla? Poteva una ragazza al suo primo sogno d'amore, dormire su questo sogno?

IV

Pervinca si destò, come il solito, assai per tempo. E come non era solita poltrire a letto, balzò subito a terra e si mise una vestaglia sul pigiama. Poi bussò alla porta di Vanna. Questa dormiva, ma la sua assonnita risposta non aveva alcuna nota di risentimento.

— Buon giorno, Vanna! — salutò Pervinca andando a sedere sul letto dell'amica. — Ti sei divertita, ieri?

— Molto. E tu?

— Oh, noi...

— Ma non t'ha detto nulla, tua mamma?

— No!

— Non siamo andate ad Assisi, sai! Siamo andate a Chianciano.

— A Chianciano?

— Sì. Tua mamma, lì per lì, ricordò che a Chianciano, in un albergo era alloggiata la sua sarta. E volle andare per ordinare alcuni abiti. Ma in che bell'albergo abita la sarta di tua madre! Credo che sia il primo del luogo, alto su una specie di colle, signorile, lussuoso. E la sarta? Un tipo, cara mia, di quelli che fanno girare la gente per la strada. Io restai un poco con loro, poi, visto che parlavano di gente a me ignota invece che di abiti, andai per il giardino. E quanto tornai c'era così tanta gente attorno a tua mamma e a quell'altra signora che faticai a farmi largo.

— E perché c'era tanta gente?

— Chi lo sa! Tutti chiacchieravano, parlavano della

prossima stagione teatrale e tua mamma era molto ammirata e contesa.

Pervinca ascoltava assorta. Sulla sua fronte limpida e rosea una ruga sottile, che pareva una vecchia lieve cicatrice, divideva verticalmente la purezza dell'epidermide.

– Ma non sai dirmi se quella gente mia madre l'avesse conosciuta lì per lì o fosse conoscenza di vecchia data?

– Io penso che alcuni, specialmente uomini, la conoscessero, ma che altri non la conoscessero affatto. Figurati che uno di questi signori la chiamò Lili! E tua madre, se non sono scema, si chiama Delizia.

– Infatti... Lili non è certo il nome di mia madre.

Vanna sorrise e mormorò:

– Però, come mi piacerebbe essere simile alla tua mamma... O perlomeno, avere una madre come lei! La mia...

Sbuffò, si strinse nelle spalle, brontolò:

– Gran sventura essere figli di genitori vecchi. Apri gli occhi e vedi una donna di altri tempi. Cresci e quella donna si fa sempre più di altri tempi, ché non sa camminare e rimane dove l'hai trovata. Ti fai giovinetta e ti vedi di lato una signora vecchia, una signora magari importante e altrettanto rispettabile, ma buon Dio! mummificata nelle sue idee e nei suoi abiti, così che il solo guardarla ti intristisce. Mio padre, poi, è costantemente malato. Povero babbo, non è colpa sua, certo, se non può star bene; ma che si debba sempre, giorno e notte, sentir parlare dei suoi mali, è terribile! E poi, la mia casa...

– Deve essere così bella la tua casa!

– Bello quel palazzo antico, belli quei mobili vecchi, quel portiere centenario, quella servitù dell'età della pietra? Ah, senti, tu non sai quello che dici! Prova tu a vivere in quella casa, tra quella gente!

– Se dovessi provare, forse ne sarei felice, perché mi troverei a mio agio.

– Facciamo un bel cambio, Pervinca – rise Vanna. – Tu vai dai miei genitori, io rimango con tua madre... Almeno potrò mettermi un pigiama! Ma guarda questa camicia da notte, guardala! Chiusa fino al collo, strette le maniche ai polsi, lunga fino alla caviglia e senza nemmeno una cintura, una fascia, un nastro alla vita. To', guarda!

Balzò in mezzo alla camera, si offrì con attitudine molto avvilita allo sguardo di Pervinca.

La camicia da notte, bianca, di lino, la paludava tutta. E se molti e molti erano i finissimi ricami che l'adornavano, pochissima era l'eleganza che l'indumento acquistava.

– Sai che cosa mi pare d'essere? Un pupazzo di neve. E guarda tu come sei carina! Pigiama di seta azzurra con maniche corte, con baveretto alla maschio. Vestaglia di seta azzurra a fiori color oro... E le tue babbucce? Sono d'oro! E le mie? Di pelle marrone. Ma le vedi, tu, queste babbucce? E non ti fanno pensare a Perpetua e a don Abbondio? E come vuoi che trovi un marito che mi piace, se mi vestono così?

– Ma non andrai a cercare marito in babbucce e camicia da notte!

– Lo so; ma questo è il sistema, capisci? E i miei vestiti li conosci. Camicetta con l'elastico alla vita, gonna a pieghe... Stoffe? Quadrettini, quadrettoni, righine, rigone... Tutta roba che va bene per conquistare il cugino, il quale sarebbe già conquistato, se volessi. Ma se sperano che lo sposi!

Portò il pollice alla punta del naso, sventagliò le dita.

– Ho altro che il cugino, io, per la testa!

– E chi hai, per la testa...

Vanna si strinse nella camicia da notte, così da far aderire al suo corpo la stoffa. E mirando le sue giovani forme che si disegnavano sotto la stoffa tesa, cominciò a passeggiare su e giù, reggendo quella specie di strascico e dicendo:

– Se tu sapessi chi ho per la testa...
– Dimmelo...
– Te lo dico? Mi giuri di non ridirlo a nessuno?
– Te lo giuro...
– Mi piace tanto, tanto, tanto, il capitano Folchi!
– Ti piace Folchi?
– Non approvi?
– Oh, sì, che approvo! Ma mi pare che quel Folchi sia un uomo che bada poco a noi ragazze...

– Storie! Vedrai che appena avrò fatto quell'abito che penso, guarderà anche me. Ho guardato ieri, in un negozio di Chianciano paese, una stoffettina... Tua mamma rideva e volle pagare lei dicendo: «Se è per vestire la bambola andrà bene, ma se è per te, che cencio ti metterai addosso...». Ora ti faccio vedere l'acquisto mio, pagato da tua mamma.

Aprì un cassetto, trasse una stoffa terribilmente lucida, rossa, punteggiata qua e là di pisellini verdi.

– Ti piace?
– No – disse Pervinca, sinceramente.
– No? – fece Vanna, desolata.

– Quei bruscolini verdi su quel rosso lucido mi fanno ricordare i pomodori con l'origano che ci ammanivano in collegio. Ma se a te piace...

– A me piace molto. E vedrai che abito mi farò. La cameriera di tua mamma mi aiuterà. Le ho dato in cambio un vasetto di marmellata di castagne, fatta in casa. Dice che marmellata così non ne mangiava da anni. Io sono stata ben lieta di offrirgliela e lei mi taglierà l'abito. Figurati che mi farà uno scollo quadrato...

Si afferrò con i forti e candidi denti il labbro inferiore, rise strizzando i grandi occhi neri e vivacissimi, sbuffò in una risata.

– Mi farà una di quelle scollature che... che se ti abbassi un poco, si scopre il... Mi capisci?
– No...

– Come sei stupida! Si scopre il seno o, perlomeno, l'inizio del seno.

– Bella roba! Non ti vergogni?

– Oh, santo cielo! E tua mamma, alla sera, non scopre anche di più?

Pervinca sentì un tuffo al cuore. Mormorò:

– Ma mia mamma è una signora che vive molto nel mondo... Vedi bene, però, che a me certe cose non le fa indossare. I miei abiti sono poco scollati...

– Oh, tu, poi, sei sottile... Io invece... – Sbuffò di dispetto. – Insomma, io so che se faccio quell'abito, accalappio Folchi.

– Ma che idee!

– Lasciamele! A te che fa?

– Oh, a me nulla davvero! A me piace Marini.

– Me ne sono accorta, sebbene non ti approvi.

– E perché?

– Perché è biondo. A me piacciono i bruni. Sono più forti, più focosi, più ardenti. Chi sa che bei baci mi darà, Folchi! E se poi mi sposerà, figurati, mi darà anche degli schiaffi, perché farò la civetta con tutti i suoi colleghi, lui perderà la pazienza, ché sarà gelosissimo, e mi picchierà. Hai visto che manone? Se me ne mette una attorno al collo, addio Vanna...

– Muori anche tu come la protagonista del dramma che ho visto ieri sera.

– Muore strangolata?

– Sì...

– E soffre molto?

– Un pochino: ma quell'attrice non è stata ammazzata davvero! Che credi, che le attrici si ammazzino sul serio?

– No, non credo questo, certo. Ma mi piacerebbe sapere come è morta quell'artista. Metteva la lingua fuori? Mi hanno detto che chi muore per strangolamento mette poi un palmo di lingua fuori dalla bocca. E questo non lo vorrei, davvero...

Mise fuori tutta la lingua, stralunò gli occhi, si fissò nello specchio. Scosse il capo:

– Eh no, non è bella una donna così combinata!

– Allora studia un altro modo di farti ammazzare.

– Una revolverata? Ecco, è forse la migliore... Ma se mi piglia d'improvviso e vado a sbattere contro un mobile è facile che mi venga un bernoccolo sulla fronte... Neppure con un bernoccolo sulla fronte è bella una donna... Forse una pugnalata... Ecco! Una pugnalata al cuore! Si ha il tempo di mettersi in posa, di morire composte e graziose...

– Ne sei certa?

Mentre parlava, Vanna non smetteva un istante di mirarsi nello specchio. E ora i suoi occhi diventavano scrutatori, ora ridenti. Le sue mani stiravano la stoffa sul petto, sulle anche, sulle reni. Aveva sbottonata la camicia, così da avere tutto il petto nudo e la sua carne color oro opaco appariva calda di salute e di giovinezza.

– Come sono bruna!

– Sei bruna e bella!

– Vicino a te sembro una mora! Fammi vedere una spalla, Pervinca!

Prima che l'amica potesse difendersi, le aveva buttato indietro e vestaglia e pigiama. La spalla luminosa di Pervinca apparve. Ed era una meraviglia di tornitura anche se un poco magra.

– Sei proprio bella, Pervinca! Guarda me!

La camiciona scese fin sotto le ascelle.

– Tu sei splendida.

L'altra rise, felice, poi buttò le braccia al collo dell'amica e la baciò.

– Ti voglio un mondo di bene, Pervinca!

– Davvero?

– Ne dubiti? Sarei un'ingrata, se non fosse così. Se sono felice a chi lo debbo? A te, che mi fai vivere nella tua casa e nell'ambiente che adoro... Ma ora, vestiamoci. A chi fa più in fretta, Pervinca! Io non mi lavo, questa mattina...

– Sudiciona! Non ti lavi?

– Volevo dire, non faccio il bagno. Fra un quarto d'ora sarò pronta. E tu?

– Ah, senti. Io mi metto nella vasca di bagno e può darsi che sia pronta fra un'ora. Tu puoi fare colazione da sola. Ci vedremo più tardi nel giardino.

Si separarono. Ma quando un'ora più tardi Pervinca scese per raggiungere Vanna, non la trovò. Allora risalì e andò in guardarobe.

Trovò sua madre, ancora in vestaglia, intenta a dare istruzioni alla cameriera che cuciva a macchina. Ed era così chiaro che donna Delizia si divertisse in modo sincero, che Pervinca non poté fare a meno di chiedere:

– Che state combinando?

– Guarda, Pervinca! – rise donna Delizia. – Vanna, con questa tappezzeria da macellaio, s'è fatta un abito e ha copiato il modello da un mio vestito da pomeriggio. Ha molta sicurezza nel taglio, la si direbbe nata grande sarta.

Il modello di Lili Sybel era in velluto nero, sobriamente ornato di filettature d'oro.

– Figurati che s'è fatta una scollatura che le arriva qui...

Toccò l'inizio dei seni, e aggiunse, ridendo forte:

– Formosa com'è, voglio vedere come se la caverà...

– Ma perché, mamma, le hai permesso un lavoro simile?

– E perché avrei dovuto vietarglielo? Non andrà nella strada vestita così...

– Ma nella nostra casa ci vengono degli uomini...

Donna Delizia alzò le spalle e chiese:

– Che importa? Per quel che contano gli uomini...

Pervinca restò senza respiro. Poi disse, decisa:

– Sono appunto gli uomini che contano, sono loro che non debbono vedere certe cose!

– Cara mia! Certe cose le abbiamo tutte... Non avvelenarci la mattinata! Avanti, avanti, Catina! Io farei un orletto qui, come c'è nel modello... Ti piace, così, Vanna? Poi ti regalo una fibbia a chiusura automatica da mettere a un lato della scollatura. Sarai magnifica.

Nel pomeriggio l'abitino era finito. E Vanna era davvero magnifica e, per chi non avesse voluto approfondire sulla qualità del taglio e delle finiture, elegante. La calda bellezza bruna sbocciava da quel rosso, le forme si rivelavano tutte e l'inizio dei seni, fiorenti e saldi, si intravvedeva quel tanto che bastava per destare ammirazione e desiderio.

– Sei una deliziosa ragazza – mormorò Lili Sybel. – Ti vorrei vedere in palcoscenico!

– Oh, come mi vorrei vedere anch'io! – bisbigliò Vanna.

Pervinca guardava l'amica senza dire parola. Vedeva prorompere la bellezza bruna della ragazza, la valutava e l'apprezzava, ma non approvava il contegno né di Vanna né della madre.

Tuttavia, quando nel pomeriggio Vanna le propose una passeggiata per la via, accettò, ponendo come condizione una giacca rossa di soffice lana sull'abito quasi indecente.

– Ma la giacca me la dai tu? Non ho alcuna giacca soffice e rossa, io!

– Ti do la mia.

Pervinca aveva un abito bianco, con la gonna a pieghe stirate, con la blusa di pizzo. Su quel completo, una giacca di angora candido metteva una nuvola tiepida.

Come furono nella via, ed era una via secondaria dove poche persone e poche macchine passavano, Vanna, stringendosi al braccio dell'amica e guardandola di sotto in su, ché era più piccina, mormorò:

– Ne ho combinata una grossa più di me!

– Che cosa hai fatto, Vanna?

– Ho telefonato a Folchi e gli ho detto che noi due

si usciva a fare una passeggiata e che... che tu saresti stata felice di vedere Marini e che io sarei stata felice di vedere lui, Folchi.

– Ma tu sei pazza!

– Ora lo penso anch'io...

– Torniamo indietro subito...

– Credi che sia necessario? – domandò Vanna umilmente.

– Ma è più che necessario! Che penseranno di noi, quei due giovanotti?

– Penseranno che siamo un poco stupide. Ma se ora non ci facciamo trovare, penseranno che siamo anche villane, che ci siamo volute divertire alle loro spalle...

– Sei una pasticciona, Vanna...

– Mi sgridi?

– Ormai...

Non era arrabbiata, infine, Pervinca. Il pensiero di rivedere Marini le allargava il cuore. Fu quasi tentata di ringraziare Vanna, ma pensò che se l'avesse fatto la compagna avrebbe poi combinato guai peggiori nell'avvenire.

Fingendo un malcontento che in realtà non provava, Pervinca disse:

– Andiamo, allora. Certo Marini verrà con la sua macchina e porterà anche Folchi. Andremo a fare una passeggiata...

– Dall'aeroporto escono alle cinque. In mezz'ora o anche meno, dovrebbero essere qui. Che ore sono, Pervinca?

– Le cinque e mezzo...

– Di già?

– E non verranno. Non sono tipi da farsi burlare da monelle come te.

– Verranno, verranno! – dichiarò, sicura, Vanna.

E infatti arrivarono. Ma non con una macchina, con due. Marini pilotava la sua piccola vettura, Folchi la sua altrettanto piccola automobile.

Come Pervinca vide Marini, gli tese la mano e gli disse:

– Io non sapevo nulla della telefonata di Vanna. Ha fatto tutto lei...

– E ha fatto molto bene. Monta.

Folchi guardava Vanna e sorrideva, divertito.

– Dovete scusare la mia telefonata, capitano... Ora vi spiegherò.

– Senti, scarafaggio. Tu mi hai così divertito con quella tua telefonata balbuziente, che non hai più bisogno di spiegarmi nulla. Siedi qui, accanto a me, e dimmi se hai voglia di prendere un gelato. Sono disposto a offrirti un cono di due lire. Su, moscone!

Marini e Pervinca erano già scomparsi. Folchi stette un poco pensoso, poi disse:

– Che t'è passato per la testa, monella? Lo sai che non si devono disturbare gli ufficiali all'aeroporto?

– Non si possono...

– Nossignora!

– Non lo farò più!

– Bene. E ora dimmi che cosa t'è passato per la testa. Perché mi hai detto che saresti stata felice di vedermi?

– Perché è la verità.

– Sei innamorata di me fino al punto di morire?

– Sì...

– Buttati fuori dallo sportello.

– Dopo. Ora la macchina è ferma. Quando comincerà a correre...

Folchi guardò la bruna ragazza.

– Accidenti come ti sei fatta bella in pochi giorni! Non mi ero mai accorto che tu avessi un così bel viso e un così...

Gli occhi scesero alla scollatura. Vanna seguì lo sguardo, si sentì esultare di gioia e con un colpettino cauto ma ben assestato, tirò ancora un poco più giù la blusa.

– Ma guarda che bel panorama! – fece il capitano Folchi.

Vanna, che per quanto discola era ingenua, chiese, stupefatta:

– Dov'è il bel panorama?

– Dove sono io lo si vede. Di dove sei tu, meno. Ma lascia andare. E parlami di te. Di chi sei figlia?

– Di babbo e mamma.

– Brava! Io ti credevo figlia di zio e nipote. Dove sono i tuoi genitori...

– A Firenze, ma sono vecchi e noiosi, anche se rispettabilissimi e buoni e saggi. E stanno sempre in una casa che pare abbia ospitato i Lombardi quando tornarono dalla prima Crociata. E la mamma può essere mia nonna e il babbo può essermi bisnonno, e io mi divertivo più in collegio che a casa mia, anche se in collegio la nobilissima direttrice mi metteva di tanto in tanto in castigo.

– Che facevi, l'amore con il figlio del giardiniere?

– No, il figlio del giardiniere aveva quarantadue anni e il padre era prossimo all'ottantina.

– Brutta smorfiosa, senti che lingua! Chi sa come l'hai lunga!

– Volete vederla?

– Dammi del tu, e fuori la lingua!

Vanna non mise la lingua fuori. S'era data un pochino di rossetto (regalo della cameriera) e temeva di portarselo via facendo quell'atto suggeritole da Folchi. Il tu, però, lo accettò subito.

– Ti darò del tu, se ti piace.

– Figurati! Non ho aspettato che questo momento, nella mia vita!

– Allora, siamo d'accordo. Io non ho aspettato che il momento di incontrare un uomo come te.

Folchi guardò la ragazza. Con quei suoi occhi neri e lucidi, col viso olivastro, con quel corpo che pareva prorompere in forme salde e perfette, ella aveva qualche cosa di ingenuo e di torbido che impensieriva.

– Se credi di burlarti di me, scarafaggio formoso, ti piglio per un orecchio e ti metto al posto delle gomme di ricambio.

– Bene! – rise Vanna. – Così farò sempre delle belle passeggiate!

– Rospo!

– Oh, rospo no, per piacere! Mi fa tanto schifo...

– E allora che ti debbo dire? Bel donnino, forse? Non ti illuderai di essere bella.

– Oh, no!

E fece, lì per lì, un viso così mesto, che Folchi ebbe paura di averla mortificata.

– Ma va, bamboccia, che sei uno splendore! E se ti levi quel poco rosso che hai sulle labbra e che ti sei data tanto bene da averne perfino uno sbaffo sul mento, ti do un bacio senza schiocco.

Vanna, svelta svelta, con il dorso della mano tolse il rosso. Poi, decisamente, offrì la bocca.

E Folchi sentì, sotto le sue labbra, una bocca dura, di bambina che bacia come se facesse il broncio.

– Stupida... – rise.

Ma la sua voce tremava un poco.

– Stupida perché?

– Perché di sì. Stacca la schiena dalla spalliera, lascia che infili il mio braccio. Ti piace stare così?

La strinse a sé con forza.

– Mi piace.

– E così?

Ora la stringeva tanto, forte forte, da sentire la resistenza di lei, che certo soffriva.

– Mi piaceva quando non mi facevi male. Ma se per fare l'amore è necessario questo, fai pure...

Folchi rise, ormai convinto che la piccola recitava a «fare l'amore». Le bimbe giocano prima con la bambola a «fare le signore». Più tardi giocano a «fare l'amore». E quando non giocano più né a fare l'amore né a fare le signore, non sono più bimbe. E fanno l'amore per diventare signore.

– E tutte queste belle cose, te le hanno insegnate in collegio?

– Quali cose? – domandò Vanna molto stupefatta.

– A fare l'amore, a farsi baciare dai giovanotti...

– Non ce lo hanno insegnato, puoi ben capirlo. Ma ne abbiamo parlato sempre fra noi ragazze. E ognuna di noi aveva già pronto l'ideale da cui farsi baciare.

– Come hai fatto a sapere che io ti aspettavo?

– Tu non mi aspettavi e io non pensavo a te. Ma poiché sapevo che c'era un cugino in vista per me, e non mi piaceva e non mi piace affatto, per consolarmi cominciai a pensare a un altro uomo e questo uomo somigliava molto a te. Tu sai bene che tutti ci si fa una immagine di una persona: ebbene, la persona immaginata da me aveva i tuoi occhi, la tua voce, i tuoi denti.

– Allora, non c'è più nulla da dire. Da oggi noi siamo Romeo e Giulietta.

– Finiscono così male!

– Ma noi finiremo diversamente. Nella storia romantica, quei due finiscono uno di pugnale e l'altra di veleno, noi, moriremo per troppo amore. Ti va?

– E come si fa a morire di troppo amore?

Folchi non seppe ridere. Accarezzò i capelli neri e soffici di Vanna, introdusse le dita nelle chiome corte, mormorò:

– Hai dei bei capelli, scarafaggio.

– Avevo io pure trecce lunghe come Pervinca. E per potermele tagliare inventai mali di capo continui; poi strappai tanti capelli e li portai a mia madre dicendo che per le continue emicranie minacciavo di diventare calva. Un parrucchiere capì l'antifona e assicurò che solo pettinandomi alla peggio avrei salvato le chiome. Ma c'è gran caldo, qui.

– Andiamo?

– Andiamo.

La macchina s'avviò lentamente. A un tratto Vanna ripeté:

– Ho proprio caldo.

E sporgendo il busto, sfilò la giacca.

– Che bel vestito! – rise Folchi.

– Il vestito è brutto, forse, ma a me piace molto.

– E a me, figurati! Se facevi tagliare ancora un poco di stoffa, diventava una gonnellina. Devi essere deliziosa in gonnellina!

Il vento della corsa gli portava odore di capelli e di pelle. Nessun profumo sciupava quell'odore di giovinezza, e ben lo sentiva Folchi.

– Senti – disse fermando la macchina e come se fino a quel momento avesse meditato quello che stava per dire – che intenzioni hai?

– Di che intenzioni parli?

– Aiutami: tu mi hai detto che volevi vedermi perché ti piaccio. Poiché io sono un bravo ragazzo e non voglio essere compromesso, desidererei sapere se hai intenziosi serie, se vuoi scherzare o se mi vuoi sposare.

– Oh, io sono anche disposta a sposarti.

– Benissimo. Allora dimmi quanti anni hai.

– Diciotto.

– Suonati?

– Il mese scorso.

– Io ne ho venticinque. Ti bastano?

– Direi di sì.

– Non sono ricco, ma ho un buon stipendio.

– Io non ho mai capito se i miei genitori sono ricchi o no. Quando mia mamma riceve le discendenti dirette dei Crociati, fa dei trattenimenti che destano scalpore. Quando poi si cena da soli, si mettono in disparte gli avanzi e le due persone di servizio mangiano un uovo e molta verdura. Le verdure le abbiamo nel giardino perché, davanti, c'è il giardino nella nostra casa, e dietro, dove non si vede, l'ortaglia, il pollaio e, non lo dire a nessuno, un maiale.

– Chi sa che salami!

– Ottimi.

– Salami cittadini, di maiale allevato in città: chi sa che roba raffinata! Odorerà di asfalto, di benzina e di acqua di Colonia.

– Ma no! Il nostro palazzo è in una strada fuori mano, ma il parco finisce nella campagna. Lì sta il maiale. Si chiama Rosellino.

E aggiunse:

– Questo è Rosellino quinto. Per non faticare a cambiare nome, ogni anno cambio il numero.

– Sei grande. E poi? Dimmi qualche altra cosa di te.

– Sono stata molti anni in collegio, perché solo così pare che una ragazza si educhi bene.

– Alla grazia!

– E ora, in collegio non andrò più...

– Perché se ci vai ancora, esci vestita da ballerina... E che farai, dopo?

– Dopo quando?

– Quando lascerai «Villa Delizia».

– Tornerò a Firenze. E poi ci sposeremo.

– Ah, già, l'avevo dimenticato!

– Oh, non lo dimentico io. Tu mi hai baciata, tu mi devi sposare.

– Giusto! Ma t'ho promesso anche un gelato. Tuttavia, ti porterò a un carrettino, per offrirtelo, perché in città, cara bimba, non ti porto. Se incoccio il colonnello e mi vede con una minorenne come te, domani mi manda agli arresti.

– Perché?

– Ma! Pare che non sia molto decoroso circolare con affari del tuo genere. Fossi almeno vestita diversamente! Non l'avevi un abito meno Lili Sybel...

S'addentò un labbro. Ormai era scappata e bisognava rimediare in fretta, perché la piccola, chiedeva:

– Che vuol dire un abito meno Lili Sybel...

– Vuol dire meno da palcoscenico. Lili Sybel è la nostra più grande attrice di rivista. Una donna molto elegante, ma che imita un poco la luna: mostra i quarti a tutti. Presso a poco come te.

– Ma io posso mettermi la giacca.

L'uomo guardò la fanciulla, scosse il capo.

– Ma che! Sei troppo clamorosa. Imita la tua amica Pervinca e non farai troppo chiasso con gli abiti...

– Pervinca non sa scegliere nulla: è sua mamma che sceglie ogni cosa!

– Possibile? Donna Delizia sa essere seria?

– Altroché! Puoi dire il contrario, tu?

– Io no, figurati!

– E allora?

– E allora, poiché ho sempre visto poco vestita donna Delizia, pensavo che non sapesse suggerire alla figlia altro sistema di abbigliarsi.

– E poi, anche se sua madre glie ne suggerisse un altro, Pervinca non accetterebbe. È molto per bene, la mia amica. Anche in collegio era quotatissima.

– Come un'azione in borsa.

– Come?

– Nulla. Dicevi che Pervinca era quotatissima? Più di te?

– Diamine! Io non ero quotata per nulla. Anche perché donna Delizia non rivedeva mai i costi e mia madre sempre. Donna Delizia pagava, ringraziando perché le avevano mandato il conto, e mia madre tirava sul conto e ringraziava se le mollavano qualche cosa...

– Sei molto irriverente. Ma sei tanto simpatica. E le persone simpatiche io le bacio. Ma non fare quel muso lungo. Sembri una lepre. Così...

E staccandosi da lei, mormorò:

– Così è bello il bacio, non è vero?

Vanna non rispose. I suoi occhi da lucidi che erano, s'erano mutati diventando languidi. E sotto la sua pelle olivastra un lieve rossore traspariva, rivelando la levigatezza della pelle dolcissima.

– E ora una raccomandazione, Vanna. Non dire a donna Delizia che ti ho baciata.

– Oh, stai tranquillo! Se sapesse che ti bacio mi manderebbe a casa e io, a casa, non ci voglio andare. Con te farò l'amore, ma con donna Delizia farò la santerellina.

– Che brutta impostora, sei!

– Che devo fare? Bisogna pur vivere!

Venne voglia, a Folchi, di dare uno scapaccione a quel donnino che era tutto un misto di candore e di spregiudicatezza. Si trattenne, sentendo che lo scapaccione sarebbe stato autentico e non da burla.

Domandò:

– Vuoi che ti venga a prendere domani, per quel famoso gelato?

– Oh, sì!

– Acqua in bocca, a casa. E abito decente, mi raccomando.

– Quale mi metto?

– E che ne so io, ochetta? Metti un abito chiuso qui alla gola, che non sia rosso, per carità! e che non somigli agli abiti di Lili Sybel. D'accordo?

– D'accordo.

– E ora ti riporto a casa. Chi sa quei due dove sono andati!

Trovarono i «due» a pochi metri dal cancello d'ingresso a «Villa Delizia». Avevano, ambedue, il volto un poco pallido, gli occhi trasognati e si tenevano per mano; e le mani erano incrociate sul volante.

«Questi due fanno sul serio» – pensò Folchi. – «E sbagliano, perché dovranno pure ridestarsi.»

Le ragazze scesero a terra, salutarono gli amici, si presero a braccetto, entrarono nella villa.

Folchi avanti e Marini in coda, ripresero la via del ritorno.

E Vanna, salendo le scale, sussurrò a Pervinca:

– Mi ha baciata, sai. E forse ci sposeremo. Domani ci vedremo ancora e parleremo di tante cose. Io ho un solo pensiero, un pensiero grosso come una montagna.

– Quale?

– Gli dovrò pur dire che mi chiamo Giovanna. Vanna l'ho inventato io e l'hanno accettato le persone di buon gusto. Ma tu sai bene che sono Giovanna. Ti pare che dalla mia casa potesse uscire un altro nome? Devo ringraziare Dio se non sono stata chiamata come mia zia: Giuseppina o come mia nonna: Lucrezia.

– Ma Giovanna è un bellissimo nome!

– Stai zitta, per carità! E ringrazia quella grande donna di tua madre che t'ha dato un nome così primaverile. Ma tu non ti avvedi di nulla, non capisci la grande fortuna che t'è capitata. Hai una mamma che dovresti adorare.

– E io l'adoro, la mia mamma.

– Ma la capisci poco, perché sei diversa da lei. Io no, io mi sento come lei!

Pervinca era silenziosa. Sul suo volto permaneva il leggero pallore e nei suoi occhi restava quell'incanto che rimane a chi ha tanto sognato.

– Che ti ha detto il tuo bel Lido?

– Tante cose...

– Ti ha baciata?

– Sì...

– Come?

– Ma come deve avermi baciata?

– Oh, se tu sapessi Folchi... Ma, a proposito, come si chiama di nome?

– Chi?

– Il mio fidanzato!

– Enrico, mi pare...

Vanna arricciò il naso.

– Enrico è un bel nome, ma è molto serio. Io lo chiamerò Rirì. Ti piace, Rirì?

– No, pare il nome di un cane.

– Ma poiché quando sarò sposata avrò anche un cane, ché adoro i cani e non ho mai potuto averne uno, chiamerò Rirì tutt'e due, così, con un sol nome, avrò marito e cane ai miei piedi.

– Non credo che Folchi sia tipo da mettersi ai piedi di una donna... E stai attenta, Vanna: non ti illudere...

L'altra scoppiò in una grande risata:

– Ma tu non hai capito, dunque, che io gioco?

– Giochi?

– Ma sì, ma sì... Gioco a far l'amore. Poi sposerò chi sa chi... ma certo un uomo che mi piaccia meno di Folchi, perché con un uomo simile c'è da diventar matte. E io non voglio diventar matta. Io voglio divertirmi, ridere, scherzare, poi voglio avere un marito che mi adori e che mi faccia tranquilla.

– E tu credi che se giochi con l'amore, ti sia poi facile trovare un bravo marito?

Vanna sbuffò, come ella soleva, si strinse nelle spalle, brontolò:

– Io non ho pensato a troppe cose, sai. Devo buttarmi alle spalle diciotto anni di noia: ho solo voglia di ridere. Parlami di te, piuttosto: quando sposerai il tuo bellissimo Lido?

Sorridendosi nello specchio, Pervinca rispose:

– Noi non parliamo di matrimonio: ci vogliamo bene. E questo, per ora, ci basta.

– Voi, dunque, fate sul serio? – chiese Vanna un poco stupita.

– Io credo di sì.

Vanna stette un poco pensosa. Poi mormorò:

– Deve essere molto bello poter pensare seriamente a una cosa che piace. E anch'io vorrei pensare a un matrimonio con Folchi...

– Chi ti vieta di pensarlo?

– Io me lo vieto. Perché se non ci riesco, soffro. E t'ho già detto che non voglio soffrire.

La campana chiamò a cena. Furono molto stupite, scendendo in salotto, di vedere un uomo a loro ignoto: un uomo dai capelli grigi, alto, elegantissimo, dall'accento straniero. Donna Delizia aveva un abito molto elegante, ma non da pranzo.

Alle ragazze disse:

– Io devo andare a Roma, figliole. Parto tra poco con il commendator Rook. Ci vedremo domani o dopo. A rivederci, bambine.

L'uomo si inchinò, salutò senza un sorriso. Le ragazze restarono ferme dove erano, poi si guardarono in viso. Quando i due furono scomparsi, Vanna domandò:

– Chi sarà quel signore?

– Io non l'ho mai visto – fece Pervinca.

– Era molto elegante, hai visto?

– No...

Allora si accorsero che su un tavolino dorato c'era un panierino colmo di orchidee. Vanna si avvicinò, guardò il panierino, lo sollevò:

– To'! – disse stupefatta. – Sembrava di vimini inargentato e invece è argento vero. Che meraviglia! L'avrà regalato quel signore alla tua mamma?

– Non saprei...

Vanna guardava incantata il delizioso lavoro in argenteria, toccava quasi con rispetto le orchidee e aveva sul volto un'espressione beata e assorta a un tempo. Pervinca invece, guardava lontano, verso l'uscita della sala di dove, poco prima, se ne erano andati sua madre e quell'ignoto signore.

Il cameriere venne ad avvertire che la cena era servita.

Vanna infilò il suo braccio in quello di Pervinca e disse, ridendo:

– Come sarebbe bello se capitassero qui Enrico e Lido!

– Ma se li abbiamo lasciati poco fa...

– E che importa? Io dico che sarebbe bello...

Sedettero a tavola. Vanna cominciò a mangiare con ottimo appetito e grande allegria. Pervinca toccò appena i cibi. Davanti ai suoi occhi, c'era quella testa grigia e liscia che s'era curvata nel saluto, c'era quella elegante figura di uomo quasi vecchio e c'era, soprattutto, un'espressione che aveva scorto sul volto di sua madre e che non poteva definire, ma che le faceva tanto male al cuore.

– Io vorrei ancora dei marroni canditi! – mormorò Vanna.

– Chiedili, cara.

Il cameriere, divertito, colmò il piatto della ragazza dei dolci richiesti. La ragazza lo ringraziò con uno sguardo e incontrò lo sguardo ridente dell'uomo. Trattenne a stento una risata. Guardò Pervinca, che mai concedeva confidenze alla servitù. Pensò:

«Che ragazza! Neppure guarda questo simpatico cameriere che mi dà tanti dolci. Io ci scherzerei insieme tanto volentieri...».

Dopo cena, Vanna propose il tennis da tavola e Pervinca giocò di malavoglia. Infine, buttando la piccola racchetta, disse:

– Ho male di capo, Vanna. Se non ti spiace, vado a dormire.

– Salgo anch'io in camera. Scrivo a mia madre che sto bene e che sono contenta. Poi scrivo una lettera d'amore a Enrico-Rirì. Bisogna pure che impari a scrivere lettere d'amore, ti pare?

Pervinca si coricò subito. Spense la luce. Un affanno nuovo le strinse il cuore. Chi era quell'uomo che se ne era andato con sua madre? E perché sua madre aveva quell'espressione nuova, fatta di trionfo e di dolcezza insieme, quell'espressione che non era mai apparsa sul suo volto e che tanto la mutava? E perché andava a Roma? E perché era partita sulla macchina di quell'uomo?

89

Si levò dal letto. Andò nel suo salottino-studio. Sedette alla piccola scrivania, prese un foglio, restò qualche minuto assorta a pensare. Poi scrisse: «Mio caro Lido, io vorrei parlarti a cuore aperto, come si parla a un fratello. Ma non ho il coraggio di parlarti così e allora ti scrivo. Io voglio sapere una cosa sola, Lido. Voglio che tu mi dica chi sono io e chi è mia madre. Mi smarrisco, non capisco nulla. Forse non c'è nulla di strano in tutto ciò che mi circonda, forse io sono una visionaria malata ancora di tutte le chiacchiere di collegio. Ma se qualche cosa tu sai, che io non so, ti prego, dimmela...».

Chiuse la lettera, suonò il campanello, ordinò alla cameriera:

– Bisogna mandare qualcuno, domani mattina molto presto, all'aeroporto di Sant'Egidio. Questa lettera deve essere consegnata prima di mezzogiorno.

Si ricoricò, e mentre ella spegneva nuovamente la luce, Vanna di là iniziava la sua lettera d'amore con queste parole:

«Amore mio, sulle labbra ho ancora il sapore dei tuoi baci. Ho mangiato molti marroni canditi, ma il sapore della tua bocca prevale su quel dolcissimo sapore... Mi accorgo ora di aver scritto sapore per tre volte, anzi, quattro e penso che non importa nulla, perché tu non sei la professoressa di italiano e non t'importa che un sapore sia più o meno ripetuto. Tra poco mi coricherò e penserò ai tuoi abbracci. Ti devo dire subito che qualche volta i tuoi abbracci mi piacciono e qualche altra mi fanno male. Qui, dove c'è l'incavo della vita, si sente dolore, sai, se si preme troppo. Forse tu non sai che è così, perché sei un uomo, ma io posso assicurarti che è meglio abbracciare all'altro modo. Penso a domani, caro ideale mio: ho guardato anche gli abiti del mio armadio. Non c'è nulla di appariscente, stai tranquillo. Metterò l'abito color cane che scappa, che mia madre chiama da visita. Sta di colore tra il marrone e il caffè scuro. Ma poiché ha dei quadri bianchi, di lontano ha un così cretino colore che fa venire nausea. Vuol dire che tu mi terrai vicina vicina, così non vedrai che brutti effetti può far fare il cane quando scappa... Ora, andando a letto, bacerò il guanciale, pensando di baciare te. In collegio, tutte, alla sera, baciavamo il guanciale, pensando all'uomo che in una o altra parte del mondo ci attendeva. Una volta, la Figini si punse le labbra, perché nel guanciale vi era uno spillo. Lei strillò e disse che il suo ideale aveva una barba molto ispida... Ma hai dei bellissimi occhi, Rirì... Ah, senti, non ti importa nulla se ti chiamo Rirì? Tu però, chiamami Vanna, sempre Vanna. È un nome che mi piace. Figurati che il mio nome di battesimo... Ti bacio i capelli, gli occhi, il naso, la bocca, il mento, il pomo d'Adamo, la cravatta. La tua Vanna che ti adora. Dimenticavo. Domani, portami in città e presentami come tua fidanzata. Anche se non è vero, mi piace. E se puoi, presentami al tuo colonnello. È un bell'uomo? Ti somiglia? Se mi conosce, forse, capisce che puoi portarmi a passeggio e non ti metterà mai agli arresti. A rivederci, Rirì, starò sveglia per pensarti. Ma ora smetto di scriverti perché ho un grande sonno. Vanna tua».

Fuori, la cheta notte di fine agosto era tutta una sinfonia di grilli. Forse solo due o tre grilli cantavano; ma la sera era così solennemente silenziosa, che quella sinfonia di minuscoli violini bastava a colmarla di vita e di suoni.

Vanna baciò il guanciale e si addormentò di colpo.

Pervinca s'addormentò, solo quando il suo guanciale era già tutto intriso di lacrime.

V

Lili Sybel tese la mano a Walter Rook e gioiosamente lo salutò:

– Come state?

Ella era nel suo appartamento dell'albergo dove alloggiava. Dalla porta di comunicazione si vedeva la comera da letto: e il letto ancora sfatto, portava l'impronta del suo corpo.

Walter Rook sedette accanto a Lili, che in vestaglia scriveva.

– Che avete deciso? – chiese con voce cortese ma senza sorridere l'uomo.

– Non ho deciso nulla, amico.

– Non siete contenta delle mie offerte?

– Dipende!

– Da che?

Ella posò la penna. Si guardò le belle mani, arruffò sulla fronte i capelli color mogano, sorrise con quella sua bocca avida e sfolgorante di candore, dove, forse, più che natura aveva prodigato i suoi doni un odontoiatra perfetto.

– Caro Walter, voi sapete bene che io non sono donna da prendere per fame. Io sono ricca e ho una compagnia mia. Non ho quindi bisogno di nessuno, perché basta che il mio nome figuri in cartellone per vedere il teatro pieno e la cassetta colma. Tuttavia, poiché ho un mio preciso progetto, posso anche accettare la vostra offerta di impresario e di amico e partire con voi per l'estero, se accettate le mie condizioni.

Brutalmente, come se ella fosse una macchina e l'uomo che l'ascoltava un automa, disse:

– A voi, impresario, chiedo tanto... A voi, innamorato di Lili Sybel, chiedo tanto...

Buttò là due cifre colossali. L'uomo non battè ciglio. Ella si levò in piedi, si guardò in uno specchio, accomodò un fiore, tornò ad arruffare i soffici capelli sulla fronte. Poi, chiese:

– Accettate?

Con voce ferma, Walter Rook rispose:

– Accetto.

– Va bene. Firmerete subito gli assegni per l'attrice e per la donna. E mi farete una dichiarazione nella quale vi impegnerete ad assumere solo le donne che vorrò io. Non sono abituata ad avere attrici più alte di me, più giovani di me, più belle di me...

– Questo non può essere possibile, Lili... – mormorò l'uomo.

– Non è facile, ma può essere possibile – accondiscese lei. – Tuttavia rimane stabilito...

L'uomo che fino allora aveva tenuto un contegno freddo, compassato, quasi rigido, le si avvicinò, le prese il capo tra le mani:

– Sei adorabile, Lili...

Ella posò la fronte sulla sua spalla. E mentre la mano un poco tremante dell'uomo cercava il tepore della sua nuca, pensò:

«Qualche mese di sacrificio, poi... A riposo, a riposo per sempre, lassù a «Villa Delizia». E voglio un po' vedere se quel cretino di bel ragazzo mi scapperà ancora...».

Si svincolò con dolcezza da Rook. Mormorò, con una vocetta di bimba un poco viziata:

– Ora, mi lasci sola. Devo scrivere a quelle mie due nipotine a casa e devo farmi splendida per uscire a colazione con te. O non vuoi che Lili sia splendida?

– Io voglio ciò che tu vuoi... E se non avessi moglie, Lili, vorrei che tu accettassi anche il mio nome...

«Scemo! Sposo te! Stai fresco! Ho un bel ragazzo che mi fa disperare, ed è proprio quello che io voglio... Dovessi aspettare un anno, due anni, quel ragazzo lo voglio e lo sposerò. Ho diritto anch'io a un poco d'amore, e amore, per Lido, ne ho da vendere...»

Dolcemente, sorridendo in modo mirabile, ella mormorò:

– Vai, mi vesto, ti raggiungo.

Ubbidiente, l'uomo se ne andò. E quando fu a pianterreno, andò a cercare nell'angolo più remoto d'una sala una poltrona.

Qualcuno lo vide e mormorò:

– Quello è un impresario famosissimo. Pare sia qui con la Sybel... e per ingaggiare la Sybel. È quasi certo che Rook tornerà in patria con qualche milione in meno...

Lili Sybel si vestì in modo splendido e fu splendida. Come la vide apparire, Rook le andò incontro:

– Vuoi andare a colazione fuori, Lili?

– Sì... Ma in un posto appartato, per essere noi due soli...

In verità, ella non desiderava affatto essere sola. Ma voleva essere sola a splendere in quel mattino di settembre.

Con la grande macchina di Rook andarono in un ristorante che accoglieva molti artisti, ma che a quell'ora discreta era quasi deserto. Non v'erano che uomini e Lili trionfò subito.

Walter la guardava estasiato e la donna ricambiava quell'ammirazione con sorrisi tenerissimi, dove, al fulgore dei denti, s'aggiungeva qualcosa di felino e torbido che sconvolgeva l'uomo.

«Sei mesi passano in fretta...» – pensò Lili mentre l'uomo le versava da bere e le raccomandava di bere piano, ché lo spumante era assai ghiacciato. – «Sei mesi passano in fretta... Poi, vado in un posto tranquillo dove nessuno mi conosca. Là, mi porto la massaggiatrice e curo la pelle e non mi trucco e faccio ginnastica e sto a regime. Lido mi troverà bella come un fiore, fresca come una giovinetta di diciotto anni. Bella e ricca: perché non dovrebbe sposarmi, quel cretino? E sarò poi felice... La faccenda di renderlo geloso, non ha avuto effetto. Mi farò vedere saggia e modesta... Allora cadrà ai miei piedi...»

Aveva avuto dall'uomo che l'aveva resa madre un'educazione abbastanza raffinata, Lili Sybel. Vivendo qualche tempo accanto a questo uomo era riuscita a imparare molte cose che le erano state poi utili nella vita, e per farsi considerare un'artista distinta. Vivendo in palcoscenico, aveva imparato poi altre cose, non utili per farsi considerare una persona distinta, ma come una persona scaltra. E così Lili poteva pretendere ormai ciò che voleva e sapeva vie adatte a portarla in alto.

A Walter, aveva detto di avere accolto nella sua casa due nipotine orfane, e del suo passato aveva narrato il necessario per farsi credere una donna un poco diversa da quelle del suo ceto. Sapeva bene che sarebbe stato inutile narrare a quell'uomo incapricciato di lei di aver avuto un solo amante. Era troppo intelligente per recitare una commedia che la facesse passare per ciò che non era ed era troppo scaltra per non vantare la sua ascesa. Quando aveva detto a Walter di andare a trovarla nella sua villa aveva pensato:

«Vedrà come sono attrezzata e capirà che con me le cifre sono quel che sono, e non si discutono. Se mi darà ciò che voglio, farò parte della sua compagnia e fin che mi accomoderà della sua vita, altrimenti potrà filare per la porta di dove sarà venuto».

Sapeva il Rook ricchissimo. Sapeva pure che scritturata nella compagnia di riviste di proprietà del Rook, avrebbe avuto un successo strepitoso. La compagnia del Rook aveva girato tutto il mondo, fino a quando egli stesso, stancatosi della prima donna, per lasciarla aveva sciolto la compagnia.

– «Prima che lui mi lasci io avrò lasciato lui...» –
pensò Lili, accarezzando una mano del vecchio e guardandolo dolcemente. – «Prima che sciolga la compagnia per piantarmi, io avrò piantato la compagnia per andarmene... E penali, Lili Sybel non ne paga. Sei mesi di sacrificio non sono proprio nulla, poi qualche settimana lassù in montagna, dove nessuno mi conosca... Che bella vita sana farò per qualche tempo e come diventerò bella... Sì, qualche anno più di Lido io l'ho... Saranno magari anche dieci anni... Ma che fa? Quando non si vedono è come se non ci fossero... Sono snella: le donne snelle non invecchiano mai. E per il viso, con i quattrini si fa patto con il diavolo... E il diavolo dieci anni li defalca volentieri a me, perché crede che io crepi in peccato. E invece, appena sposata, diventerò anche buona, mi riconcilierò con il Signore e il demonio l'avrà in un piede. Infine anche la moglie di Napoleone, quella che si chiamava Giuseppina, era più vecchia di lui. E Lido, non è Napoleone...»

Walter Rook, osservò:

– Mangi poco, Lili...

– Sono un poco commossa... Ma quando sarò abituata a questa cosa nuova che è il tuo amore, mangerò...

Guardò quasi con avidità un piatto di patatine croccanti e così sottili che parevano aeree.

– Lili, ne vuoi?

– No, grazie, non ho appetito...

Disse, ma pensò:

«Le patatine! Ma non lo sai, sciagurato, che ingrassano e che ho paura di crescere d'un chilo solo guardandole? Non lo sai che le sto divorando con gli occhi?»

Più tardi, Walter Rook ordinò all'autista di dirigere la macchina per via Appia. Era innamorato come un giovinetto e come i giovinetti sceglieva la via dolcissima degli innamorati. Lili si annoiava mortalmente. Aveva anche un poco sonno. Avrebbe volentieri chiuso gli occhi. Ma non si poteva. Bisognava parlare, sorridere, essere graziosa e vezzosa. C'era in palio la sua felicità avvenire e con un altro uomo.

Così, in quel giorno di settembre, Lili Sybel, sognando un uomo biondo che le piaceva immensamente, diventò l'amante d'un uomo quasi bianco, che non le piaceva affatto.

E la sera stessa disse a Walter Rook, che ormai sapeva di poter dominare:

— Mi dài la macchina e l'autista. Vado ad avvertire le mie nipotine che parto. Non devono sapere che parto per fare l'attrice. Si scandalizzerebbero. A loro dirò che parto per una crociera; tu rimani qui. Potrebbero sospettare. Le bimbe di oggi sono così maliziose. Ma bisogna che porti dei regali...

Il vecchio firmò un altro assegno. Lili fu così commossa per la cifra scritta, che decise di restare a Roma ancora un giorno e di partire poi per l'Umbria.

In quel giorno pensò molte cose, ne stabilì molte altre. Comperò anche un braccialetto d'ora per Vanna e per Pervinca, e poiché era molto contenta scelse un giacchettone di pelliccia per la figlia e un elegantissimo soprabito per Vanna.

«Devono essere tutti contenti» — penso. «Io non lo sono affatto, per ora. Godano gli altri, mentre mi preparo a godere anch'io...»

Walter, che la guardava, la vide sorridere e pensò:

«È contenta.. Forse mi vuole un poco di bene...».

Sorrise con un poco di malinconia, vedendo Lili Sybel accanto a sua moglie che era una donna grassa, pacifica, amante del buon cibo, dei lunghi sonni, delle tranquille digestioni. Ma non sorrise più allorché ricordò che quella sua moglie pacifica sapeva diventare una belva allorché la si contrariava.

Sospirò. Lili percepì quel sospiro:

— A che pensi? — gli chiese con dolcezza.

— Penso che se ti avessi incontrata prima, ora sarei un uomo felice...

Lili Sybel fece mentalmente un calcolo guardando l'uomo: dedusse che Walter doveva avere almeno vent'anni più di lei. Un uomo con vent'anni più di lei, poteva essere il riposo, non la vita. Ed ella amava la vita e la giovinezza.

Rapidamente, nella sua mente passò l'immagine di Lido Marini; rapidamente, ella si vide accanto a lui in amorosa e lieta esistenza. E nella sua placida immoralità, le parve che Lido stesso potesse essere felice vivendole accanto. Allora, su questa sua pacifica conclusione, mormorò:

– La vita non dà sempre ciò che si desidera. Qualche volta, però, si ottiene ciò che si vuole...

Walter Rook, umilmente, confessò che nel passato era sempre stato di cattivo gusto, assicurò che per l'avvenire non sarebbe stata la stessa cosa. E a conferma di quanto diceva, dichiarò:

– Prima di lasciare una creatura come te, un uomo deve morire. E io morirò, piuttosto di rinunciare a te...

Ripetendo il gesto affettuoso che la portava ad accarezzare la mano dell'amico, Lili sorrise e sorridendo, pensò:

«Allora, povero uomo, ordinati i funerali. Per conto mio, ti do sei mesi di vita».

Più tardi, tornando all'albergo, Lili pensò che una macchina come quella di Walter Rook, che destava l'ammirazione dei passanti che si volgevano stupefatti, un giorno l'avrebbe avuta anche lei. E forse chi sa, forse quella stessa macchina sulla quale ora viaggiava con Walter, l'avrebbe presto portata in giro con Lido. Venale con chi non amava, venale fino alla volgarità, Lili Sybel si sentiva già pronta a donare tutto ciò che possedeva all'uomo del cuore e nella sua incoscienza non si chiedeva neppure se questo uomo sarebbe stato disposto ad accettare.

L'indomani, Lili Sybel con la possente e splendente macchina di Rook raggiunse «Villa Delizia». Era prossimo mezzogiorno e Pervinca e Vanna giocavano a tennis nel giardino. Fresche e un poco ansanti, le fanciulle corsero incontro alla donna. Vanna ammirò subito la toeletta elegantissima che donna Delizia portava e Pervinca scrutò subito il volto di sua madre per constatare se quell'espressione che vi aveva visto due giorni prima, vi permanesse. Ma il volto di donna Delizia era quello di sempre, quello che Pervinca aveva sempre visto e che, malgrado il trucco, era pur sempre il caro viso della sua mamma. Fu lieta della constatazione, la fanciulla; buttò le braccia al collo della donna, gridò:

– Oh, quanto sei stata lontana!

– Ma due giorni, Pervinca! E se ti è parso che fossero lunghi, come potrò stare assente per qualche mese?

– Riparti? Per qualche mese?

– Venite, ragazze, andiamo in casa... Ti devo parlare, Pervinca... Oh, puoi venire anche tu, Vanna, non c'è nulla di grave e tanto meno di segreto che io debba dire a Pervinca.

Entrarono. Lili Sybel chiamò la sua cameriera personale, le diede rapidi e precisi ordini, stabilì, con sicurezza, ciò che doveva metterle nei bauli. Poi andò nel salottino delle figlie e, accendendo una sigaretta, cominciò:

– Piccola Pervinca, io non voglio darti un dolore, ma neppure intendo, per un capriccetto tuo, rinunciare a una crociera che da tanto tempo sogno. Il signor Rook mi comunica che il suo panfilio è a disposizione mia e io parto... Oh, stai tranquilla, ci sarà molta gente del gran mondo. Ci saranno anche la moglie e le figlie di Rook, donne rispettabilissime. Tu sai bene che per quanto io sia moderna, non accetterei mai di partire in compagnia di persone non rispettabili. Vorrei portare anche te, piccola, ma come si fa... Non mi hanno detto di portarti e tu capisci che...

Volubilmente, sorridendo, continuò:

– E poi, ti annoieresti, forse. Io ci vado, e te lo dico in confidenza, perché quella gente ha grande simpatia per me, la moglie soprattutto, e a mezzo suo, spero di far collocare molto bene il mio denaro nella banca di Rook. Già, non t'ho detto che Rook è banchiere? Lui mi farà fare speculazioni magnifiche. È logico che io non possa esimermi da questo viaggio...

– E quanto durerà? – fece Pervinca con un filo di voce.

– Che so! Un mese, forse due... Vedremo...

– E io, che farò?

– Farai ciò che ti piacerà...

Pervinca restò un poco assorta, poi disse:

– Potevi lasciarmi in collegio...

– In collegio? A diciotto anni? Ma stai nel mondo, cara bambina! E guardati intorno e vivi. A proposito, devo anche metterti al corrente della tua posizione finanziaria. Quando compirai i diciotto anni, io sarò forse assente. Tu sei quasi ricca, Pervinca; ti spettano, per una eredità, circa trecentomila lire. Sono depositate dal notaio di cui nella piccola cassaforte troverai nome e indirizzo. Queste trecentomila lire sono tue, ma presto, potrò arrotondare questa cifra...

Sorrise, spense la sigaretta schiacciandola sotto il piedino bronzeo di un'olandesina, aggiunse:

– E potrò arrotondare questa cifra per merito di Rook.

– Ma... Perché quel danaro è mio, mamma?

– Perché così venne stabilito in un testamento. Tu hai quella somma, io... Oh, io sono ricca e lo diventerò ancor più a tuo vantaggio...

Venale com'era, credeva di tranquillizzare la figlia, facendole roteare davanti agli occhi una montagna d'oro. Ma Pervinca, un poco pallida, aveva nel volto una grande tristezza.

– È denaro liquido e in assegni che ti lascio, così che tu possa divertirti e stare tranquilla. Non darti pensiero per me e pensa che mi annoierò molto... Ma che vuoi? Per ottenere ciò che si desidera bisogna pure sacrificarsi... E ora, vado a vedere che cosa fa Catina.

Se ne andò, agile e leggera. Pervinca restò immota e la distolse dai suoi gravi affanni la voce di Vanna.

– Come sei fortunata! – le disse questa.

– Fortunata, io?– fece Pervinca.

– Eh, io no, di certo! Hai una mamma che ti dice: «Divertiti e spendi denaro» e non salti dalla gioia.

– Io salterei dalla gioia se mia mamma mi dicesse: «Questa sera si cena con un uovo e un poco di insalata» e restasse accanto a me.

Vanna storse la bocca, sbuffò, esclamò:

– Tu sei matta e lasciatelo dire da me, che ho cenato tante volte con un uovo sodo e un poco di insalata, e poi sono rimasta accanto a mia madre che non mi lasciava mai sola... Tu sapessi come restava sullo stomaco, quell'uovo...

– Ma perché? Quando c'è la mamma...

– Quando c'è la mamma, ci vuole anche il marsala per mandare giù l'uovo. E se il marsala non c'è, anche la mamma ti rimane indigesta.

– Vanna! Tu bestemmi...

– Ma no, che non bestemmio! Le ho provate io, certe cose...

– Se tua madre è avara, non significa che sia anche cattiva.

– Mia madre non è avara, non è cattiva: è povera. E non vuol farlo vedere e vuole condurre un tenore di vita che serve da luminello per i gonzi. Ma io gonza non sono, e la vita non intendo passarla fra uova sode e insalatine con un poco di uova. Ma che credi, tu? Che mia madre mi lasci qui per fare piacere a se stessa?

– Sei ingiusta, non può essere così...

– È così, stai zitta! E se non avessi te, sarebbe una brutta faccenda per questa povera Vanna! Ma tu mi tieni più che puoi, vicino a te, è vero?

101

– Figurati!

– E ci divertiremo, sai!

– Lo spero...

La cameriera si affacciò, avvertendo Pervinca che la signora voleva darle alcune spiegazioni.

– Vai – disse Vanna. – Io scendo nel giardino.

Pervinca corse dalla madre. La trovò davanti la piccola cassaforte celata dietro un tendaggio.

Come sempre, anche quel giorno la camera della madre la stupì, la incantò. I mobili erano rivestiti di pergamena pazientemente istoriata. Le poltroncine erano piccole e di stoffa color oro antico. Il letto, con la spalliera a semicerchio, era pure di pergamena dipinta a fili aurei e azzurri, a figurine e paesaggi incantevoli, d'una foggia bassa, larga, accogliente. Per tutta la lunghezza, per tutta l'ampiezza era buttata su quel letto una coperta di volpi bionde. Tra quelle volpi, donna Delizia si adagiava sempre, seminuda. A terra, tutto il pavimento era coperto da un tappeto soffice, color oro antico.

– Ecco qua, Pervinca. Questi sono i documenti che ti riguardano e che potranno, in qualunque momento della tua vita, farti entrare in possesso della somma che ti appartiene. Questo è il denaro che ti lascio, questi sono gli assegni già firmati. Tieni la chiave con te, nascondila. E in fatto di denaro, non ti fidare mai di nessuno. Il denaro è una cosa che piace a tutti, anche a coloro che sospirano alla luna. Tu esci ora di collegio e certe cose non le sai: lascia che te le dica io e non farmi quegli occhi spaventati. Io te li voglio aprire, gli occhi, mia piccola Pervinca. Ricorda che il denaro è la molla di tutto. Tutto si compera con il denaro: se non ne hai, non puoi comperare nulla. Io mi sono accorta presto che la borsa pesante fa il cuore leggero; io ho constatato che mandando avanti il denaro, le porte si aprono facilmente. Chi vuole avanzare deve farsi precedere da quel valletto che si chiama denaro. Qualcuno ti dirà che la ricchezza non dà la felicità. Non ci credere. Accade di poter comperare la felicità appunto sborsando quattrini. Tuo padre diceva: «Quando il denaro suona nella cassetta, l'anima balza su dal purgatorio». Non ho compreso, tuttavia, che stesse a valorizzare la potenza del dio oro. Concludendo: spendi per te come ti pare, come ti talenta. Ma tieni sempre la chiave vicina a te. I servi rubano, i ladri rubano, molti rubano. Occhi aperti, bambina.

Chiuse la cassetta, affidò la chiave alla fanciulla. Toccò alcune cose in un cassetto, poi, come se fino allora avesse meditato ciò che stava per dire, riprese:

– E anche degli uomini, non fidarti troppo. Gli uomini, in gran parte, sono dei buoni animali. Se li lisci per il loro verso, ottieni ciò che vuoi. Se per disgrazia non capisci da che parte va il loro pelo, fanno come i gatti: graffiano. Ricorda che è sempre meglio essere il primo a graffiare. Avrai sempre un graffio a tuo vantaggio. Quindi, con i signori uomini, occhi aperti e unghie pronte. Può darsi che qualche giovanotto un giorno ti chieda un bacio. Un bacio, non è nulla. Due baci, possono diventare qualche cosa. Meglio quindi dare un bacio solo a molti uomini, piuttosto che due baci a un uomo solo.

Ancora tacque. Poi, sollevando contro la luce una grande boccetta di cristallo azzurro cupo, continuò:

– Diffida degli uomini che ti chiameranno bambina, che ti tratteranno da bambina. A quell'animale maschio creato da Dio, piacciono molto le bambine. Diffida dagli uomini che ti inviteranno a vedere la loro casa o il loro studio o le loro collezioni di zanzare o simili. Stai all'aperto più che puoi, con gli uomini. T'ho già detto che i maschi sono come i gatti. Le porcherie i gatti le fanno negli angoli bui, sotto i divani, dietro i mobili, all'ombra delle scope. Su per giù fanno così anche gli uomini. Quindi, poiché è molto divertente vivere in loro compagnia, vivici pure, ma stai sotto il sole... Bada che l'ombra di un bosco può già essere pericolosa. Bada che tutti gli uomini sono bravi e saggi, ma possono da un istante all'altro diventare farabutti e pazzi.

Pettinò con cura i bei capelli soffici e ondulati, si incipriò, ritoccò le labbra.

E mentre guardava nel grande specchio se la cucitura delle calze saliva ben dritta lungo la gamba, aggiunse: – E procura di non innamorarti. Per l'amore c'è tempo. Ma se ti dovessi innamorare davvero e fossi ricambiata, stai in guardia e concedi al tuo fidanzato solo ciò che una ragazza onesta può concedere. La donna che si concede a un uomo, difficilmente sarà sposata da questo uomo. Chi ti parla, ne sa qualche cosa. Io a quindici anni mi innamorai di un uomo che aveva il doppio della mia età...

– Mio padre?

Donna Delizia arrossì leggermente, non rispose. Ma dopo qualche istante di silenzio, disse:

– E se fossi stata meno stupida, a quindici anni, forse sarei riuscita a sposare un altro uomo che era ricchissimo. Un errore, lo si paga sempre. Fortunatamente, io fui, poi, furba e oggi ho la posizione che ho. Ah, dimenticavo! Non ti fidare dei giovani di oggi... Non ti fidare soprattutto dei ragazzi della tua età. Baciano con calore, ma poi ti lasciano con un pugno di mosche e magari con un figlio. Tira via, Pervinca. Sii cauta e onesta. Guarda, io non dovrei...

Rise forte, concluse:

– Ma la predica è stata abbastanza lunga. Dammi un bacione, promettimi che mi scriverai. Io ti manderò il mio indirizzo appena saprò dove ci fermeremo come prima tappa. Vanna ti farà compagnia. Credo di aver capito che quella mummia di sua madre la lasci volentieri qui. Devono avere gran boria e pochi quattrini. Una bocca di meno, quando i bocconi sono contati, alleggerisce di molto i pensieri. È buona, Vanna.

Ma è viva, bollente, diversa da te. Tienila d'occhio, che non combini sciocchezze. E quei due ragazzi, Folchi e Marini, sappiateli sfruttare. Fatevi portare a teatri, cinematografi, a fare gite. Un bacio di tanto in tanto e nulla più. Solitamente pagano gli uomini, quando portano a passeggio le donne. Ricordalo. E ora devo proprio andare. Chiedi se i bauli sono pronti.

Pervinca tornò avvertendo che i bauli erano già a posto sulla macchina.

Già nella luminosa macchina, donna Delizia si sporse a salutare e a baciare la figlia.

– Fai divertire anche Vanna – raccomandò mentre il motore cominciava a rombare.

Sulla punta delle dita, mandò un bacio alla fanciulla. Poi il suo sguardo salì a mirare «Villa Delizia». Sorrise, Lili Sybel e gridò:

– Andiamo!

Pochissima polvere si levò sotto il sole, poi non s'udì neppure più il rombo dell'automobile.

– Andiamo! – gridò Vanna. – Che fai in mezzo alla strada?

Pervinca era lì e guardava, immobile, la via deserta. In silenzio si mosse, varcò il cancello. Il giardiniere chiuse.

Pervinca si inoltrò, prese a salire la bella scalea incorniciata di fiori. Ma sull'ultimo gradino, sostò, cadde a sedere, scoppiò in pianto.

– Oh, stupida! – strillò risentita Vanna. – Piangere perché la mamma se ne è andata via! Ma non ti vergogni? Se lo vai a ridire, ti fai una bella nomea! Povera pupa, senza mammina... To, succhia il mignolino di Vanna tua... Ma levati, andiamo! Mi girano per la testa due o tre idee che ti voglio dire subito subito...

– Dimmele... – singhiozzò Pervinca.

– Se non piangi più... Da brava, andiamo in casa. Facciamo una bella merenda e intanto che si mangia io butto fuori le idee.

Nella sala da pranzo piccola che le fanciulle usavano quando erano sole, venne servita la ricca merenda. E spalmando i suoi biscotti salati con burro e zucchero, Vanna cominciò:

– Prima idea: prendere la patente di guida. Tua madre ha lasciato qui l'automobile e mi pare che sarebbe molto bello imparare a guidare. L'autista ci insegna, si va in città a fare l'esame e se non ci bocciano si gira il mondo senza testimonianza di alcun autista. Approvi?

– Approvo... – mormorò Pervinca che aveva il cuore stretto e desiderava ascoltare Vanna per distrarsi.

– Poi, come seconda idea, propongo un viaggio.

– E dove vuoi andare?

– Questo non lo so. Ce lo faremo dire da Folchi e Marini, perché il viaggio io lo intenderei a quattro. Tu con Marini, io con Folchi. Una coppia per macchina o tutt'è quattro con la tua macchina. Si deciderà... Approvi?

– Non troppo...

– Ahi! Cominciano le contestazioni. Pazienza.

– Fuori le altre idee...

– Non ne ho altre per il momento. Via via che verranno, te le dirò. Intanto, che cosa si fa questa sera?

– Si va a dormire presto... presto...

Catina entrò e avvertì:

– Signorina Pervinca, vi vogliono al telefono.

La cara voce di Marini la salutò.

– Ho ricevuto ora soltanto la tua lettera, Pervinca. Sono stato in missione... Sì, ti dirò poi che cosa vuol dire; nulla di tragico, sai. E per quanto mi domandi, non so che cosa risponderti, ora... Quando potrò vederti? Questa sera? Tua mamma non c'è? E dov'è andata? Per un mese, forse due mesi? Oh, povera Pervinca... Verrò, senz'altro... Folchi? Ba', Folchi è ancora al campo. Sì, glielo dirò... A rivederci, Pervinca...

Ella tornò presso l'amica. Gli occhi erano ancora un poco arrossati, ma il volto brillava di gioia.

– Scommetto – rise Vanna – che hai cambiato programma per questa sera! O ancora vuoi andare a dormire presto presto?...

Pervinca sorrise e invece di rispondere, disse:

– Marini verrà certo. E penso che debba venire anche Folchi.

– Ci mancherebbe che nòn venisse! Lo andrei a cercare anche in cielo! E che vestito mi metto? E come lo accolgo? Doveva venirmi a prendere per quel famoso gelato, ma l'hai visto tu?

– Devono essere stati in missione...

– E che? Si sono fatti missionari?

– Ma no! Credo significhi portare un aeroplano in un altro campo, per questo non si fecero vedere.

– Allora, come mi vesto? Peccato che tu sia lunga e sottile e io piccola e rotondetta: potrei scegliere nel tuo guardarobe...

– Ho un abito rosa che mi è largo. Vuoi provarlo?

– Se voglio provarlo? Ma che domande inutili!

Un'ora dopo, l'abito rosa, accorciato per benino, segnava con ardite aderenze le procaci forme di Vanna.

– Hai visto come ho fatto tutto bene? Quando sarò in miseria totale, e credo che non mancherà molto tempo, mi metterò a fare la sarta. Guarda tu come ho allargato la vita. Si vede qualche cosa?

– Non si vede nulla.

– E non ti pare che sembri fatto sulla mia misura?

– Mi pare davvero...

– E non sembro più alta?

– Ma tu non sei piccola: certo se ti metti a lato mio, sei più bassa. Ma mia mamma dice che io sono alta.

– Allora, io sono media... Ne godo! Se fossi stata più alta io, non avrei potuto pigliare gli abiti tuoi. Mi auguro che la tua sarta sbagli frequentemente le misure, in larghezza soprattutto.

Cenarono in fretta, poi attesero. Vanna e Pervinca, in collegio, avevano studiato un poco di canto e un poco di pianoforte. Pervinca si mise al piano. Vanna cominciò a cantare una canzonetta in voga. E stava lacerando l'aria con una nota che doveva essere un acuto ed era un fischio di locomotiva, quando Marini e Folchi vennero annunciati dal cameriere che portava anche una scatola e un fascio di fiori.

I due giovani entrarono e le fanciulle corsero subito una incontro a Folchi e l'altra a Marini.

— Che c'è nella scatola? — chiese subito Vanna.

— Rospi vivi per te — rispose Folchi. — Divideteli da brave bambine. E i fiori piantateli da qualche parte. Io avevo detto a Marini che i fiori sono roba inutile, ma lui, no, lui ha voluto le tuberose per Pervinca. E allora, arrangiatevi.

Vanna aprì la scatola. Era colma di fondenti.

— Non sono tutti tuoi, scarafaggio — gridò Folchi, vedendo che quella cominciava a mangiare.

— Lo so, ne ho assaggiato uno. Ora li conto e poi divido.

Contò con molta attenzione; avvertì:

— Sono cento otto. Cinquanta a te, cinquanta a me. Gli altri li mangiamo. Io ne ho già mangiato uno. Tre sono miei, quattro tuoi...

Ma Pervinca non badava ai fondenti: s'era allontanata da Vanna e Folchi e s'era seduta in fondo alla sala, dove alcune poltrone di velluto azzurro e un piccolo divano della stessa stoffa e dello stesso colore mettevano una zona di sereno in una nicchia di piante di ortensie in fiore.

— Che musino, che musino ha la mia Pervinca!

— Sono tanto triste, Lido! La mamma se ne è andata... Farà una crociera di qualche mese...

— Una crociera?

— Sì, con un panfilo di proprietà d'un certo Rook... Commendator Rook, mi pare.

Rapido il pensiero di Marini si formò:

«Walter Rook, proprietario della più grande e lussuosa Compagnia di riviste che il mondo ospita... Walter Rook, il milionario innamorato della rivista... Walter Rook, lo scopritore delle più belle gambe mondiali...».

– Ho capito – mormorò il giovane.

– Tu conosci questo Rook...

– Di nome...

– Deve essere un banchiere...

– Non so esattamente; comunque, se tua mamma ha deciso così, che fa? Non puoi vivere sola? Non conto nulla, io, nella tua vita?

– Tu sei molto, Lido, ma io...

– Parla, cara...

– Io ti ho scritto per chiederti aiuto. E tu mi devi aiutare a uscire da questa confusione.

– Da quale confusione, cara?

– Io non capisco bene ciò che mi circonda. Non capisco bene...

Esitò un istante, poi proruppe, trattenendo il pianto:

– Non capisco mia madre, ecco!

Marini le prese una mano, la baciò. E lisciando con le dita quella bella mano nitida, dove le unghie ben curate non avevano ombra alcuna di laccatura, mormorò:

– Non mi pare che ci sia qualche cosa da capire. Tua madre è tua madre e basta. Non tocca ai figli di frugare nella vita di chi li mise al mondo.

– Lo so. Né io voglio frugare. Ma vorrei almeno sapere...

Era evidente che quanto ella pensava era grave. Le parole uscivano a fatica dalle sue labbra, come se ella stessa temesse ciò che stava per dire. Capì, Marini, quell'esitazione e tacque perplesso. Doveva incoraggiare la fanciulla a spassionarsi o doveva evitare le sue domande? Poteva egli tenere la fanciulla all'oscuro di tutto quel sudiciume che la circondava o doveva lasciarla vivere nell'ignoranza che, tuttavia, le rendeva meno penosa la vita?

– Tu vuoi sapere troppe cose. E le bambine curiose non mi piacciono.

Fu stupito di sentirla reagire quasi con violenza:

– Non mi chiamare bambina!

– O perché? Sei cresciuta tanto, in due giorni?

– Ho diciotto anni, sono una donna, non una bambina.

L'uomo vide un'espressione quasi atterrita negli occhi della fanciulla. Mormorò:

– Come vuoi cara... cara la mia donnina...

– Ecco: donnina; donna... È più onesto...

– Questa sera sei molto buffa, Pervinca!

– Lo credi?

– Ma che hai? Che vuoi sapere?

– Voglio sapere che cosa sai tu di mia madre!

– Io? E che vuoi che sappia più d'un altro? L'ho conosciuta per caso, come ti dissi, quando ci fermammo qui per chiedere acqua per il radiatore. Trovammo in lei una compagna cordiale, festosa, simpatica. Per di più è una bella donna, affascinante, interessante, elegante. Logico che da bravi giovanotti cominciassimo a frequentare la casa di donna Delizia con gioia. Che pretendevi, Pervinca, che a tua madre si preferissero i cicchetti del colonnello? No, è vero? Tuttavia, quando apparisti tu, io capii subito che i tuoi silenzi mi sarebbero piaciuti più delle argute chiacchierate di tua madre; capii subito che i tuoi sorrisi, qualche volta tristi, mi sarebbero piaciuti più delle gaie risate di donna Delizia...

Accarezzò la mano che teneva tra le sue, mormorò:

– Ti voglio bene, Pervinca.

– Anch'io...

Silenzio.

All'altro capo della vastissima sala, dove c'era un mobiletto bar e un ampio divano, Vanna e Folchi ridevano fragorosamente e Vanna gridava.

– Sei stupido, sei stupido! Non è vero che mio cugino mi abbia baciata tra uscio e porta. Mi ha dato un bacio solo vicino al pollaio... E non so se l'odore veniva da mio cugino o dai polli...

– Quella è matta davvero – osservò Marini, sorridendo.

– Una matta felice, che prende la gioia da qualunque parte essa venga.

– Cosa che non sappiamo fare noi, è vero, Pervinca?

– È vero.

E Marini stava per aggiungere qualche cosa quando Vanna, dall'altro capo della sala, gridò:

– Noi andiamo in giardino. C'è la luna e Folchi vuole declamarmi dei versi. Io non ci credo perché potrei giurare che non sa neppure una poesia, ma poiché mi piace uscire con lui, fingo di credere... Andiamo, andiamo, Rirì...

– Se mi chiami ancora Rirì – grido Folchi veramente sdegnato – ti do una scarica di scapaccioni... Ma senti che roba! Rirì! Ma sono una cagnetta, io? Chiamami Enrico o, parola mia, ti faccio rientrare quel naso da ochetta che porti al posto più ragguardevole del viso!

– Il mio naso è greco. Guardami di profilo, Rirì.

– Sapristi, piantala!

– Rirì, tesoro, come sei bello quando ti arrabbi...

Volò uno scapaccione. Vanna, rapida, si scansò, lo scapaccione sfiorò solo i capelli neri. Con uno strillo, la ragazza scappò via; Folchi la inseguì e disparve dietro di lei.

Pervinca e Marini rimasero assorti a guardare la grande porta a vetri dietro la quale i due erano scomparsi. Poi, sommessamente, Pervinca domandò:

– Folchi ha baciato Vanna; lo sapevi?

– Non lo sapevo, ma non mi stupisce. Accade molto facilmente che un uomo e una donna si bacino.

– E poi, si sposano?

– Qualche volta: ma è raro. Solitamente si sposano le donne che si baciano poco.

– Tu mi hai baciata molto o poco?

– Oh cara! Ti ho baciata poco...

– E allora mi sposerai, appena ti sarà possibile?

– Forse...

– Non sei certo? Che cosa non ti piace di me?

– Di te, tutto mi piace, Pervinca.

– Non sono brutta...

– Sei splendida.

– Sono ricca...

– È la cosa che meno mi interessa. Quando un uomo ha due ali, ha una ricchezza, è un angelo che sale nel cielo, e tu, credo, non vorrai immaginare un angelo in lite con le lire. Gli angeli sono milionari.

– Non scherzare. E dimmi che cos'è che ti fa rispondere «forse».

– T'ho già detto, Pervinca, che un giorno ti parlerò a lungo. Ora, lasciati amare così. Che ti chiedo? Un bacio, una carezza, un poco di tenerezza. Non puoi darmi tutto questo? È troppo?

– Non è troppo. Ma sarebbe moltissimo se un giorno tu mi dovessi dire: «Non ti sposerò mai».

Egli accarezzò il dolce viso di Madonna bionda. Si smarrì a guardare quegli occhi dove era così profonda la verità. Disse, sconsolato:

– Bisognerebbe avere il coraggio di dirti delle cose penose. E oggi, questo coraggio, non l'ho. Dammi tempo, Pervinca.

– Va bene.

Poggiò il capo sulla spalla di Lido Marini. E rimasero così ad ascoltare i loro cuori colmi di pena.

Fuori, nel giardino, Folchi e Vanna passeggiavano avvinti.

– Io non so perché – disse a un tratto la ragazza – non so perché la luna piena mi faccia sempre pensare a un uovo al tegame...

– Tu pensi così perché sei molto sentimentale – rispose seriamente Folchi.

– Né so che cosa ci trovino i poeti in quella faccia da scema che sta lassù. Non serve proprio a nulla, la luna. Ora, se non ci fosse, io non mi vergognerei se tu mi baciassi. Ma con questa luce...

– Tu sei falsa come una gatta. Tu mi baci anche se ti sollevo la faccia e te la metto sotto la luna...

– Prova...

Egli provò e naturalmente Vanna non si vergognò per nulla.

– Hai avuto vergogna?

– No. Ho chiuso gli occhi. Ma se vuoi baciarmi mentre tengo gli occhi aperti...

– Smettila! Che pensi tu? Che io sia un burattino? Che io sia una marionetta di legno?

– Oh, no! Hai certi muscoli! Fammi sentire... Mio cugino, figurati, ha due braccini che ballano sempre dentro le maniche. Una volta lo vidi con una di quelle maglie a maniche corte... Che cosa buffa: pareva Pinocchio in tenuta sportiva! Tu no; sei un colosso, invece...

– E ti piacciono i colossi?

– Se mi sono innamorata di te...

Folchi si fermò sui due piedi, di colpo:

– Senti un poco, Vanna. A me le donne innamorate fanno venire il mal di mare. Dimmi che ti piaccio, che i miei baci ti divertono, che le mie carezze ti mettono il ballo di San Vito addosso, ma non mi dire che sei innamorata. Amore, innamoramento sono per me sinonimo di scocciatura: e io, scocciature non ne voglio, di nessun genere. Quindi, metti da parte l'amore e se vuoi divertirti con me, divertiti. Faremo coppia.

– Sei molto brutale, Rirì...

– Piantala...

– Ma perché? È il nome che sussurra il mio cuore, quando sono sola...

– E io non voglio essere Rirì... non voglio che tu sia

innamorata, non voglio attorno a me tutte quelle scemenze che usano le persone che non hanno nulla da fare. Libero sono, libero voglio restare. Di voi donne piglio ciò che mi date. Mi dài un bacio, lo ricambio; mi dài una carezza e se hai la pelle morbida te ne ricambio due; mi dài una pedata, te ne restituisco tre... Ma le altre faccende, quelle che buttano fuori i sentimentaloni, non tentare di farmele digerire. Diamine, se chiami uovo al tegame la luna, devi pensarla un poco come me...

— Hai finito? — scattò Vanna. — Non ti si è ancora consumato il respiro? Ancora un poco che la duri e schiatti, sai! Io ti chiamo come voglio, ti amo come voglio, dico quello che voglio. Se ti accomoda è così, se non ti accomoda fa lo stesso, Rirì mio...

— Ah, perbacco...

Con un balzo, Vanna gli si appese al collo. Egli le mollò due sculaccioni che risuonarono nell'aria cheta come se fossero stati battuti sull'acqua. Poi la strinse contro il petto e la baciò furiosamente. E quando si staccò da lei e lei cominciò a ridere, ne ebbe un dispetto così vivo che dovette scostarla bruscamente per non picchiarla davvero.

— Fila in casa! — le ordinò. — Fila e non ti voltare indietro...

— Fossi matta... — provocò la fanciulla correndo all'indietro. — Io resto qui a farti disperare, Rirì mio...

Egli sedette su una panchina, accese una sigaretta. Lei gli si fece appresso:

— Mi fai provare a fumare?

— Anche fumare vuoi? Ma è una cosa da cronaca nera!

— Fumava anche la nobilissima direttrice. Non si faceva scorgere, è certo, ma puzzava di cicche...

— Cicche! Ma c'è tutta un'educazione da rifare, qui...

— Lascia andare. E fammi tirare una boccata...

114

Egli le porse la sigaretta. Vanna tirò forte, come se succhiasse, poi sbuffò il fumo.

– Che roba! – protestò. – Non c'è nulla di straordinario... Tieni pure la tua sigaretta.

– Me l'hai tutta bagnata, sudiciona!

– Che parolacce!

– Non ribattere, Vanna, non mi piacciono le ragazze con la lingua lunga!

– Se tu sapessi, Rirì, come non mi piacciono gli uomini con la lingua non corta...

– Bada...

– Che?

Gli mise la testa sulla spalla e tutt'è due rimasero così, sotto la luna, mentre risatelle gaie risuonavano attorno e nei loro cuori s'addensava la gioia di vivere e di godere.

VI

Lido Marini, indossando l'abito borghese, disse a Folchi che stava accomodandosi una cravatta dai colori vivaci:

– Se ti devo dire la verità, non capisco nulla di Vanna. È ingenua? Ne sa fin troppo? Mira a farsi sposare? Vuol divertirsi? Tu, che pensi?

Dando uno strattone alla cravatta, aggiungendo un moccolo allo strattone, Folchi rispose, a denti stretti:

– Se tu credi che mi sia dato la briga di frugare nel cervello e nel cuore di Vanna, ti sbagli e di molto... Mi diverte. E spero che un giorno possa divertirmi anche di più...

– È una ragazza di buona famiglia, Folchi. Ha una madre e un padre.

– Tutti al mondo hanno padre e madre. Qualche volta uno dei genitori o anche tutt'e due sono in galera: ma che fa? Restano genitori, restano persone che hanno procreato...

– Non scherzare: sai bene ciò che voglio dire.

– Ma sì, lo so bene! Non ti preoccupare: nei pasticci io non mi metto. Bada tu, piuttosto, a ciò che fai. Ti vedo male imbarcato, con la tua Pervinca!

– Male imbarcato, perché?

– Perché tu sei innamorato sul serio.

– È un male essere innamorati alla mia età?

– La tua età è su per giù la mia e non c'entra per nulla. E mi pare inutile ridirti che il capitano Marini non potrà mai sposare la figlia di Lili Sybel...

Il solito argomento tornava in scena.

«Marini non potrà mai sposare la figlia di Lili Sybel...»

Quante volte aveva pensato a questo? Quante volte se lo era sentito ripetere? Infinite volte la frase era risuonata al suo orecchio; tuttavia, non gli aveva mai dato noia come quella sera.

– Sei pronto, Marini?

– Pronto.

– Speriamo che Vanna non abbia inalberato qualche abito scollato fino alla punta delle scarpe. Si veste con un gusto così disastroso quella figliola, che viene voglia di piantarla a casa e di andarsene via soli. Pervinca no, invece: Pervinca veste in modo delizioso. E non penso neppure che segua i consigli della madre, perché qualche cosa in lei rivela una raffinatezza innata. Sarà figlia di qualche conte spiantato o di qualche reggente di piccolo regno... Comunque, è una gran bella figliola. Ha due occhi buoni, d'un colore così strano che fanno subito pensare ai fiori: appunto alle pervinche.

– Sei molto sentimentale questa sera, Folchi – osservò con ironia Marini.

– Perché?

– Be'! Parli di fiori, di pervinche...

L'altro non rispose. Si diede una spazzolata ai capelli neri e lucidi, disse:

– Possiamo andare.

Uscirono dall'aeroporto, si diressero verso «Villa Delizia». La sera era fresca; settembre aveva già qualche bizza autunnale. Ma il cielo era limpido, picchiettato di stelle piccole e lucentissime.

Le ragazze li attendevano nella graziosa casa del custode, così che furono presto in macchina e Vanna subito gridò:

– Corri, corri, Enrico! Io voglio sentire il preludio della «Traviata». Mi hanno detto che è tanto bello, che fa sollevare dalla seggiola. Oh, come deve essere divertente veder morire quella donna perduta! Chi sa se quando muoiono quelle donne l'anima esce nera nera...

– Vuoi stare zitta? – fece Enrico Folchi. – È possibile che tu abbia sempre la molla sotto carica? Ti si scaricasse una volta!

– Come sei grazioso, Rirì, tu mi dici sempre parole gentili...

Pervinca e Marini erano seduti alle spalle dei due: si tenevano vicini, ma non parlavano.

– Imita Pervinca, tu. Hai ancora sentito la sua voce?

– Oggi non l'ho sentita affatto. È stata tutto il giorno coricata con male di capo. Ma quando sono andata a sbirciare nella sua camera, ho visto che piangeva.

– Stai zitta, ti prego! – fece Pervinca addolorata.

– Perché devo stare zitta? Se piangevi, non posso dire che facevi capriole cantando.

– Perché piangevi? – domandò Marini alla fanciulla.

– Così...

– Sai dire bugie, Pervinca?

– Qualche volta: ma fanno male a me e non toccano gli altri.

– Non posso dividere il tuo male?

Sentì il capo di lei pesargli sulla spalla.

– Povera Pervinca mia! – sussurrò sfiorandole gli occhi con la bocca. – Che cosa posso fare per te?

Ella non rispose. Vanna voleva sapere se Violetta andava in paradiso e Folchi mandava lei, Vanna, all'inferno.

– Stai ferma, mi fai andare contro il muro! Non mi stringere il braccio! Giuro che piuttosto di fare il viaggio di ritorno accanto a te, torno all'aeroporto a piedi...

Giunsero a Perugia: infilarono corso Vannucci e di lì furono al teatro che s'apriva in prossimità del Duomo. L'antica mole dell'edificio sacro s'elevava scura verso il cielo e metteva una grande ombra nel chiarore della notte stellata.

Pervinca guardò la chiesa, mormorò:

– Fa bene al cuore guardare questo Duomo... Ci sei stato, Lido?

E Vanna a Folchi:

– Sbrigati, sbrigati; hai i biglietti? Io non ho mai visto un'opera, sai!

Non era stato possibile trovare un palco e come furono seduti nelle poltrone, Folchi ebbe la sensazione che tutti gli occhi fossero sul loro gruppo.

– Accidenti! – brontolò. – Quanta gente ci guarda!

– Siamo in borghese – rispose Marini. – Lascia che ci guardino.

– Perché? Se foste in divisa... – strillò Vanna.

– Taci, scema! – sbottò Folchi.

– Scemo tu. Spiegami. È questo il preludio... Ma sarà stanco il direttore quando lo spettacolo sarà finito... Che cosa buffa sarebbe se gli si staccasse un braccio... Non è mai accaduto?

– No: ma è accaduto che un uomo, durante il preludio della «Traviata» pigliasse una ragazza per un orecchio e la mettesse fuori dalla porta...

Qualcuno zittì.

– Se ti porto ancora una volta con me...

– Non giurare. Mi porterai ancora...

Violetta era molto formosa e Vanna si divertì a pensarla morente per tubercolosi. Alfredo era anzianotto e panciuto, e Vanna sbruffò in una risata quando seppe che per lui Violetta si rovinava e poi moriva.

– Per un uomo simile non darei neppure un soldo, io...

Nell'intervallo Vanna guardò attorno con molta curiosità. I suoi grandi e magnifici occhi da zingara non stavano mai fermi. Le sue mani or tracciavano segni, or si stringevano, or pizzicavano le braccia dei compagni. Fortunatamente, Folchi s'era provvisto di caramelle e cioccolatini, così che, essendo la bocca di Vanna sempre piena, il parlare le tornava difficile. Pervinca

119

parlava poco e guardava molto Marini. Vanna aveva un vestito sgargiante, rosso e nero, combinato con due vecchi abiti di Lili Sybel. Ne era uscito un modellino stravagante ed eccentrico, non privo di buon gusto e molto aiutato dalla bellezza delle stoffe. Ma era sempre un abito troppo chiassoso e per l'età della fanciulla e per il luogo in cui era portato. Pervinca indossava un semplice abito di velluto nero. Al breve scollo, alle maniche corte aveva un pizzo candido, di gran pregio. Un brillante piccolo, ma di chiarore perfetto, legato a giorno, le scendeva sul petto, trattenuto da una sottilissima catena in platino. Le belle trecce bionde, composte e strette attorno al capo, lo aureolavano.

Folchi ora guardava Vanna, ora Pervinca. Se guardava Vanna, sentiva il sangue scottargli le vene: se guardava Pervinca sentiva una dolcezza nuova scendergli nel cuore e colmarlo. Gli spiaceva il contegno di Vanna, ma tuttavia lo divertiva: ammirava l'atteggiamento di Pervinca e tuttavia gli dava un senso di soggezione che lo teneva distante dalla giovane donna.

– Io voglio uscire un momento – disse Vanna. – Escono tutti. Ho le gambe rattrappite, ho la gassosa nei piedi...

– Stai ferma o se vuoi andare vai sola. Figurati se rischio di farmi vedere da qualche superiore con una donna vestita di fuoco metà accesso e metà spento.

– E io vado sola!

– E tu stai qui...

– Nemmeno per sogno! – dichiarò Vanna levandosi in piedi. – Io vado a passeggiare.

Folchi diventò livido di rabbia:

– Vai – disse.

Marini interrogò con lo sguardo Folchi. Questi strizzò un occhio. Vanna se ne andò. La videro attraversare la folla, dirigersi verso l'atrio.

– Bisogna raggiungerla – osservò Marini. – Che figura si fa a lasciare una donna sola.

120

– Se è matta...

Decisamente Marini si levò in piedi, disse a Pervinca:

– Abbi pazienza: raggiungo quella testa rotta di Vanna e te la riporto. Permesso.

– Perché l'avete lasciata andare sola? – fece Pervinca, come Marini si fu allontanato.

– Perché non mi piacciono le donne che vogliono comandare gli uomini.

– Ma Vanna non comanda! Vanna agisce come il suo cervello le suggerisce. E bisogna capirla.

– Oh, Pervinca! Ma vi pare che valga la pena di perdere tempo per capire Vanna?

– Non vale la pena? – domandò la ragazza meravigliata.

– Ma no!

– Non amate dunque Vanna, Folchi?

– Non l'amo. Mi piace.

– Ma... ma pure l'avete baciata...

– E voi credete che baciare una donna signifìchi amarla? Forse il vero amore lo si prova per colei che non si potrà mai baciare...

– Io non capisco...

– Non cercate di capire, Pervinca... E ricordate che un bacio non è, qualche volta, che uno scambio di microbi. Non vi avevano mai detto questo? Strano! È una consolazione vecchia come il mondo...

– Oh, ecco il carbone a metà cottura! Dove l'hai pescata, Marini?

– L'ho trovata che dava dell'asino a un ragazzaccio. Non bisogna lasciarla camminare sola, questa figliola. Ti crea delle grane...

Vanna era imbronciatissima. Ma come il velario si aprì, mise una caramella in bocca e si fece attenta. Di tanto in tanto, dava una gomitata a Folchi e gli sussurrava:

– Rirì mascalzone...

Ma tutto finiva lì. E quando anche il secondo atto

ebbe termine, non propose di tornare a passeggiare. Folchi, da parte sua, era molto serio e credendo che fosse in collera con lei, Vanna gli chiese dolcemente:

– Mi perdoni?

– Che cosa? – domandò lui come se arrivasse a teatro in quell'istante.

– Come che cosa? Non sei inquieto perché sono uscita sola?

– Figurati! Puoi anche andare a casa sola...

La voce non aveva la solita intonazione e Vanna se ne accorse. Corrugò la fronte, i suoi occhi divennero ancora più neri, le sue narici palpitarono. Come il cavallo di razza che sente il pericolo, Vanna si impuntò:

– Che ti accade? – domandò.

– Perché? Che dovrebbe accadermi?

– Non capisco nulla...

– Come se qualche volta tu avessi capito qualche cosa!

La voce era sempre diversa. Vanna era abituata ai scherzosi rabbuffi e maltrattamenti di Folchi, ma in quel momento capiva che Folchi non scherzava e che se l'avesse minacciata d'uno schiaffo sarebbe stato autentico.

Si guardò attorno, perplessa. Poi si strinse nelle spalle e chetamente, or guardandosi le mani, or guardando la scena, cominciò a mondare un cioccolatino. Se lo ficcò in bocca. E così, ciangottò:

– Vai un po' all'inferno! Io mi diverto ugualmente. Ma quel vecchio della malora deve essere un grandissimo menagramo e Violetta, invece di piangere, dovrebbe fare gli scongiuri, metterlo fuori dalla porta e poi fare tre saltini isolanti, come facevamo noi quando veniva in parlatorio donna Cristina Balsimello di...

– Stai zitta, finiscila, esasperi. Guarda Pervinca e impara da lei!

– Per imparare a essere malinconici non c'è da andare a scuola. Basta essere innamorati d'una carognetta come te...

Folchi le strinse un braccio. Sentì la carne soda e fresca resistere alla pressione. Sorrise. Guardò Pervinca. Ne vide il finissimo profilo. Allentò la stretta al braccio di Vanna. E come l'atto finiva, si levò in piedi e dichiarò:

– Piantiamo qui le damigelle, Marini. Andiamo a fumare.

Marini esitò, ma Pervinca, sorridendo, gli disse di andare.

– Scusa se t'ho portato via a Pervinca – gli disse subito Folchi. – Ma sento davvero il bisogno di sgranchirmi. Per le nostre lunghe gambe, lo spazio tra una e l'altra fila di poltrone è troppo breve.

– Non è per le gambe che ti sei mosso – sorrise Marini. – È che questa sera sei molto nervoso.

Folchi brontolò:

– È quella Vanna del diavolo che riesce a farmi perdere la pazienza.

– Povera ragazza! Che ti fa? È bella, vivace, spiritosa, innamorata...

– Innamorata quella? Ma tu scherzi, Marini!

– Pensi che non lo sia? E perché allora si lascerebbe baciare da te?

– Se tu credi che per lasciarsi baciare una ragazza abbia bisogno d'essere innamorata, sei molto ingenuo...

– E tu sei troppo cinico... Secondo te, allora, nemmeno Pervinca sarebbe innamorata...

– Ah, quella sì, ama!

– Da che cosa lo deduci?

Passeggiavano nel porticato del teatro. Ma come era un poco difficile muoversi, Folchi propose:

– Facciamo due passi fuori...

– Tra poco comincerà lo spettacolo...

– E tu vai in teatro: io verrò tra poco.

Marini tornò nella sala, Folchi uscì. Egli aveva una specie di febbre addosso e non sapeva a che cosa attribuirla. Per qualche momento, pensò che fosse una febbre di giovinezza comunicatagli da Vanna. Ma poi scartò senz'altro questa ipotesi, scosse il capo e a se stesso disse:

«Stai combinando un bel pasticcio, caro Enrico... Bada a te!»

Tornò nella sala quando lo spettacolo era già cominciato e Violetta moriva poeticamente. Sperava di trovare Vanna imbronciata, silenziosa, offesa. Invece la fanciulla lo accolse con un magnifico sorriso e con voce dolcissima gli sussurrò:

– Ecco la fine che farò io per colpa tua... Senti la tosse di Violetta? È nulla a confronto di quella che verrà a me, pochi istanti prima di morire... E morirò cantando: «Perugia o caro noi rivedremo...». Ma che diavolo hai addosso, questa sera?

Folchi non ascoltava la ragazza. Distrattamente guardava la scena, ma ogni poco si volgeva a guardare Pervinca e sempre ne vedeva il delicato profilo, la linea dolce e fresca della bocca, il mento piccolo, dove era tuttavia palese un'impronta di fiera volontà. Marini teneva una mano della fanciulla e di tanto in tanto, con l'altra mano, ne accarezzava le dita sottili.

«Stupido!» – pensò Folchi. – «Stupido! Si comporta come un garzone parrucchiere innamorato. Io mi domando se un ufficiale deve essere così cotto da starsene lì, mano in mano, con una donna durante una rappresentazione...»

Poi vide Marini volgersi a Pervinca, sussurrarle qualche cosa. Notò un'espressione luminosa sul volto di lei, un suo accennare di sì con il capo. «Scommetto che le ha chiesto se lo ama... Proprio come i garzonetti che hanno bisogno di chiedere all'innamorata, ogni due minuti, se il cuore palpita sempre per loro... Bisogna essere rammolliti per comportarsi così... Oh, se Dio vuole Violetta ha finito di scocciare con i suoi lagni... Pace a lei e non risusciti più...»

Una risata di Vanna lo scosse. Afferrata al suo braccio la ragazza rideva dicendo:

– Hai visto, hai visto che il tenore per poco batteva il naso sul tavolato? Deve avere inciampato, non te ne sei accorto? Ma che guardavi, santo cielo?

– Usciamo, si soffoca – rispose Folchi.

E come furono nuovamente in prossimità della macchina, Folchi disse:

– Non mi venire vicino, sai! Ho sonno e non ho voglia di andare fuori strada!

– Guido io, Folchi – dichiarò Marini.

E Vanna battendo le mani:

– E io mi metto vicino a Marini, così tu che non hai voglia di parlare te ne stai dietro con Pervinca, che ha soltanto voglia di stare zitta.

Folchi si trovò seduto a lato di Pervinca. La fanciulla se ne stava tutta raccolta nel suo angolo e la luce della strada ora illuminava il suo bianco viso, ora lo metteva nell'ombra. Teneva tra le mani una scatoletta da sera in avorio. Distrattamente ne faceva scattare e richiudere il fermaglio di sicurezza, e d'un tratto, forse per un atto più energico, la scatola sfuggì, si aprì e qualche cosa rotolò fuori.

Prontamente Folchi si curvò, consegnò la scatola alla ragazza, la quale disse:

– È scappato il mio bariletto porta-fortuna.

Folchi cercò, trovò qualche cosa, lo tenne nel pugno.

– È il vostro porta-fortuna questo minuscolo barile d'oro?

– Sì, la mamma l'ha portato da uno dei suoi viaggi in Oriente. Contiene un profumo solido...

Folchi giocherellò con il ninnolo, poi lo consegnò alla fanciulla. E nel gesto che compì, sentì la carezza di quelle mani tiepide, morbide, asciutte. Per quella carezza involontaria, egli si sentì subitamente separato da tutto il mondo, isolato in un paradiso di dolcezza.

– Volete sentire il profumo? – chiese Pervinca. – Bisogna strofinarlo sulla pelle, attendere qualche istante e sulla pelle scaturisce una fragranza che varia a seconda delle epidermidi. Ecco, odorate.

Tese la mano; egli si curvò, odorò le dita sottili, la palma delicata.

– Delizioso... – mormorò.

E inconsapevolmente, sulla palma, posò le labbra, che bruciavano. Pervinca sentì quel fuoco, sottrasse la mano al bacio. Ma sulle labbra di Folchi c'era ormai quel profumo che nasceva dalla pelle d'una creatura che gli turbava il cuore.

Vanna rideva, chiacchierando, e Marini teneva testa allegramente alla vivacità della donna. Tuttavia, d'un tratto, accese la luce e volgendosi, domandò:

– Be'! Siete addormentati voi delle ultime file?

Vide Pervinca con gli occhi fissi lontano, vide Folchi con gli occhi chiusi e pallidissimo.

«Che succede?» – si domandò. – «Mi sembrano tutt'e due scesi dalla luna.»

Accelerò, non diede più risposta alcuna a Vanna. E come giunsero a «Villa Delizia», aiutando Pervinca a uscire di macchina, le sussurrò:

– Che c'è?

– Nulla: che cosa dovrebbe esserci?

– Credevo... Scusa, buona notte.

Le ragazze varcarono il cancello, la macchina ripartì.

E subito Vanna attaccò:

– Che muso aveva Rirì! Pareva mio cugino quando non poteva mollarmi baci vicino al pollaio... Chi sa perché gli uomini, su per giù, si assomigliano tutti...

– Si direbbe che tu ne conosca mille...

– Ne conosco pochi, ma mi pare che quei pochi agiscano alla stessa maniera. Anche Lido, questa sera, ha cambiato umore un paio di volte.

Pervinca non disse nulla, ma a sua volta pensò che

Lido, in verità, quella sera aveva avuto un contegno con Vanna, s'era improvvisamente ammutolito e aveva poi lasciato lei, Pervinca, quasi bruscamente. Che cosa era avvenuto?

Augurò la buona notte alla sua amica, si chiuse nella sua camera. E le parve di essere più protetta, più sicura, più vicina a se stessa. Tutto era bello, moderno e fresco attorno a lei. I mobili chiari, laccati, i tendaggi, i tappeti, i ninnoli, tutto rivelava un sicuro buon gusto, tutto parlava a Pervinca d'una cura speciale, d'una attenzione affettuosa.

Si coricò.

«Dove sarà la mamma? Quando scriverà? Perché ha voluto accettare quell'invito? Si stava tanto bene, qui, tutte insieme... E quando tornerà? E dove mi porterà questo inverno? Solitamente la mamma viaggia, nell'inverno, e frequenta le grandi città... Mi porterà con lei? Io vorrei andare in un piccolo paese sul mare, ma la mamma non vuol saperne di piccoli paesi... Che farà a quest'ora, la mamma? Forse dormirà in una piccola cabina del panfilo... La mamma... La mamma...»

Le parve d'essere tornata ai tempi della sua infanzia, di quella sua infanzia passata sempre nei collegi che, anche se eleganti e signorili, non le potevano dare il tepore della casa. E come in quell'epoca lontana, ma non remota, ella sentì, in quella notte, il bisogno prepotente della carezza materna. Come sarebbe stato bello poter partire con la sua mamma! E quanto era fiera, Pervinca, di quella mamma bella, che tutti ammiravano, che tutti osservavano. Le poche volte in cui era uscita con sua madre, aveva avuto la sensazione d'avere un codazzo di gente dietro di lei. Ma non era un codazzo, era semplicemente il volgersi della folla che passava e passando guardava. Anche allorché sua madre andava a trovarla in collegio, avveniva, presso a poco, la stessa cosa: le collegiali cercavano di poter vedere donna Delizia, la guardavano attentamente e poi discutevano, ammirando, il suo modo di vestire. Aveva tuttavia notato, Pervinca, che quando sua madre andava al collegio, si truccava pochissimo e, per contro, vivendole poi accanto nella casa, aveva potuto constatare che sua madre usava senza parsimonia e colori e profumi. E tutta la casa era satura di quel profumo che donna Delizia usava. Un profumo dolce e tenace a un tempo, che restava su gli oggetti toccati dalla donna, penetrava nei locali, si faceva assorbire dai mobili. Ben sapeva Pervinca, come nel guardarobe, allorché stiravano la biancheria di sua madre, tutta l'aria odorasse. Ben ricordava che la guardarobiera un giorno avesse detto:

— Anche dopo lavata la biancheria conserva il buon profumo della signora...

Sospirò, Pervinca; chiuse gli occhi, pensò a Marini. Ma neppure a quel pensiero il suo cuore ebbe sollievo. Perché Marini non le parlava di matrimonio? Perché le dimostrava amore e non voleva sposarla?

«Forse Lido ha già una fidanzata... Forse non può sposare me perché ha già dato la sua parola a un'altra donna... E se avesse un'amante? Ho sentito parlare di donne che avvincono gli uomini così che questi non possono più liberarsene...»

Volle scacciare quel pensiero: ma le parole della madre le tornarono alla mente: «Bada che tutti gli uomini sono bravi e saggi, ma tutti possono, da un'istante all'altro, diventare farabutti e pazzi».

Pervinca sentiva il cuore batterle con violenza. Ella vedeva Marini vicinissimo a lei e le pareva che volesse farle del male.

Si alzò dal letto, e per colmare la gran pena che l'opprimeva, andò nel suo studio e cominciò una lunga affettuosa lettera per sua madre. Ma dove avrebbe inviato quella lettera? Ancora non conosceva l'indirizzo. Piegò il foglio, lo mise nella busta. La posò in disparte in attesa di sapere dove avrebbe potuto mandarla. Poi, chetamente, come se facesse un compito, scrisse a Marini. Cento, mille erano le domande che voleva rivolgergli: e tuttavia la penna scorreva lenta, come se lento fosse il pensiero. Lido non le aveva risposto quando ella gli aveva chiesto di dirle chi mai ella fosse, quale mai fosse il mistero che sentiva attorno a se stessa. Forse avrebbe risposto ora, ora che lei gli domandava quale fosse il mistero che circondava lui.

Poi, si sentì stanca. Allora si coricò e si addormentò. Il mattino dopo, cominciarono le lezioni di guida. Vanna si dimostrò subito negata al pilotaggio d'una macchina. Pervinca destò l'ammirazione dell'autista, il quale le assicurò che avrebbe fatto degli esami stupendi. Ed ella fu contenta e pensò che appena avesse avuta la patente, sarebbe andata incontro a Lido, sola, con la sua macchina, per fargli una sorpresa.

Per due giorni, le fanciulle non poterono vedere Marini e Folchi. I giovani erano impegnati all'aeroporto. Poi, i due ufficiali capitarono all'improvviso, in un pomeriggio di gran pioggia. Vanna metteva insieme un abito a scacchi rossi e gialli e Pervinca dipingeva un pupazzo molto buffo sopra una gran scatola di legno. Vanna indossava una gonnella nera e una camicetta rossa. Pervinca aveva un camiciotto bianco che la faceva sembrare una bambina.

Erano in una luminosa stanza a pianterreno. Le ampie vetrate, le porte-finestre, erano incorniciate di verzure che tentavano d'entrare abbarbicandosi agli stipiti. Pochi mobili adornavano il locale ed erano mobili laccati di rosso, molto moderni. Era evidente che in quell'ampia stanza donna Delizia aveva voluto radunare, per capriccio o per saggezza, tutto ciò che poteva interessare una fanciulla al lavoro. Una bella macchina da cucire si celava in un mobile rosso, una tavola con il piano imbottito e le brevi sponde, invitava al cucito, una tavola da stiro con il ferro pronto per essere innestato, pareva attendesse cose lievi e delicate, un telaio, nel vano d'una vetrata, aveva un ricamo cominciato, e finalmente un cavalletto, posto in gran luce e sullo sfondo di piante verdi, aveva già pronta una tela immacolata. Presso questo cavalletto era Pervinca. Su un tavolino basso aveva disposto i suoi colori, teneva la tavolozza e i pennelli. Per comodità o per civetteria aveva sciolto le trecce, che le accarezzavano le spalle e scendevano oltre le reni. Non era gran pittrice, Pervinca; ma con lo studio e guidata da molto buon gusto e da un vivo senso dei colori, era riuscita una discreta pittrice.

Il pupazzo molto divertente che ella dipingeva, piacque a Marini.

– Non mi avevi detto d'essere pittrice, Pervinca...

– Pittrice... Ti vuoi burlare di me, Lido!

– E che ne farai di questa scatola?

– Non lo so davvero. La mamma, per farmi piacere, mi ha fatto preparare scatole, quadretti, piccole cose da dipingere. E io ho cominciato da questa scatola.

– È molto bella... Dovresti regalarmela, Pervinca. Ci metterò le cravatte.

– Ma no! – sorrise la fanciulla, arrossendo. – Che ne vuoi fare d'una cosa tanto brutta?

– Non vuoi regalarmela?

– Figurati, con gioia... Ma mi sembra così meschino, il mio dono.

– Non può essere meschino un dono che viene da te, Pervinca...

Vanna aveva fatto un fagotto del suo abito e l'aveva buttato in un armadietto. Folchi aveva cortesemente salutato la ragazza; e poiché questa gli si era subito appesa a un braccio, con garbo, ma decisamente, s'era svincolato, dicendole:

– Stai cheta, Vanna, non ho voglia di scherzare, oggi!

Allora Vanna, dimenandosi un poco, s'era avvicinata a Pervinca e Marini, fingendo di interessarsi a ciò che i due dicevano. Ma in verità, ella sbirciava nello specchio l'amico Folchi e notava che lo sguardo dell'uomo era costantemente su Pervinca.

«Brutto macaco! Bacia me e guarda lei... Se crede che mi ammali...»

Pervinca si tolse il camiciotto e fece l'atto di raccogliere le trecce.

– Rimani così! – pregò Marini. – Sei deliziosa.

Venne servito il tè, e mangiando una tartina, Vanna disse, forte:

– Chi sa perché oggi il mio Rirì non ha occhi per Vanna...

Folchi stava per ribattere, scattando, quando un cameriere entrò con un vassoietto sul quale era un telegramma.

Andò vicino a Vanna, si inchinò lievemente, offrì il vassoio. La fanciulla guardò il rettangolino giallo, poi il cameriere:

– Per me? – chiese, stupefatta.

– Per voi, signorina.

Vanna posò sulla tavolina rossa la tazza. Prese il telegramma, lo guardò, lo rigirò:

– Un telegramma per me... È la prima volta che ne ricevo uno!

– Apri, vedi che c'è... – consigliò Pervinca.

Vanna aprì, lesse, sbatté le palpebre, guardò gli amici. Era pallida, ma nei suoi occhi non c'era spavento: soltanto stupore.

– Che c'è, Vanna?

Con voce ferma, chiara, rispose:

– Mio padre è morto.

– Oh, Dio... – balbettò Pervinca subito smarrita. – Tuo padre... Ma hai letto bene?

Vanna porse all'amica il telegramma. E mentre questa leggeva, ella si alzò e disse:

– Devo partire.

Senza esitare, Pervinca dichiarò:

– Vengo con te, Vanna.

La fanciulla guardò l'amica e i suoi occhi neri dissero la sua viva riconoscenza.

I due giovani domandarono se potevano essere utili in qualche cosa e avuta risposta negativa, si congedarono.

Pervinca preparò, con l'aiuto della cameriera, alcuni indumenti per lei e per Vanna. E alla ragazza che già infilava il soprabito grigio sulla gonna nera e sulla camicetta rossa, consigliò:

– Devi cambiarti, Vanna, non puoi vestire così. Metti l'abito a giacca nero con una camicetta bianca.

Vanna taceva. Il suo volto non era addolorato, era preoccupato. Si sarebbe detto che sopra il dolore dominasse un'ansia grave che al dolore aveva sopravvento.

– Partiamo in macchina, Vanna, e tratteniamo la macchina a Firenze. Aspetta, prendo del denaro nel caso dovessi fermarmi a Firenze qualche giorno...

Stava per avviarsi, quando Vanna le sbarrò il passo:

– Pervinca – le disse – tu resterai vicino a me, vero? Io ho paura.

– Io resterò vicino a te, cara, ma non capisco di che cosa tu debba avere paura.

– Vedrai che cosa mi aspetta... Ma vai pure...

Poco dopo la macchina di donna Delizia correva verso Firenze.

Il palazzotto abitato da Vanna era assai malandato, e per essere lontano dal centro aveva assunto l'aspetto d'una vecchia fattoria. Mezzo portone era chiuso e un ometto che fungeva da portiere e che indossava una vecchia casacca verde a bottoni che erano stati lucenti, come vide la fanciulla, alzò le braccia al cielo e scosse il capo.

Salirono al primo piano e, guardando in su, Pervinca vide che non c'erano altri appartamenti. La scala era di marmo, ma sbocconcellata in più gradini. Solo una porta era aperta sul pianerottolo ampio e illuminato dal lucernario. Per quella porta le ragazze entrarono nella casa. Silenzio, mobili vecchi, tappezzerie scure, sciupate. E dappertutto un odore di medicinali e di cose vecchie.

Pervinca si sentì mozzare il respiro. Per un lungo corridoio Vanna la precedeva. E il contrasto tra la ragazza dalle forme giovani e procaci e le cose antiche e sciupate, era così vivo da far quasi male agli occhi.

Una donna apparve in fondo al corridoio, aprì le braccia. Vanna si fermò di colpo, poi andò verso le braccia di sua madre.

Una voce lamentosa, piagnucolò:

– È stata una cosa improvvisa... Uno strazio, Vanna...

Poi la donna vide Pervinca, le tese ambedue le mani e volle stringere al cuore la stupefatta giovanetta.

– Oh, cara, cara bambina, che sei così buona con la mia Vanna... Dio ti benedica... Vieni, vieni a vedere il mio povero morto... Pare vivo...

Pervinca si fermò dove era. Ella non aveva mai visto un morto, ella aveva paura della morte. Vanna capì il terrore dell'amica, mormorò:

– Aspetta, Pervinca, entra in questa stanza... Poi ti verrò a prendere.

Aprì una porta, spinse l'amica in una specie di salotto, dove erano tuttavia radunate mele cotogne, noci, castagne. L'odore delle mele faceva comunella con quello dei disinfettanti e se Pervinca muoveva un passo, sentiva il piede scivolare su una noce o su una castagna. Restò immobile presso una tavola sulla quale era issato, retto da un leggio, un orribile album azzurro a borchie d'argento. Dalle persiane accostate entrava una malinconica luce crepuscolare, Pervinca ebbe repentinamente l'impressione d'essere caduta in un pozzo. Si guardò attorno, ma oltre la tavola e l'album non poté distinguere bene le altre cose. Una noce rotolò dal mucchio, si fermò presso la punta della sua scarpina. E quell'odore di mele cotogne e di disinfettanti diventava sempre più forte.

Qualcuno, dal corridoio, girò la chiavetta della luce. All'improvviso chiarore, Pervinca trasalì, guardò verso la porta. Questa si dischiuse piano piano, una persona invisibile, disse:

– Venite...

Scansando noci e castagne, la fanciulla andò verso la porta che si aprì quasi completamente per lasciarla passare. Una donna vecchia e molto piccina, con un grande e ridicolo «chicchirichì» in testa e un ampio grembiule bianco attorno alle reni, consigliò, sottovoce e a occhi bassi:

– Andate pure fino in fondo al corridoio, poi a destra...

Pervinca, nel corridoio quasi buio, camminò come un automa, mettendo istintivamente le mani avanti. In fondo al corridoio girò a destra e si trovò davanti a una porta spalancata. Al di là di quella porta, tra quattro alti ceri, stava su un letto il cadavere. Ferma sulla porta, sentendosi agghiacciare, Pervinca si guardò attorno. Vide tre suore e un prete seduti qua e là: pregavano tenendo gli occhi chiusi e muovendo molto le labbra. Ritta a lato del letto, Vanna immobile, con lo sguardo lontano. In ginocchio, presso la fanciulla, la madre in pianto.

Al lume dei ceri, il cadavere pareva di pergamena. Il profilo, dal naso forte e deciso, metteva un'ombra, dal naso ancor più forte ma meno deciso, sul guanciale. La fronte era alta, i capelli bianchi, gli occhi terribilmente infossati. E il corpo, rigido sotto una coperta nera, si delineava appena. Le mani, in croce sul petto, erano molto grandi.

Come se avessero sentito la sua presenza, le tre suore e il prete aprirono gli occhi, continuarono a pregare, fissandola. Ella sentì un vivo disagio, una pena profonda. Fece un passo avanti. Vanna la vide, si mosse, le andò incontro.

– Non entrare – le disse con voce ferma. – Perché ti vuoi rattristare...

– E tu che fai? Rimani? Soffri, Vanna?

– Ora ti raggiungo.

Tornò presso la madre, si curvò su di lei, le disse qualche cosa. La donna, senza sollevare il capo, accennò di sì. E tornò a posare la fronte contro la sponda del letto.

Pervinca guardò le cose attorno. C'era un cassettone a specchio, ma sullo specchio avevano teso un asciugamani bianco. C'era una bella poltrona, il cui damasco era stato bello, ma ora a brandelli. C'erano due seggiole oltre quelle occupate dal prete e dalle monache. Uno di quegli attaccapanni che in Toscana chiamano «uomo morto» e che sono specie di alberi con molte braccia per appendervi gli abiti, stava in un angolo e vi pendeva, afflosciata, una giacca marrone. Null'altro. Un odore terribile di vecchio e di medicine; e il ta-tac delle piastrelle malferme che si muovevano sotto i passi.

Vanna raggiunse la compagna, la prese per mano, disse:

– Andiamo.

– Pervinca seguì l'amica. Questa percorse il corridoio fin quasi alla porta d'ingresso. Lì giunta, aprì una porta a destra, sospirò avvertendo l'amica:

– Ora vedrai il mio bel regno. Passa, Pervinca.

Era una camera vasta, con le pareti bianche, con un lettino bianco, e una ottomana a fiori rossi e gialli. Un tavolino, con una balza di stoffa rossa e gialla, fungeva da toeletta. Un altro tavolino, di bella fattura, ma scheggiato in più parti, serviva da scrivania. Una poltroncina uguale di stoffa al divano e alla balza e uno sgabello dipinto in rosso, facevano da salotto.

– Guarda che roba! – disse Vanna con voce malinconica. – Chi sa che effetto ti fa questa spelonca, abituata come sei alla tua bella casa! E pensa che per rendere abitabile questa camerata, ho lavorato io di chiodi e di martello per una settimana, senza parlare poi delle pennellate che ho dovuto dare dappertutto.

– Hai fatto miracoli, Vanna; la tua camera è bella.

– Come sei buona, Pervinca! Siedi, vuoi bere qualche cosa, ammesso che ci sia qualche cosa oltre i decotti e i calmanti?

– Non mi occorre nulla, Vanna, non ti preoccupare.

Pervinca sedette sulla poltrona, Vanna le si mise quasi ai piedi, su lo sgabello. Tacque un poco, con il viso tra le mani, poi, sollevando quella sua splendida testa, esclamò:

– E così, anche questa vicenda è conclusa...

– Quale vicenda, Vanna?

– Questa, della mia famiglia. Mio padre e mia madre si sposarono tardi, dopo aver aspettato, per sposarsi, che la prima moglie di mio padre se ne andasse al Creatore. Un amore contrastato, roba che si usava a quei tempi: il matrimonio di mio padre con una cugina, la morte della cugina, il matrimonio di mia madre con il bel vedovo. Mio padre deve essere stato bellissimo: io l'ho sempre visto così, come è ora sul letto. Non so come sia nata io da quei due poveri esseri. Comunque sono qua e dovrò sobbarcarmi i pianti di mia madre che ha sempre amato, oggi come allora, quando aveva vent'anni e sognava o lui o la morte. E credo dovrò lottare molto con la vita, ora, perché mio padre, che era notaio, qualche cosetta, ben misera, la metteva insieme, ma ora non ci sarà neppur più quella miseria... Io mi domando perché non abbiano fatto di me una maestra o una ballerina. In un modo o nell'altro, avrei guadagnato qualche cosa. Mettendomi in quel collegio di nobiloni e ricconi, hanno fatto di me una spostata... Ma c'era il parentado da abbagliare, c'era il cugino da attirare, c'erano le amicizie da soffocare d'invidia. Dimmi tu che cosa potrò guadagnare con quel che s'è imparato in collegio! Scommetto che non metterò insieme neppure una bistecca al mese... E dovrò sposare il cugino che mi fa schifo e rabbia.

Si levò di scatto, si passò le mani sui fianchi, sospirò:

– Dopo i baci di Folchi, non sarà bello sopportare quelli di un allocco simile. Oh, non ti scandalizzare, Pervinca! Tu mi chiedi come si possa pensare ai baci di un bel ragazzo, mentre il proprio padre sta sul letto di morte. Me lo chiederei anch'io se non fossi stata sempre la vittima d'una falsa interpretazione della vita e d'un egoistico amore. Tu sai che cosa mi ha detto mia madre appena fummo davanti al letto di morte di mio padre?

– Non so davvero, Vanna...

– Mi disse: «Vorrei fargli un magnifico funerale... ma abbiamo così poco danaro...». E il magnifico funerale, per chi lo vuol fare? Non per lui, che non vede più nulla, ma per il parentado, per gli amici, per tutta quella gente inutile che ha spolpato le povere ossa di questa povera casa...

– Non ti inquietare, Vanna. Io ho portato del danaro, con me; posso provvedere alle spese che tua mamma vuole fare.

– Ma sei matta?

– Non sono matta, Vanna. Sono una ragazza che certe cose le capisce più di te.

– Ah...

– E anche tua madre capisco, poveretta...

Pervinca frugava nella sua borsetta. E come ebbe trovato ciò che cercava, consegnò all'amica alcuni biglietti di grosso taglio.

– Dalli a tua mamma, povera donna...

– Non ti pare d'aver fatto abbastanza per me viva, Pervinca? Anche dei morti di casa Berté, vuoi occuparti?

– Lasciami fare! Infine posso farlo.

Vanna prese il danaro, lo guardò, mormorò:

– È molto.

– Portalo a tua mamma, sarà contenta.

Vanna uscì. Pervinca restò seduta sulla poltrona rosa e gialla. Il suo cuore era angosciato, la sua tristezza era infinita. Pensava alla sua bella casa luminosa, agli agi di cui era circondata e una tenerezza immensa per sua madre prorompeva in lei, fino a darle il bisogno di piangere. Che cosa fosse il bisogno di danaro, Pervinca non sapeva immaginare. Che cosa voleva dire dover rinunciare a qualche cosa, Pervinca non sapeva neppure pensarlo. Tuttavia, capiva che nella casa di Vanna doveva mancare tutto e che doveva essere terribile.

Rapido il pensiero andò alla sua bella villa lontana. Tutto vi era bello, raffinato, ordinato. Sotto la direzione tranquilla e sicura di donna Delizia, la casa offriva ogni comodità, ogni raffinatezza, ogni soddisfazione. Ricordava, Pervinca, di aver una volta udito sua madre parlare al cuoco:

– Il burro che rimane nel piatto di portata – diceva donna Delizia – non deve essere buttato come avanzo. Lo si può usare in cucina, lo si può usare per i panini. Io non lesino, ma non intendo tollerare sciupii inutili. Chi vuole restare nella mia casa deve intendere bene questo.

E dopo queste parole, elegantissima, profumata, sorridente, donna Delizia era uscita dalla cucina, aveva ordinato la macchina e se ne era andata.

«Tutto debbo a mia madre» – pensò Pervinca. – «Ella ha saputo amministrare saggiamente il suo danaro, ha fatto una dote a me, ha creato attorno a lei un'atmosfera dove è tanto bello vivere. Come potrò io ricompensare mia mamma?»

Vanna tornò, sorridente:

– Grazie – le disse. – Mia madre ti ringrazierà poi. Ora, deve piangere.

– Ma non dovevi dirle che quel danaro è mio.

– E che cosa dovevo dirle? Che l'avevo rubato? Mia madre sa bene che io non so guadagnare nulla...

– Se posso esserti utile in qualche altra cosa...

– Sì, Pervinca. Tu devi restarmi a lato fino a che quel povero uomo sarà sotto terra. Dopo, vedrò come si sistemano qui le cose. E quando sarò un poco più tranquilla ti saluterò, Pervinca...

– Mi saluterai?

– Purtroppo! Non potrò più venire nella bella «Villa Delizia». O dovrò lavorare, o dovrò sposare quell'allocco di mio cugino. Addio villa radiosa, addio Pervinca bella, addio donna Delizia due volte deliziosa! Addio anche a Rirì...

– Ma perché? Folchi se ti ama potrebbe anche sposarti!

– Lascia andare, cara! Quei ragazzi non hanno voglia di prendere moglie, e tanto meno una spiantata come me! Ma non ne soffro, sai. Quando sarò a letto con quello spaventapasseri di mio cugino, penserò a Folchi e chi sa, forse, anche il matrimonio, condito d'un poco d'illusione, potrà essere sopportabile.

Seduta davanti all'amica, la guardava con occhi colmi di dolore e di malinconia. Ma erano occhi asciutti, che non avevano pianto, che non avrebbero pianto.

– Volevo bene a mio padre – mormorò Vanna giocherellando con l'anello che Pervinca aveva al dito. – Ma non sono mai riuscita a fargli fare ciò che volevo. Io avevo dei progetti... Vendere questa catapecchia, andare in una casetta moderna, piccola, dove l'inverno non si gelasse, dove fosse possibile a lui ricevere i clienti senza dar loro l'impressione che fosse un notaio senza clientela... E invece, non si fece mai nulla e a poco a poco il palazzotto diventò fattoria; ma se come palazzotto era troppo brutto, come fattoria era troppo inadatto... Ohimè, Pervinca, che gran peso ho sulle spalle... E quanti debiti ci devono essere attorno... Li sento nell'aria...

Era notte, ormai. La vecchia domestica portò alle ragazze latte e uova su un vassoio di legno largo come una tavola.

– Non c'è altro, oggi – si scusò la domestica. – Con quel trambusto che è sopravvenuto...

– Per me è fin troppo – mormorò Pervinca.

– Bevi il latte, cara – consigliò Vanna. – Le uova credo che non ti piacciano.

– Non mi piacciono... Ma non ho neppure fame.

Non poteva ingoiare un sorso di roba. Le pareva che ogni cosa avesse odore di medicine, di cadavere.

Anche Vanna toccò appena il latte; poi mormorò:

– Quelle belle tartine che preparava il tuo cuoco, quando le rivedrò?

– Quando sposerai tuo cugino o quando verrai a trovare me...

– Mio cugino... Dovrò andare ad abitare nella casa dei suoi vecchi. Ci sarà sua madre e ci sarà una sorella vedova. È gente che ha danaro, ma ammuffita come lui... Stupisco che lo lascino sposare a una ragazza come me; ma penso che acconsentano a questo matrimonio per migliorare la razza loro che è di sgangherati spaventapasseri e che a quaranta anni ne dimostrano ottanta. E poi, lui è innamorato assai di me, anche se non vuol darmi la soddisfazione di dirmelo o scrivermelo...

– Che fa, tuo cugino?

– Amministra le terre che ancora sono di proprietà della madre. Quando morrà la vecchia, dividerà tra lui e la sorella. Se morrà la sorella, erediterà tutto lui e allora, eh, allora, cara Pervinca, quando abbia spazzato via le mummie, salirò in pulpito e detterò legge...

Aveva parlato con una specie d'ira, ma l'ira subito svanì e una grande malinconia si dipinse sul mobilissimo viso. Con il capo chino, giocherellando sempre con le mani dell'amica, Vanna mormorò:

– Se il destino non fosse stato carogna con me, sarebbe andata diversamente. E invece di farmi sposare il cugino, mi avrebbe fatto sposare Folchi. E mi sarei adattata a tutto, con lui...

– Allora gli vuoi bene...

– Non lo so. So che era tanto bello stargli vicino, sentire quel suo buon odore di sigarette, di acqua di

Colonia, di benzina, ricevere quelle sue manate che qualche volta ti bruciavano la pelle, e quei baci che ti facevano girare il capo. Ma non bisogna pensarci più. Ora dico per l'ultima volta: «Addio, Rirì!» E di Rirì non parlerò mai più. Vuoi coricarti? Nell'ottomana ti faccio preparare un letto. C'è una camera per gli ospiti, in questa casa, ma è una tale spelonca... Rimani con me, Pervinca!

– È certo che rimango con te.

– Vado a prendere la biancheria. Aspettami.

Pervinca restò dove era. Ma un lieve rumore le fece volgere il capo. Era entrata la madre di Vanna. La fanciulla si alzò.

– Rimani seduta, cara. E permetti che ti ringrazi. Il mio morto avrà un grande funerale. Non era possibile seppellirlo come un povero, lui che fu sempre grande signore. Alti e bassi di fortuna, portano talvolta in condizioni strane. Noi ora siamo in un periodo veramente penoso. Ma passerà e allora restituiremo tutto.

– Ma signora, non datevi pensiero, io voglio così bene a Vanna...

– Lo so... Lo so. Non l'avrei lasciata con te, se non avessi saputo del tuo bene per lei. E Vanna, quanto affetto ha per te!

– È tanto buona, Vanna. E se non sarete troppo sola, e se sarà possibile, dovrete rimandarla in Umbria con me.

In fretta, come se volesse sfuggire l'argomento, la vecchia signora disse:

– Si vedrà, si vedrà, cara. Ora ci sono tante cose da sistemare e io sono così addolorata che neppure so da quale parte iniziare...

Vanna tornò reggendo le lenzuola. Come vide sua madre, si rabbuiò:

– Dovresti coricarti, mamma. È tardi. E domani avrai molto da fare.

– Sì... sì, Vanna, vado a coricarmi un poco... Dicevo a Pervinca che tu dovrai aiutarmi a sistemare gli affari. Quando si ha una proprietà, gli affari sono sempre importanti. È vero, Vanna?

– Sì, mamma – rispose la ragazza stirando le lenzuola sulla ottomana.

– Pervinca è tanto gentile – continuò la signora – tanto comprensiva...

– Lo so, mamma; ma vai a dormire.

– Vado...

E restava lì, immota, chiusa nel suo abito nero, che aveva un colletto fin sotto agli orecchi e la gonna fino ai piedi. Era magra, ma non scheletrica. Il viso era finissimo, i capelli folti e molto grigi. Tutto in lei poteva essere simpatico, se gli occhi, neri, grandi, vivaci, non si fossero celati continuamente con il socchiudersi delle palpebre. Pareva che costantemente ella sentisse uno stridore penoso che la costringesse a contrarsi tutta. Quegli occhi che si nascondevano, che non si rivelavano mai, che non dicevano ciò che vedevano erano stati sempre l'incubo di Vanna.

– Ora vado... – ripeté. – Ma volevo dirti, Vanna, che bisognerà ordinare anche qualche automobile...

– Per chi?

– Per chi seguirà il funerale!

– Ma il funerale non si segue a piedi? Per te c'è la macchina di Pervinca, per gli altri, se la sbrighino...

– Ma non si può...

– Ma non si può, Vanna – intervenne Pervinca. – Penso io alle automobili; va bene, signora?

– Oh, sì, tu tieni conto di tutto, poi restituiremo...

Sorrise, uscì.

Vanna scosse il capo:

– E tu credi – chiese all'amica – che si possa restituire? Mia madre ne è convinta, povera donna; ma io sono convinta del contrario...

– Non ti affannare. Coricati e riposa.

– Di là, c'è un frigorifero che serve da bagno. Di questa stagione ci si ragiona ancora. Ma appena comincia il freddo, ti senti il cervello congelare. Guarda, guarda che bellezza.

Aprì una porta, presentò con grande gesto la stanza da bagno. Era un camerone con mattonelle rosse. Contro il muro era una funerea, immensa vasca di vecchio marmo nero, qua e là sbocconcellato.

– Non s'è mai potuto mettere uno scaldabagno... Per lavarci, bisogna buttarci dentro pentole d'acqua calda. E l'acqua calda la faccio scaldare nel cortile, con un fuoco di fortuna. Allegro, no, il mio bagno?

– Allegro o no, serve...

– Come sei buona, Pervinca, medichi tanto bene le ferite, tu!

Nella grande vasca nera le fanciulle lasciarono scrosciare l'acqua. E sotto i rubinetti si lavarono, ché non c'era ombra di lavamano. Strofinandosi vigorosamente un piede, Vanna osservò:

– Quando avrò sposato Mauro Berté, e avrò una casa decente, ti inviterò. E dicendo che hai paura a dormire sola, scapperò dalla camera nuziale per essere vicino a te e senza marito.

Si guardò il piede piccolo, un poco grasso come quello dei bambini, roseo al tallone, roseo alle estremità delle dita.

– Mi piacerebbero dei sandali rossi a filettature d'oro come quelli che ha tua madre...

E subito aggiunse:

– Mia madre non sa neppure che cosa sia un sandalo rosso a filettature d'oro. Mio padre, povero uomo, sognò per tutta la vita un viaggio in mare. Da Venezia a Trieste, magari. Ma non ebbe mai il danaro sufficiente per farlo. Povero uomo! Neppure per l'ultimo viaggio avrebbe avuto il danaro sufficiente se non fossi venuta tu in aiuto...

– Vanna, basta!

– Basta...

S'allungò nel lettino, guardò Pervinca già coricata.

– Spengo? – domandò.

– Spegni, Vanna, e dormi e non pensare a nulla.

– Sarà un po' difficile...

– Ebbene, se penserai a cose brutte, aggiungine una bella: il risapere che hai un'amica che ti vuole tanto bene e che sarà felice di aiutarti.

– Grazie, Pervinca.

– Di che? Buona notte...

Silenzio, interrotto di tanto in tanto dal fruscio delle lenzuola di Vanna che si muoveva.

Pervinca era ossessionata all'idea di dormire in una casa dove c'era un morto e faticava a prendere sonno. Tuttavia, si forzava di restare immota, per non disturbare Vanna. E dopo qualche tempo, le parve di udire un singhiozzo soffocato. Ascoltò attentamente. Vanna, certamente, rannicchiata sotto le coltri, piangeva.

– Vanna! – chiamò sotto voce.

L'altra non udì.

– Vanna! – chiamò più forte.

Con voce che invano voleva essere ferma, la fanciulla domandò a sua volta:

– Mi hai chiamata, Pervinca?

– Sì...

– Vuoi qualche cosa?

– Vorrei un po' di luce...

Passò qualche istante, poi la luce fu nella camera. Pervinca si levò dal letto, infilò le babbucce, piano piano andò presso l'amica. Con la testa sotto le coltri Vanna si celava tutta.

– Vanna, non piangere...

Di scatto, Vanna balzò fuori dalle coltri. Buttò le braccia al collo dell'amica e piangendo singhiozzò:

– Non ne posso più, sai... Ma passa... Ecco, sta passando... Avevo bisogno che qualcuno mi dicesse di non piangere. E io ubbidisco, Pervinca; non piango.

Si riadagiò: aveva gli occhi aperti, spalancati, fissi. Il volto era lucido per il recente pianto, ma le mascelle contratte, e qualche cosa di duro, di deciso, di stabilito era in tutti i suoi tratti.

– Grazie, Pervinca: coricati. Io ho pianto sul mio passato bello. Ora penso al passato brutto e non piango più. Vai a dormire.

Pervinca restò ancora qualche istante curva sull'amica; poi, chetamente, tornò a letto. E si era appena coricata, quando Vanna spense la luce, premendo la pera che teneva vicino al suo letto. Stette in ascolto. Non udì più Vanna. Allora, chiuse gli occhi, tentò di dormire. Ma ora il pensiero dell'amica la turbava quasi quanto i tristi pensieri di poco prima. Che avrebbe fatto, Vanna? Sarebbe stata costretta a sposare il cugino per il quale non aveva né simpatia né amore? E se non l'avesse sposato, come avrebbe salvato la sua situazione?

«Forse la mamma potrà fare qualche cosa per Vanna...» – pensò Pervinca. – «La mamma è tanto buona... ha tante conoscenze...»

Poi il pensiero andò a Folchi. Perché non sposava la ragazza? Perché anche lui, come Marini, giocava con l'amore ma non voleva sacrificare nulla all'amore? Ma era dunque impossibile a una fanciulla onesta realizzare il sogno che per primo le aveva colmato il cuore?

Marini riapparve alla sua mente: biondo e forte, alto e ben fatto, con quel suo volto brunito dal sole, dove gli occhi azzurri mettevano una nota gaia e serena, dove i denti brillavano nella risata buona. Era stato tanto facile amare quel ragazzo! Non sarebbe stato altrettanto facile dimenticarlo, perché dimenticarlo bisognava se non poteva diventare il compagno di tutta la sua vita. E scomparso Marini, avrebbe potuto credere ancora nell'amore?

Pervinca si girò su un fianco.

«Ho diciotto anni» – pensò. – «Il tempo saprà essere buono con la mia giovane età.»

145

Lieve lieve, il sonno alitò attorno a lei: e in una specie di sogno fatto in piena coscienza, Vanna le si parò a lato, per dirle, chiaramente:

– Camminiamo vicine, insieme non avremo paura del mondo...

Insieme camminarono: la via davanti a loro era lunga ma senza ombre. Soltanto, in fondo, dove la grande via pareva restringersi, c'era qualcuno che si allontanava.

VII

Walter Rook entrò nell'albergo mentre Lili Sybel ne usciva.

– Dove vai, Lili?

– Esco a passeggiare. C'è gran sole.

Vienna pareva, sotto il sole autunnale, tutta nuova. Anche le case che avevano conosciuto una generazione ormai scomparsa, emergevano dalla luce solare rinnovate.

Sorridendo con tenerezza, Walter Rook disse:

– Non è vero che tu esci perché c'è gran sole. Tu esci per vedere gli affissi murali che ti riproducono dal vero, che ti esaltano, che ti confermano la più grande vedetta del giorno.

Lili Sybel non mentì. Rise gaiamente, mise il suo braccio in quello di Walter Rook, mormorò:

– È così, Walter. La cameriera mi ha detto che le vie sono tappezzate di Lili Sybel e io voglio vedermi.

– Non hai che da guardare a destra...

Ella si volse e si fermò di colpo. Sull'alto muro di cinta di un giardino, una lunga teoria di Lili Sybel, si offriva all'ammirazione della folla. Lili Sybel in atto di danzare, con le sue splendide gambe rosate e dorate dal sole; Lili Sybel in atto di cantare, sfolgorante in un abito di stelle; Lili Sybel in atto di recitare, elegante e sobria in un abito da sera. E ancora, ancora, il sorriso di Lili, la risata di Lili, la smorfia gaia di Lili. Ovunque lo sguardo si posava, una Lili sorrideva; ovunque gli occhi si fermavano, una Lili offriva lo splendore del suo corpo seminudo.

– È un successo senza precedenti, Lili...
– Come sono felice!
– E che incassi favolosi...
– E percentuali favolose!

Walter Rook rise, divertito. La venalità di Lili Sybel gli piaceva. Abituato a trattare con attrici, sapeva che la loro venalità le portava raramente a farsi una posizione. Donne che avevano fatto tragedie per poche migliaia di lire in più s'erano poi ridotte alla miseria per aver sperperato stupidamente i loro guadagni. Lili Sybel, invece, pur rivelando pretese pazzesche, dimostrava chiaramente d'essere una donna colma di senno. E questo fatto nuovo divertiva e interessava Rook anche perché gli faceva vedere Lili diversa dalle solite donne della rivista. Innamorato follemente di Lili, Walter Rook pensava con malinconia al giorno in cui avrebbe perduto quella meravigliosa creatura, dalla quale sapeva bene di non essere amato, ma della quale sentiva la sincera ammirazione e la grande stima.

– Oh, guarda! – fece Lili a un tratto. – Io non ho mai indossato un costume tanto indecente! Chi ha autorizzato quel pittore a ritrarmi così?

– Nessuno può averlo autorizzato, è certo. E se quei cartelloni ti dispiacciono, li farò togliere.

Lili Sybel con il pensiero corse a una villa luminosa, nella luminosa Umbria. Una fanciulla con le trecce bionde passeggiava per un gran giardino. Repentinamente parve a Lili Sybel che su ogni tronco nascesse un cartellone simile a quello che la riproduceva quasi nuda. Rabbrividì, si strinse a Walter, disse, quasi con rabbia:

– Bisogna assolutamente far togliere quei cartelloni. Non li posso tollerare. Bisogna farli togliere subito...

– Darò ordini precisi, Lili, ma non capisco perché ti dispiaccia tanto quel cartellone. Sei meravigliosa!

– Non importa. Io non voglio...

Si interruppe, riprese subito:

– Non voglio che si dica di me quello che si dice di tutte le attrici del mio genere: «S'è fatta un nome perché ha un bel corpo...». Io credo di essere anche artista oltre che donna... O non ammettete, voi signori uomini, che si possa essere artiste oltre che attrici, nel nostro ramo?

– Lo ammetto e ne sono certo, Lili! Ma poiché la vostra arte deve essere poco vestita...

– L'abito succinto è una cosa, la nudità è un'altra. E lì sono nuda.

C'era un così vivo disappunto nelle parole della donna, che Walter ne fu commosso:

– Vuoi – chiese – vuoi tornare all'albergo sola? Io vado subito dal pittore e provvedo a far coprire questi cartelloni con altri. Che non ti addolorino.

– Grazie. A rivederci.

La vide allontanarsi, s'accorse che la folla la riconosceva.

– Lili Sybel... – mormorò un giovanetto dagli occhi languidi.

– Lili Sybel... – mormorò un vecchio dal passo giovanile.

– Lili Sybel... – mormorò una ragazza dagli occhi di civetta.

Lili Sybel... Lili Sybel... Tutta Vienna risuonava di quel piccolo nome, così facile a dirsi, così facile a ricordare.

Camminando sveltamente, Walter Rook pensava:

«Lili Sybel... Delizia Barbàro... Due donne differenti fuse in una sola. Lili balla, canta, recita: donna Delizia amministra, giudica, medita... Lili Sybel è la follia: donna Delizia è la tranquillità. Sarebbe molto bello uccidere Lili Sybel e rimanere accanto a donna Delizia, per tutta la vita. Ma non si può... ché Lili Sybel mi appartiene e donna Delizia non mi potrà mai appartenere. Presso donna Delizia si sogna la casa e la famiglia: presso Lili Sybel si sogna l'ebbrezza e l'amore».

Scosse il capo, affrettò il passo:

«E poiché io non posso sognare una casa e una famiglia che non siano quelle che ho già, meglio sognare Lili Sybel e dimenticare donna Delizia...».

Rapido, come i suoi passi, batteva il suo cuore. Un amareggiato cuore che avrebbe voluto dimenticare il tempo che passava. Ben sapeva, Walter Rook, che Lili non avrebbe potuto essere sua per tutta la vita. C'era una donna che si chiamava signora Rook, c'era una casa, c'era una parola data. E a questa signora, a questa casa, fedeli alla parola data, bisognava tornare, anche se il ritorno poteva far paura, che triste sarebbe stato dover riprendere la vita del passato dopo la parentesi rosea che si chiamava Lili. Il contrasto tra l'amante, gentile, festosa, intelligente e la moglie scortese, musona, ottusa, gli parve, ancora una volta, terribile. Il contrasto tra il corpo di Lili, così delicato e saldo a un tempo, così duttile e armonioso, gli fece sembrare orribile il largo, adiposo, sfasciato corpo della moglie. Eppure, a quella donna, che aveva sposato, un giorno aveva voluto bene. Ma quanti anni erano passati? Allora la sposa era sana e vivace: oggi, pur così sformata dall'adipe, la donna era continuamente tormentata da malanni più o meno gravi. Walter Rook, tuttavia, non faceva alla moglie colpa alcuna e incolpava solo se stesso di infedeltà. E quasi malediva il suo desiderio che lo portava ad adorare una donna che non era la sua donna, che molti altri avevano posseduto, ma che aveva l'incantevole pregio di presentarsi sempre come una cosa nuova non sciupata né dalla vita né dalle esperienze.

«Lili... Lili cara...»

Giunse allo studio del pittore, entrò subito in argomento. Era, il pittore, un giovane italiano, di ingegno pronto e di facile parola. Come seppe la ragione della visita di Rook, restò stupefatto; tuttavia accondiscese a sopprimere i cartelloni incriminati e a sostituirli con altri, più morali. Ma quando Walter stava per andarsene, non potè fare a meno di rivelare il suo pensiero:

– Mio caro Rook – disse il giovane – quando un'attrice come la Sybel diventa pudica, bisogna pensare che stia per avere un figlio o sia sulla via del matrimonio. In un caso o nell'altro, porgete molti auguri per me alla deliziosa Lili...

Walter Rook riprese la via del ritorno. E camminando, senza più fretta, pensava alle parole del pittore:

«Quando un'attrice come la Sybel diventa pudica, bisogna pensare che stia per avere un figlio o sia sulla via del matrimonio...».

Un figlio, Lili? Glielo avrebbe detto. Un matrimonio in vista? Non seppe rispondersi. Poco sapeva della vita di Lili e poco fino a qualche tempo prima gliene era importato. Ma da qualche giorno, via via che il carattere di Lili gli si rivelava, egli capiva che nasceva in lui il bisogno di sapere qualche cosa della donna amata. Prima che Lili fosse sua, quando ancora considerava la donna dal lato femmina e nulla più, egli pensava di lei ciò che solitamente un uomo pensa d'un'attrice del suo genere, alla quale si attribuiscono avventure, ricchezze divorate, storie destinate a non lasciare né ricordi né tracce. Ma conoscendo meglio Lili, Walter aveva cominciato a credere che il passato di Lili non fosse uguale a quello delle altre e che, il presente, soprattutto, fosse imperniato su altra base. La villa dove la donna l'aveva ricevuto l'aveva stupito e per l'eleganza e per il tono di signorilità «onesta» che subito rivelavano. Quelle due fanciulle dall'aspetto di educande moderne, avevano fatto cornice al bel quadro che ancora gli stava davanti agli occhi, e, finalmente, certe frasi di Lili che gli tornavano facilmente alla mente, lo lasciavano perplesso. Poche sere prima, in camerino, Lili Sybel aveva detto:

– È un trionfo, il mio... Ma è una gran vita da bestie!

E, sorridendosi nello specchio, mentre gli occhi le brillavano di malinconica luce, aveva aggiunto:

– Oh, ma finirà... Voglio arrivare lassù, lassù, per raggiungere quella ricchezza che mi è necessaria e poi, di lassù, piano piano, scenderò io, per salire altrove...

Dove voleva salire, Lili? Se un'attrice scende volontariamente dal piedestallo che il pubblico le erige, dove vorrà salire poi?

Davanti a una grande vetrina di fioraio, Walter si fermò. Guardò un fascio di rose candide, d'un candore che faceva pensare alle immacolate nevi delle vette e, come le vette, lucenti e compatte. Entrò, ordinò per Lili i fiori, si avviò per uscire. Un grande specchio, incorniciato di miosotidi, rifletté la sua figura, snella e distinta, ma un poco curva, i suoi capelli quasi bianchi, il suo viso rugoso. Come portata per magia, la figura di Lili gli si mise a lato. Eretta, snella, giovane, rosea nella nudità aggraziata come quella di una adolescente, Lili parve sua figlia.

Uscì nella via: sentì le spalle pesargli come sotto a un gran carico. «Dove vorrà salire ancora, Lili che è giovane e bella? Che cosa può chiedere alla vita, Lili? Se chiama vita da bestia la sua vita di attrice e sogna una vita cheta, lontana dalle ribalte, chi l'accompagnerà in questo sogno? Nei loro sogni le belle donne si vedono a lato di un uomo: di un uomo giovane che le faccia felici, che le ami con ardore, che offra, al risveglio, una chioma senza fili bianchi... E forse a questo mira, Lili... Un uomo giovane che l'accompagni nella vita, che la porti all'altare... che le faccia cominciare una vita nuova...»

Si sentì vecchio e solo. Capì che la sua ricchezza non serviva a nulla, che neppure i milioni possono affrontare una lotta con l'età giovanile. Ma come vide Lili, seppe trovare un sorriso.

– Ho tutto stabilito, cara. Puoi essere tranquilla.

Ma, e non ridere, vuoi sapere che cosa mi ha detto il pittore?

Lili sfogliava una rivista italiana, dove belle illustrazioni riproducevano avvenimenti sportivi, fatti recentemente avvenuti in Italia. Pareva molto assorta nella contemplazione di alcune pagine, ché le girava e poi tornava a riprenderle per rivedere ciò che aveva già visto. Nella sala di lettura dell'albergo c'era poca gente e Walter Rook, prendendo una mano di Lili e baciandola devotamente, ripetè:

– Vuoi sapere che cosa mi ha detto il pittore?

– Sentiamo...

– Mi ha detto: «Quando un'attrice come la Sybel diventa pudica, o sta per avere un figlio o sta per sposarsi...». Che ne pensi?

Lili voltò una pagina, fissò una fotografia, rispose:

– Non penso nulla. Ognuno può dire ciò che vuole.

Si levò in piedi tenendo tra le mani la rivista. A Walter Rook, disse:

– È una rivista che mi interessa, me la prendo. Riproduce qualche angolo delizioso della mia Italia... Rimborsa la spesa o ringrazia se me la regalano...

– Va bene, Lili. Precedimi pure, ti raggiungo subito...

Ella salì nella sua camera. Si fece subito vicino alla finestra, riaprì la rivista. Vicino a un piccolo aeroplano dalla sagoma ardita e snella, stava un giovane ufficiale pilota, in tenuta di volo. Aveva, l'ufficiale, chiari capelli, candido sorriso, persona snella e forte.

Lili rilesse: «Il capitano Marini con l'apparecchio da caccia con il quale ha battuto il primato italiano...».

Un sorriso dolcissimo era sulla bocca di Lili Sybel. E il sorriso rimase anche quando Walter Rook, rientrando, le chiese:

– Che cosa c'è che ti fa tanto contenta?

– Nulla...

Buttò la rivista su una poltrona. Walter la prese, la

sfogliò. Guardò tutte le fotografie, anche quella che riproduceva Lido Marini: ma non seppe trovare l'angolo di Italia che aveva attirato l'attenzione di Lili.

Allora pensò che le donne, anche se sono grandi attrici riprodotte in cento pose su i muri delle case, hanno alle volte strani capricci e vogliono portarsi via, da una sala di lettura, una rivista illustrata, sulla quale non c'è nulla, proprio nulla che le possa interessare.

– Sarà quasi ora d'andare a teatro, Lili...

– Mi preparo.

«Ora» – pensò Walter Rook – «ora mi dirà: Che vita da bestie! E io le chiederò perché mai odia tanto questa sua vita e quali intenzioni ha per l'avvenire.»

Ma Lili non disse nulla. Mise il cappello, si volse sorridendo a Walter e domandò:

– La macchina sarà pronta?

Un sorriso leggero era sulle sue labbra e una luce buona, di creatura che crede nella vita, era nei suoi occhi.

Dopo lo spettacolo desiderò di essere sola, sedette alla scrivania e cominciò una lettera per la sua figliola.

VIII

Pervinca guardò la corrispondenza quasi con ansia. Scoprì subito, tra le riviste e i giornali, le due lettere che desiderava: quella della mamma e quella di Vanna. Scartò subito i giornali, prese le due lettere, andò a sedere su una poltroncina della sua camera.

Era una mite giornata di fine settembre. Nel giardino le dalie, i gladioli, le salvie erano in piena fioritura. Neppure una foglia morta era caduta e i rami avevano tutte le loro foglie e le erbe tutti i loto colori freschi e vivi. Soltanto la vitalba qua e là si incendiava; ma la morte della vitalba non poteva dare tristezza ché dove più vivida è la fiamma dolce, più vivida è la speranza.

Dai tendaggi lievi filtrava una bella luce pacata. Dalle finestre aperte entrava una brezza mite che faceva ondeggiare i veli e dava brividi di gioia a tutte le cose.

Pervinca guardò il timbro della lettera materna. Stupì vedendovi stampato: «Vienna». Come poteva un panfilo andare a Vienna? Strappò la busta, lesse: «Mia cara Pervinca, non ti stupisca vedermi a Vienna. Le mie compagne di viaggio hanno momentaneamente tradito il panfilo per la terra ferma e il nostro itinerario, un poco mutato, continua a svolgersi in automobile. Non mi diverto, ma neppure mi annoio. La sola cosa che mi interessa è la sistemazione dei miei affari, che sono anche i tuoi, e a questa sistemazione arriverò certo in breve. Divertiti e dimmi qualche cosa di te. Ho avuto a Napoli la lettera nella quale mi parli di

Vanna e della sventura che l'ha colpita. Ti autorizzo a fare tutto ciò che vuoi per la tua amica e, se credi, dille che sarò ben felice di aiutarla. Fai anche in modo che Vanna torni presto da te. Mi angoscia saperti sola, nella nostra grande casa... Vedi frequentemente Folchi e Marini? Che fanno? Sii gentile con loro, esci con loro, vai dove vuoi; ma non dimenticare che tanto Folchi quanto Marini sono uomini. Ho piena fiducia in te, Pervinca. Non ho affatto fiducia negli uomini. Congratulazioni per la brillante patente d'automobile che hai conquistato: quando tornerò ti regalerò una piccola macchina azzurra tutta per te. Ti penso sempre e ti bacio. Mamma».

«P.S. – Dimenticavo: se vedi Marini digli che ho ammirato una sua fotografia. E salutalo.»

Sorrise la fanciulla e pensò:

«Saluta Marini... E dimentica quel povero Folchi! Questa mamma è proprio una dimenticona e io saluterò tutt'e due, per non fare torti a nessuno».

Lieta e serena aprì la lettera di Vanna. E via via che il suo sguardo seguiva ciò che la fanciulla lontana scriveva, il giovane volto si offuscava; diceva, l'amica:

«Mia cara Pervinca, dopo la tua partenza, qui gli eventi sono precipitati. Sepolto il babbo, sono venuti su, dalla terra o dall'inferno, creditori a decine. Per di più mia madre mi ha confessato che sulla nostra proprietà brilla una ipoteca di prima grandezza. Non credere, cara, che l'ipoteca sia una stella. È una specie di cappa in piombo: se la sostieni pagando gli interessi puntualmente, la cappa sta su; se non la sostieni la cappa piomba giù e ti schiaccia e resti senza casa, senza tetto, senza nulla. L'ipoteca è, insomma, quella cosa che pare inventata per mettere la gente povera sul lastrico. E noi saremo sul lastrico se non capiterà qualche Santo, forse non ancora segnato nel calendario, per aiutarci. Io speravo di sistemare ogni cosa con il mio matrimonio; ma di matrimonio per il momento non si può parlare perché il lutto, a quanto dicono, si deve rispettare e... e poi perché la mia futura suocera, che certo annusa odore di miseria nella nostra casa, desidera che tutto sia sistemato prima di concedermi la mano del suo pargoletto. Ha paura, insomma, che io le porti dei debiti da pagare per dote e, logicamente, pensa che se non porto danaro non devo neppure portare debiti. Mi vogliono, concludendo, nuda, nuda... Non ho mai invidiato nessuno quanto il riccio. Vorrei essere un riccio con tante belle spine... Solo così andrei lietamente al matrimonio... Tu mi capisci, vero, Pervinca? E forse no, tu non puoi capire perché sei un'anima candida. Lo ero anch'io. Ma chi sa perché la povertà, le contrarietà, le amarezze, senza che tu lo voglia, tingono l'anima e le tolgono il primitivo candore. Quando non ero disperata come ora, non invidiavo nessuno: ora, se vedo persone ben inquadrate nella loro famiglia, sicure dell'avvenire, le invidio. E mi pare che l'invidia sia un peccato capitale, che, naturalmente, macchia l'anima. Be', se avrò tempo, mi redimerò. Mia madre piange. Ho dovuto constatare però, che le lacrime non risolvono nulla. Arrossano gli occhi, ingrossano il naso, lucidano la vista, ma non ti fanno trovare neppure un centesimo. Io ho venduto il braccialetto che mi ha regalato tua mamma. Viviamo da tre giorni con il ricavato. La mucca non dà più latte: perlomeno non ne dà più a noi, da quando ce l'hanno portata via... Povera bestia, se ne è andata senza neppure guardarmi... Non credo più neppure alla riconoscenza delle mucche. Il maiale non ci dà più salame per la stessa ragione di cui sopra... Vedrò che cosa faranno le poche galline rimaste. La mia fiducia nella vita mi fa pensare che per riconoscenza le galline si mettano a fare uova di gesso. Può anche darsi... Ne ho vista tante, di questi giorni! Ma basta lagni. Vorrei sapere di te. Che fai? Ti diverti? Davvero hai già fatto un centinaio di chilometri con la macchina guidata da te?

Mi pare di vederti? Bella e bionda, elegante e fiera, al volante di una macchina che pare irreale tanto è bella. I vigili ti daranno via libera e i pedoni maschi verranno sotto le tue ruote. Come deve essere bello tutto questo! E come deve essere bella «Villa Delizia» in questo autunno colmo di pace e di tepore! Qualche volta, la notte, mentre intorno alla mia stanza vagano fantasmi avvolti in lenzuola lacere (sono i fantasmi della miseria), qualche volta, per addormentarmi senza temere incubi, penso alla tua casa, al tuo giardino, alla tua camera azzurra, alla mia camera di costí... E allora, i fantasmi laceri fuggono via e vengono attorno a me belle donnine vestite di veli rosei e azzurri, belle nuvolette d'oro, mirabili stelline d'argento. E poi, con gli occhi dell'anima, io vedo quel viale del tuo giardino presso il quale è il campo di tennis e vedo la grande scalea fiorita che porta al cancello per chi non voglia percorrere tutto il viale a tornanti. E poi tornano alla mia mente la bella stanza da lavoro e l'immensa sala da pranzo e la camera di tua mamma. E i bei pranzi e le ricche merende e quel dolce di cioccolata e panna montata e quei crostini salati sui quali mi piaceva mettere il burro addolcito... Così, avvolta nei ricordi belli come un bel sogno, mi addormento felice. L'infelicità comincia poi, con l'alba. E con l'alba, quando quella povera vecchia mummia della nostra cameriera, che divide la nostra povertà perché ormai non potrebbe andare in nessun altro luogo, quando quella povera vecchia mummia viene a svegliarmi, io penso a te, per prima cosa, e ti mando il mio buon giorno; mi levo dal letto e comincio a sgobbare. C'è tanto da fare, in questa vecchia casa! Mia madre piange e per piangere sta seduta nella poltrona di mio padre: in quella poltrona dove lo trovarono morto e che a me pare una bara aperta. Scrivimi, Pervinca; e parlami della tua vita e dimmi che fa Marini, come si comporta, se si decide a parlarti di matrimonio. E godi la tua fortuna, piccola amica mia! Ti bacia con grande bene la tua Vanna».

Profondamente rattristata, Pervinca restò pensosa.

«Povera Vanna! Bisogna che l'aiuti. Bisogna che per ringraziare Dio per la fortuna che ho, io faccia qualche cosa per lei. Anche se la sua lettera sembra scritta da chi accetta spavaldamente le sue sventure, è facile capire tutta la sofferenza che vi è tra le righe.

Ricorda Marini, non parla di Folchi. Povera Vanna! Ella sa bene che è inutile ricordare Folchi... Il quale è stato molto cattivo con lei! Perché l'ha baciata se doveva poi dimenticarla così? Perché se l'è tenuta tra le braccia se doveva poi toglierle tutte le illusioni? Ma non lo sanno, dunque, gli uomini, che le fanciulle possono sognare per un loro bacio?»

Le parole della madre, ancora una volta le tornarono alla mente:

«Bada che gli uomini sono bravi e saggi, ma che da un momento all'altro possono diventare farabutti e pazzi...».

E come sempre, da Folchi il suo pensiero andò a Marini. Da qualche tempo, cioè da quando Vanna se ne era andata, Marini si faceva vedere meno. Prima, quando c'era Vanna, i due giovani salivano a «Villa Delizia» quasi ogni giorno, ora non più. E una volta, in cui Folchi era andato solo per portarle un libro che ella aveva desiderato e che Folchi possedeva, Marini era poi sopraggiunto e per tutto il tempo per cui era rimasto a «Villa Delizia» non aveva aperto bocca. Tuttavia, quando Pervinca restava sola con lui, egli la colmava di tenerezze. E allora, perché pareva poi sfuggirla?

E mentre così pensava, la cameriera avvertì che il capitano Marini desiderava essere ricevuto.

Balzò in piedi, scese a pianterreno. Corse incontro a Marini, che l'attendeva nel salottino.

– Ma che sorpresa, Lido. A quest'ora?

– Sono scappato, è la parola...

– E perché?

Sedettero vicini, le mani nella mani.

– Perché – rispose Marini – non ne posso più di vederti in presenza di Folchi. Ho approfittato che lui fosse in volo per venire qui. Si direbbe che Folchi spii ogni mia mossa. L'ho sempre alle calcagna, non c'è verso di farlo restare in città se sa che io vengo da te. E che cosa voglia fare, qui, poi, davvero non so. Dal momento che Vanna non c'è, e che se ci fosse sarebbe cosa di poca importanza per lui, non so davvero rendermi conto della sua assiduità verso di te. O... o me ne rendo conto fin troppo...

– Che vuoi dire?

– Oh, Pervinca, ma non ti accorgi di nulla, tu?

– Di che cosa dovrei accorgermi? Parla chiaro...

– Io temo che Folchi sia innamorato di te, ma innamorato da morirne. Ieri parlava, figurati, di matrimonio...

– Ma di quale matrimonio?

– D'un suo probabile matrimonio. E avendogli io chiesto se per sposare la donna amata sarebbe stato disposto a passare su qualche pecca dei di lei genitori, mi rispose: «Una volta no, una volta credevo che si dovessero sposare solo ragazze che avessero genitori esemplari. Ma oggi, la penso diversamente e capisco che quando uno ama può sorvolare non solo sul passato, ma su un presente e magari sull'avvenire...».

– E tu credi che alludesse a me? In tal caso non dovrebbe passare su pecca alcuna. Ma madre è una donna esemplare.

«Che è stata l'amante di Folchi e di molti altri...» – pensò Marini.

Ma alla ragazza disse:

– Certo, non alludeva a te, Pervinca. Ma io t'ho ripetuta la sua frase, unicamente per dimostrarti che Folchi è uomo capace d'amare senza vie di mezzo, senza compromessi, senza tentennamenti.

Pervinca tacque un istante, poi sommessamente osservò:

– E tu gli dai torto? Io credo che solo così facendo si abbia il diritto di considerarci innamorati.

Marini guardò la fanciulla, il di lei serio e assorto viso, i di lei occhi colmi di serena fierezza. Sarebbe stato bello poterle dire:

«Tu hai ragione, piccola Pervinca, ma il mondo, quel mondo che tu non conosci che direbbe? Tu sai che cosa grava su te? Sai che se domani ti portassi nella società, e tu dovessi solo concedere un sorriso più gentile a un altro uomo io sarei immediatamente, irrimediabilmente messo nella categoria degli uomini infelici? La società, pronta a giudicarci, direbbe che mi sono meritato ciò che mi accade, perché la figlia di Lili Sybel non poteva essere che come Lili Sybel... Qualunque cosa tu faccia, sarà giudicata aspramente, Pervinca. E se un giorno un uomo ti sposerà, dovrà importi un modo di vivere claustrale, se non vorrà essere messo nella categoria di quegli uomini che si compiangono e che fanno anche ridere...».

Aveva nelle sue mani una mano di Pervinca: la sinistra. Ed era lunga, bella mano nuda. Marini guardò l'anulare e pensò che sarebbe stato tanto bello infilare su quel dito affusolato una sottile fede che testimoniasse un legame indissolubile, una parola data, una vita a due, un'esistenza di reciproco amore. Sospirò e Pervinca, sorridendo, gli disse:

– Non sei felice...

– Infatti...

– E non vuoi dirmi il perché?

– No.

– Tu non vuoi mai dirmi nulla. Quando mi smarrii in congetture perché non capivo qualche cosa della vita di mia madre, ti trincerasti dietro un semplice: «Non so». Ora ti chiedo perché non sei felice, mi rispondi con un: «No» deciso e breve. E allora, io che sono un poco diversa da te, dirò ciò che tu non osi dire.

– Davvero?

– Davvero. E parlo subito. Tu hai un'amante, alla quale hai giurato eterno amore. Forse ora non ami più questa donna, forse ami davvero me. Ma non puoi, per me, tradire una parola data...

Stupefatto, il giovane guardò la fanciulla. Sentiva nelle frasi di Pervinca odore di vecchie foglie morte e dimenticate in un romanzo dell'Ottocento; sentiva nelle sue parole, pronunciate con voce ferma, il ricordo di parole lette di nascosto in collegio. Tuttavia, stupiva che Pervinca avesse potuto attribuirgli un'amante e dedurre che per questa ipotetica amante egli non osasse fare altri passi verso la fanciulla che diceva di amare. La supposizione di Pervinca gli piacque e gli spiacque a un tempo. Se la ragazza lo stimava impegnato con un'altra donna, poteva essere assolto dalla taccia probabile di vigliacco per il contegno fino allora tenuto. Ma se il considerarlo avvinto lo avesse fatto escludere dal cuore di Pervinca? Egli era terribilmente combattuto. Amava e non voleva perdere il suo amore. Amava e non voleva incontrare lo sguardo ironico dei suoi colleghi.

Un giorno, un collega che l'aveva visto con Lili Sybel, gli aveva detto;

– La Sybel s'è degradata. A Roma aveva per amante un colonnello Brutis; si accontenta di te ora?

Esasperato Marini aveva ribattuto:

– Si accontenta di Folchi.

E ora si pentiva amaramente di aver detto quelle vane parole. Si pentiva, perché si accorgeva di non essere stato onesto verso Pervinca. Di Lili Sybel, poco gli importava. Che la donna si scapricciasse con qualche bel ragazzo era notorio. Un'attrice ricca può permettersi di questi lussi. Ma quando l'attrice aveva una figlia come Pervinca, bisognava velarli, questi lussi, non rivelarli a tutti.

La voce di Pervinca lo scosse:

– Tu pensi, pensi e non rispondi mai.

– Che devo rispondere, cara? Tu deduci, concludi, stabilisci; e sei nata ieri e non sai nulla della vita.

– E tu celi e dici parole che non concludono nulla.

Si alzò, andò a sedere in una poltrona lontana da Marini. Accavallò le gambe, abbandonò le braccia sui braccioli, arrovesciò il capo, rimase immota e assorta.

– Perché mi lasci solo? – chiese il giovane facendo l'atto di levarsi.

– Resta dove sei. Ho bisogno, in questo momento, di non essere sfiorata da te. Ti sento lontano, nemico.

– Ma Pervinca!

Si alzò di scatto, la raggiunse, l'afferrò, le baciò la bocca.

La ragazza con atto deciso, quasi veemente, si svincolò:

– Basta – disse. – Basta, sai! Io non sono una ragazza che si bacia per divertimento. Io voglio essere baciata dall'uomo che mi sposerà. E se tu credi che io possa continuare questa commedia, sbagli davvero. In questa casa tu potrai tornare come fidanzato... o non tornare mai più.

Marini impallidì:

– Tu mi mandi via?

– Sì...

– Non vuoi accogliermi più, nemmeno come amico?

– Tu non puoi essere mio amico.

– Pervinca!

– È inutile, sai. Io ti amo. Ma tu mi offendi in un modo così irreparabile che non posso più tollerarlo. È bene che non ci si veda più.

Suonò il campanello.

– Pervinca, senti...

– Che cosa?

– Un giorno mi riceverai? Un giorno quando ti potrò dire ciò che ora mi impedisce di chiederti in sposa?

– Ecco: quel giorno ti riceverò. Ora, se te ne vai, ti sarò grata.

– A rivederci, Pervinca.

– A rivederci, Lido.

Egli uscì.

Pervinca rimase dove era. Con le gambe accavallate, con le braccia abbandonate sui braccioli, con il capo arrovesciato. Soltanto, dai suoi occhi, prima fieri e asciutti, lacrime lunghe scendevano. E queste lacrime dicevano che qualche cosa era finito, che qualche cosa era distrutto.

IX

Presso alla macchina, Folchi attendeva che Marini salisse. Come lo vide giungere dal campo, aprì la portiera e attese. Ma l'amico gli disse:

– Grazie, vai pure, io debbo andare a Firenze; ho molti acquisti da fare e debbo cercare alcune cose che non troverei a Perugia.

Folchi vide il compagno salire sulla sua macchina e andarsene. Stette un poco meditabondo, poi salì a sua volta sull'automobile e partì verso «Villa Delizia».

Pioveva, ma a gocce piccoline, che si posavano qua e là mettendo goccioline nere su i marciapiedi asciutti. Nessuno apriva l'ombrello, soltanto qualcuno, di tanto in tanto, tendeva una mano per accertarsi che le piccole gocce del marciapiede venissero davvero dal cielo.

Folchi guidava lentamente, combattuto fra il cuore che voleva portarlo a «Villa Delizia» e il buon senso che gli diceva di cambiare strada. Tuttavia, il buon senso, appunto perché tale, cedette al cuore via libera. E Folchi, premendo l'acceleratore, continuò la strada e giunse a «Villa Delizia» proprio mentre Pervinca ne usciva.

– Dove andate, Pervinca?

– Volevo fare una passeggiata. Ma ero qui incerta: credete che pioverà?

– Poche gocce. Ma il cielo è nero.

– Allora torno a casa. Volete una tazza di tè, Folchi?

Scese, salì con Pervinca la bella scalea fiorita.

E, come furono nel salottino, dove pochi giorni prima Pervinca aveva tanto duramente e chiaramente parlato a Marini, Folchi le disse, senza neppure interrogarla:

– Voi non state bene. Che c'è?

– Io sto benissimo, Folchi.

– Non è vero. Siete dimagrata e molto pallida. Avete domandato consiglio a un medico?

– Ma Folchi! – rise la fanciulla. – Voi volete spaventarmi! Io sto bene, bene come non mai. Se ci fosse mia mamma farebbe gli scongiuri.

Tuttavia il giovane continuò a guardarla con attenzione e finalmente domandò:

– Avete bisticciato con Marini?

Il cameriere aveva portato il tè e, offrendone una tazza a Folchi, Pervinca rispose:

– Sì e no.

– Non è una risposta, Pervinca.

– Ma è la verità, Folchi. Fra me e Marini c'è una specie di armistizio, ora.

– Buon Dio... C'è stata una guerra allora? – rise Folchi.

– Guerra no: una semplice battaglia.

– Chi ne è uscito sconfitto?

– Tutt'e due.

– La storia non ha mai verificato un fatto simile.

– La storia no, ma l'amore credo di sì.

– E dopo l'armistizio, chi detterà le condizioni?

– Io, sebbene non abbia vinto.

– ...ma siete donna e avete diritto a tutti i riguardi!

E poi, volubilmente, aggiunse:

– Certo è che Marini in questi giorni è molto nervoso. Oggi è andato a Firenze; ha fatto in modo che io non potessi seguirlo ed è filato allegramente, dicendomi che doveva fare acquisti molto importanti.

Vide Pervinca impallidire e sentì che la giovane voce tremava quando ella chiese:

166

– È andato a Firenze? Per fare degli acquisti?

– Così ha detto. Ma, capirete, che non m'è interessato chiedere di più e tanto meno approfondire.

– Avete fatto bene. Ognuno deve fare ciò che più gli talenta.

– Certo, ma quando il fare ciò che talenta può dare dispiacere ad altri, si deve essere cauti. Voi siete diventata pallida più di quanto già eravate: significa che il sapere Marini in rotta per Firenze non vi ha portato gioia: anzi...

– Oh, non badate ai miei mutamenti di colore. Una tartina, Folchi? Queste tartine salate erano la passione di Vanna. Mi ha scritto ricordandomele...

– Bisogna non avere nulla di più importante da dire, in una lettera, se si scrive di tartine più o meno salate.

– Siete ingiusto con Vanna. La mia amica mi dice cose molto importanti e molto tristi, ma non può dimenticare, nella melanconia che la circonda, tutto ciò che qui le piacque...

– E fra le cose che le piacquero, ci sono anche le tartine.

Pervinca guardò severamente il giovane:

– Voi mi farete inquietare, Folchi. Come potete usare dell'ironia nei riguardi di Vanna? Voi l'avete baciata la mia amica, voi le avete fatto sognare qualcosa di bello, di caro, di gentile, quello che tutte le ragazze sognano, quello che è il sogno d'una ragazza che esce di collegio. E dopo averla portata su, su, con le vostre ali, fino al cielo più sereno, l'abbandonate a se stessa, la lasciate cadere. E dopo, quando è caduta, ancora ridete di lei! Oh, non siete generoso neppure voi, Folchi!

L'uomo guardò stupefatto la fanciulla. Aveva sentito nelle sue parole un'intonazione fiera e triste a un tempo, aveva percepito un'amarezza che traboccava, che doveva essere il frutto d'un'esperienza grave e tristissima.

– Scusate, Pervinca – mormorò sinceramente addolorato. – Scusate...

– Non io vi devo scusare, bensì Vanna. Vi voleva bene, Vanna!

– Ma no! Vanna è come me...

Rapidamente si corresse:

– Vanna è come ero io. Si scherzava con l'amore, ci si scambiava dei baci. Ma il cuore, Pervinca, il cuore taceva. Ora io non sono più come ero... come ero con Vanna! Ma non vale la pena di parlare dei miei mutamenti. Ieri era sereno, oggi piove. Vi pare che valga la pena di parlare del bello o del brutto tempo? Parliamo piuttosto di voi. Che fate tutto il giorno?

– Lavoro, dipingo, leggo...

– Volete qualche libro, Pervinca?

– Vorrei: ma non so scegliere.

– Ci penserò io, se permettete. Ho una biblioteca abbastanza intelligente. Ho anche parecchi bei romanzi inglesi: ma bisognerebbe leggerli nel testo originale. Tradotti, perdono molto. Non sapete l'inglese, Pervinca?

– Un poco. Vanna diceva che l'inglese, in collegio, ci hanno insegnato a non parlarlo, ma a fischiarlo... E così il tedesco.

– ...cioè, ve l'hanno insegnato male. Volete che si legga insieme qualche bel romanzo inglese? Leggendo ad alta voce, si impara a pronunciarlo esattamente. Io sono stato due anni in Inghilterra, da ragazzo, e credo di conoscere bene la lingua, anche perché mia madre, essendo inglese, usa in casa la lingua della sua patria...

– Oh, allora voi sarete un maestro perfetto! Portatemi i romanzi, Folchi. Il tempo passerà più veloce per me e imparerò qualche cosa di utile.

– Quando volete cominciare?

– Se voi potete, anche domani...

– Domani, allora. E grazie.

– Devo io ringraziare voi, Folchi.

Egli, alzandosi per congedarsi, stringendo la bella mano che si offriva, mormorò:

— No, Pervinca, il dono lo fate voi a me.

E come se fosse pentito della frase che gli era sfuggita, osservò, ridendo:

— Vedete un poco che bel pazzo è anche il tempo! S'è tutto rasserenato nel cielo e, sebbene sia quasi sera, c'è nell'aria un chiarore di sole. A rivederci, Pervinca.

— Vi accompagno fino al cancello.

— Mettetevi addosso qualche cosa. È fresco.

E come la cameriera ebbe portato un cappotto ornato di pelliccia, Folchi consigliò:

— Chiudetelo al collo: potreste prendere un raffreddore.

Pervinca sorrise, commossa. Le piacevano quelle attenzioni. Le faceva bene al cuore constatare che qualcuno si occupava di lei, della sua salute.

Con Folchi, si diresse al cancello, ma invece di scendere la gradinata, preferirono inoltrarsi nel viale che, con pochi e larghi tornanti, portava alla strada. Era ormai l'ora in cui tutte le cose terrene perdono i loro contorni e sfumano nell'ombra. Dai colli vicini, dai monti lontani, saliva una nube densa di effluvi che ricordava un poco il fumo dei turiboli. I gentili cipressetti del viale, nella pacata ombra, assumevano un'apparenza irreale, mentre gli ulivi sul colle poco distante, perfettamente immobili nella calma della sera, non avevano realtà terrestre, ma sembravano sorgere da un mondo allegorico o da una vignetta d'un libro di fate.

— Che pace! — mormorò Folchi.

I loro passi risuonavano senza scalpore sulla ghiaia tonda, piccola, uguale, candida nell'ombra.

— È sempre così, ogni sera umbra — mormorò Pervinca, come se temesse, con la sua voce, di turbare la gran quiete.

– Forse è un poco triste tutto questo...

– Forse – ripeté Pervinca.

– Ma se troppo grande fosse la vostra tristezza, chiamatemi in ogni momento, pensando che Folchi è un amico.

Erano al cancello. Ella gli tese la mano e disse:

– Ora debbo dirvi io grazie. E ve lo dico con tutto il cuore.

Egli non disse nulla. Risalì sulla macchina e partì.

Pervinca, piano piano, riprese a salire lungo il viale.

Giunta nella sua casa, salì al primo piano. La cameriera, nel guardaroba, chiacchierava con l'altra donna che, curva su di una cesta di biancheria, riponeva ciò che aveva stirato. Giù, nella cucina, il cuoco manipolava una gran cena per una persona sola. Il cameriere bighellonava per la sala sbadigliando e, non sapendo che fare, or spostava la saliera, or raddrizzava i fiori posti nella vaschetta di cristallo in mezzo alla tavola; mentre l'autista laggiù, nella villetta dei guardiani, insieme ai custodi e al giardiniere, certo parlava di automobili. Nessuno parlava di Pervinca, nessuno parlava di donna Delizia. La fanciulla presente, la donna lontana erano dimenticate. La villetta laggiù, presso il cancello, si illuminò a una finestra. La grande villa alta sulla strada, splendette di luce da grandi vetrate. Ombre rapide passarono e disparvero per riapparire. Il cameriere annunciò:

– La signorina è servita.

Pervinca sedette a tavola e quando il cameriere le offrì il piatto dell'antipasto, insolitamente disse:

– Ho molta fame, questa sera.

Parve, al cameriere, che la voce della fanciulla fosse gaia. Ma come era solito servire in silenzio, ché la giovane padrona non gli rivolgeva che le parole indispensabili, non disse nulla. E allora Pervinca chiese:

– Non capita mai a voi, di avere più appetito o meno?

170

Si sentì incoraggiato, il cameriere, e rispose:

– Mi capita, signorina. Sebbene in questa casa non sia una preoccupazione avere più appetito. Qui, si mangia bene anche in cucina.

– Ci sono case dove in cucina si mangia male?

Al cameriere non parve vero di poter parlare e soprattutto di poter parlare per dire corna di altri padroni allo scopo di valorizzare quelli che attualmente serviva.

– Case come questa, ce ne sono poche...

Pervinca mangiava allegramente e pensava, mentre l'uomo sturava tutto ciò che per tanto tempo aveva imbottigliato:

«Ecco, anche questo uomo ammira mia mamma... Anche questo povero servo capisce quanta signorilità abbia mia madre e quanta differenza vi sia tra lei e le altre persone che...».

La cameriera giunse di corsa e disse, contenta, certa di rendere lieta la padroncina:

– La vostra signora mamma è al telefono: chiama da Vienna!

Con un grido di gioia, Pervinca si levò di tavola, corse all'apparecchio. Lontana, lontana, ma chiara e limpida le giunse la voce della mamma che le diceva:

– Come stai, piccola?

A quella voce ella rispose:

– Oh, mamma, grazie! Che gioia poterti parlare!

– Avevo bisogno di sentire la tua voce, Pervinca. Tornerò presto, sai, più presto di quanto credevo.

– Che felicità, mamma!

– Che fai?

– Cenavo, mamma.

– Chi c'è con te, Pervinca?

– Nessuno, mamma.

– E quei due ragazzi che fanno? Ti hanno dimenticata?

– No, mamma. Sono molto gentili, ma credo abbiano molto lavoro. Non li vedo più come li vedevo una volta.

Di là del filo, la voce un poco ridente, un poco ironica della madre le giunse:

– È sempre così, Pervinca, con gli uomini. Tu sei una brava bambina e le brave bambine fanno trovare molto lavoro agli uomini... Continua a essere buona e saggia, piccola. La tua mamma ti farà felice. Ti bacio, cara.

– Quando telefonerai ancora, mamma?...

– Presto, presto... Saluta Marini, digli che gli ho mandato delle cartoline; chiedigli se le ha ricevute. A rivederci, bambolina.

Ecco: la sensazione d'essere con la mamma, quella dolce, cara, bella sensazione che tanto bene dava al cuore, era finita con il finire della comunicazione. Pervinca posò il microfono, tornò nella sala da pranzo. Ma ormai non si poteva più fare bella accoglienza al dolce di cioccolata e panna montata, a quel dolce che forse Vanna ricordava con melanconia. C'era qualche cosa che faceva nodo alla gola, ormai.

– Grazie, non mangio più – disse la fanciulla al cameriere.

Incoraggiato dalla confidenza di poco prima, l'uomo domandò:

– Non vi è nulla di male, vero? La signora sta bene?

– Bene, sì...

– Ah, mi avevate preoccupato...

– No, no, vi ringrazio, la mamma sta molto bene ed è anche contenta.

– Lo credo, ovunque la signora vada ha sempre gran successo...

S'interruppe, l'uomo. Portò, quasi volando, un piatto sulla mensola di servizio, stette con le spalle rivolte alla ragazza a riordinare qualcosa che solo lui vedeva.

– Di che successo parlate? – chiese Pervinca.

Abile e scaltro come tutti i servi, l'altro rispose:

172

– È così bella ed elegante, la signora, da non poterla immaginare che in continuo trionfo. Io conosco bene Vienna e vi posso dire che in quella città, una dama come donna Delizia, sarà ammiratissima. Un successo di stima e di ammirazione!

E tornò al tavolino, e dispose tutte in fila le piccole posate da frutta. Intanto pensava:

«Stai attento, scemo, a come parli! Non lo sai dunque, che qui, nessuno deve sapere il mestiere che fa la signora? Non è forse tenuta in grande segreto da madama la sua professione? Si fa o non si fa chiamare donna Delizia, la padrona? E allora che ti impicci, allocco? Dimentica la ballerina che mostra quello che può al pubblico e ricorda solo colei che profumatamente e puntualissimamente ti paga, colei che è «donna Delizia» e che deve essere riverita, rispettata, tenuta in grandissima considerazione».

Si volse. Vide che Pervinca sceglieva fra la frutta un grappolo d'uva.

– Non quello, signorina, questo. La vostra signora mamma ama assai questa uva dorata. Una volta, ricordo, ne mangiò tre grappoli e poi volle bere un poco di vino moscato dicendo: «Dopo l'uva di vite l'uva di bottiglia...». Ma poiché il vino moscato dopo l'uva moscata le piacque, volle un altro grappolo...

– È un poco come i bimbi, la mamma – rise Pervinca.

E il cameriere ridendo garbatamente:

– Oserei dire di sì... Una bambina!

E tirò un gran sospiro di sollievo, pensando:

«Alla grazia della bambina!».

Pervinca bevve il caffè, poi si ritirò nel suo appartamentino. Il dopo cena era il tempo più lungo per lei. Nel salottino aveva un moderno radiogrammofono. Ascoltò un po' di musica, qualche battuta d'una commedia. Si annoiò, girò la manopola in cerca di altre trasmissioni.

Una voce annunciò in tedesco:

– Trasmettiamo da Vienna alcune canzoni cantate da Lili Sybel. La grande attrice si presta gentilmente... Lili Sybel è al microfono...

Una voce sottile, intonatissima e tuttavia senza grandi voli, giunse fino a Pervinca. La canzonetta era gaia, la dizione perfetta, la sicurezza dell'attrice incantevole.

«Dove ho già sentito questa voce?» – pensò Pervinca. – «Mi ricorda qualche cosa... Mi ricorda qualcuno...»

In tedesco Lili Sybel annunciò un'altra canzonetta.

– Come somiglia alla voce della mamma... – sorrise Pervinca.

Ma, improvvisamente, il sorriso si spense, gli occhi della fanciulla si aprirono, come se davanti a lei un abisso fino a quel momento inscrutabile si fosse rivelato. Poi, a poco a poco, quell'ombra di spavento, quasi di terrore che s'era dipinta sul volto della ragazza disparve.

– Stupida! – mormorò. – Stupida! Lili... Lili che cosa? Bisogna essere pazzi e malvagi per pensare che la mamma e questa Lili siano la stessa persona...

Chiuse con rabbia la radio.

Poi la riaprì. Un'altra donna cantava canzonette in una qualunque parte del mondo.

«Anche questa voce somiglia a quella di mia mamma... Tutte le voci delle donne che cantano canzonette si somigliano. Lo diceva anche il nostro maestro di canto, il quale, quando sentiva canzonette, andava in furia e diceva: "Che piacere si provi a sentire questi lagni tutti uguali, non so davvero spiegarmelo...". Quella voce somigliava alla voce di mia mamma e quest'altra voce somiglia...»

Chiuse ancora una volta la radio.

– Tutte le voci delle donne che cantano canzonette si somigliano... Anche quando parlano... – disse forte.

– Scommetto che se l'altra canzonettista avesse parlato, avrei un'altra volta trovato una somiglianza tra la sua voce e la voce di mia mamma. E io sono molto stupida e molto irriverente anche...

Prese un libro e cominciò a leggere. Era un romanzo molto interessante che le aveva portato Folchi. Si distrasse, lesse a lungo. E quando giunse alla fine del libro, era serena. Aveva letto una bella storia d'amore, era grata a Folchi per averle fatto passare una serata quasi senza avvedersene. Aveva anche un poco sonno. Si fece toeletta, si coricò. E prima di addormentarsi, pensò ancora a sua madre, poi a Marini. E infine, pensando a Folchi, tanto gentile, premuroso e amico, si addormentò.

X

– Io sono convinto che presto parlerete l'inglese meglio di me – disse Folchi. – Dovrete avere un poco di pazienza.

– Ne ho. Tanto è vero che sono disposta ad ascoltare mentre rileggete la novella che si chiama: «For ever».

– Per sempre.

– Già: *for ever*, per sempre.

Erano nella stanza da lavoro, quella gaia e vasta stanza dove erano radunati cavalletti per dipingere, telai per ricamare, tavola per cucire e altre cose inerenti una serena attività femminile. Pervinca cuciva un abito da bambola. La bambola gliela aveva regalata Folchi, per premiarla d'aver letto quasi perfettamente un intero racconto in inglese. Tra le dita delicate della fanciulla, l'abito azzurro fioriva come per incanto: la bambola, in mutandine di pizzo color avorio, se ne stava seduta su una poltroncina di vimini rossi adatta alla sua statura. Non era pupattolina, ma era bellissima, con grandi occhi azzurri e lunghe, belle trecce bionde. Aveva bei cigli bruni, piccole dita snodate, graziosi piedini e un corpicino che pareva davvero quello d'una bimba. Pervinca l'aveva battezzata Enrica in omaggio al donatore e aveva stabilito di fare un intero corredo alla bambola, il che le sarebbe servito da passatempo e anche da scuola di taglio e di cucito.

Folchi, seduto su uno sgabello quasi ai piedi di Pervinca, disse:

– Se volete, rileggo... Se preferite chiacchierare, chiacchieriamo.

– Ecco – sorrise la fanciulla appuntando un miosotis tra gli sbuffi della gonnellina di velo – io vorrei ora parlare un poco. Ho il pensiero che non sta fermo: un poco vi ascolto e poi la testa se ne va via. Se mi fate parlare, la testa rimane qui.

Chiudendo il libro, Folchi esclamò:

– Ah, perbacco! Parliamo allora; non mi piace leggere per una signorina che mi lascia qui il corpo e non la testa. Ditemi come si chiama quel fiorellino che avete appuntato all'abito di Enrica.

– Miosotis o nontiscordardime.

– È di velluto?

– Ma sì! Non capite ancora nulla di stoffe! Siete di una ignoranza formidabile.

– È molto bello il velluto.

– Sì. La mamma ha molti abiti di velluto e ne ha regalati anche a me.

– Lo so.

– Come lo sapete?

– Mi ricordo l'abito che avevate a teatro una sera che mi pare lontana lontana e vicina vicina. Ricordate? Si dava la «Traviata».

– Oh, certo che ricordo! C'erano con noi Vanna e Marini.

Guardò l'orologio, osservò:

– Ancora non si vede, Lido.

– A che ora vi ha telefonato che sarebbe venuto?

– Non precisò l'ora. Disse che sarebbe venuto prima di cena.

Folchi respirò come se un'improvviso affanno gli fosse stato tolto.

– Se si cena alle otto – mormorò – Marini potrebbe venire anche solo fra un paio d'ore.

– I voli a che ora terminano?

– Solitamente alle cinque. Infatti, poco dopo le cinque io ero qui.

– Ma voi...

Tacque repentinamente.

– Dite, Pervinca.

– Ma voi non siete Marini.

– Lo so: io sono assai meno di Marini.

– No, Folchi. Voi siete un amico e Marini...

– È l'amore...

– Ecco, è l'amore. Ma voi vedete bene che d'amore da qualche tempo non si parla più. E sono io che esigo questo. Marini potrà parlarmi d'amore e baciarmi ancora, solo quando sarà certo di potermi sposare. Fino a quando sarà chiarito il mistero che lo circonda e lo tiene lontano da me, Marini sarà assai meno di voi, poiché non potrà essere l'amico e neppure l'amore.

– Ma di quali misteri parlate, Pervinca?

– Lo sapete bene! Per non accettare di sposarmi, pur amandomi, Marini deve avere qualche legame, dal quale non può svincolarsi o dal quale si svincolerà con il tempo.

– Ma no! Non ha alcun legame, Marini! Lo saprei bene io, che vivo con lui da tanti anni!

– E allora, perché esita? Forse per la stessa ragione che ha fatto di voi un ragazzaccio capace solo di scherzare? Anche voi avete baciato Vanna e non pensavate neppure di sposarla...

– Io ho baciato Vanna come ho baciato tante altre ragazze. Siamo giovanotti e capite che è quasi nel programma della nostra vita l'amor a fior di pelle. Ma io non ho sposato Vanna e non sposerò Vanna perché quella ragazza mi piaceva unicamente per giocarci. E Marini non ha sposato voi e forse non sposerà voi per altri motivi, dai quali escludo ogni intenzione di giocare con voi.

E quali sono questi motivi?

– Ah, Pervinca... Chiedeteli a lui!

– Lui si chiude come una lumaca nel suo guscio e tace.

Folchi non disse parola. E la fanciulla, che ormai si spazientiva, chiese:

– Li conoscete voi questi motivi?

– Credo di conoscerli...

– Li giustificate?

– Una volta non solo li giustificavo, ma anche li approvavo. Ora, ora che vi conosco bene, so che non hanno più ragione di esistere.

Pervinca buttò l'abito della bambola sulla tavola di lavoro, balzò in piedi, andò a sedersi presso la vetrata. E di là giunse la sua voce colma di dolore:

– Se voi conoscete il motivo e non me lo dite, non siete un amico. Tenere un simile segreto, che sapete quanto mi tormenti, non è onesto!

Folchi, con i gomiti puntati sulle ginocchia e la testa fra le mani, parve non udire. E la voce accorata continuò:

– Sono una ragazza sola, così sola che qualche volta mi faccio pena. Mia madre mi adora, io l'adoro, ma vedete bene che dobbiamo stare molto separate. Io sogno una casa, un marito, dei bambini, al solo scopo di non essere più così, come sono ora! Ma non vi rendete conto, Folchi, di quanto sia vuota la mia vita? Ma durante il giorno, durante queste eterne sere, non pensate mai a me? E se mi pensate, non mi vedete qui, che giro come una stupida per questa casa troppo grande e troppo vuota? Ho diciott'anni! Alla mia età, tutte le ragazze hanno qualcuno che s'occupa di loro, hanno un cuore cui affidarsi, due braccia nelle quali rifugiarsi. Io no, io non ho nessuno.

– Avete un amico, Pervinca...

Ella si accostò a lui, gli cadde davanti in ginocchio:

– Ma che amico siete se non parlate, se non mi dite nulla? Guardatemi, Folchi, non restate così, lasciate che veda i vostri occhi! Sono occhi sinceri... Possibile che non possano essere sincere anche le vostre parole?

Posò le sue mani tremanti sulle mani di Folchi:

– Ditemi, ditemi almeno: il motivo riguarda lui o me?

– Voi... – balbettò Folchi guardando lontano.

– Riguarda me...

Un lieve rossore salì alla fronte della ragazza. Ella chinò il capo e mormorò:

– Credo di capire... Marini ha saputo, non so come, che io sono figlia di padre ignoto... Ma ne ho colpa io? E chi infine può dare colpa a mia madre? Ella era una bambina...

– Non è questo, Pervinca...

– Non è questo? – ella sussurrò quasi in un soffio.

– No...

– Se il passato non gli può dare ombra, che mai dunque può preoccuparlo... Tutto è così limpido...

– Forse no, Pervinca.

– Ma parlate, in nome di Dio! Non vedete che mi fate morire un poco di più a ogni istante che passa?

Era pallida, gli stava ai piedi, lo scuoteva afferrandolo con quelle sue dolci mani che sapevano essere violente e tenaci.

– In nome di Dio, Folchi: qualunque sia la cosa che state per dirmi, non abbiate paura. Sono forte, io posso sopportare tutto, io posso sentirmi spezzare e non morire. Ditemi, ditemi se volete bene a Pervinca, dite tutto, tutto quello che sapete...

– Calmatevi, cara. Sedete, datemi le mani e non aspettatevi nulla di molto brutto. Aspettatevi solo qualcosa che vi stupirà...

– Tutto ciò che volete, ma parlate: ecco le mie mani, Folchi. Le dò a voi, e fate che con questo mio atto io senta veramente di dare le mie mani a un amico, a un fratello...

– Vi sono amico, vi sono fratello...

– Parlate...

Era in ginocchio, con il viso sollevato verso di lui, con il capo un poco riverso, con gli occhi intenti e inquieti a un tempo.

– Pervinca...

– Sì...

– Ascoltatemi bene. Voi, non avete mai pensato a vostra mamma?

– Pensato? In che modo?

– Pensato al suo sistema di vita.

– Qualche volta...

– E che cosa avete dedotto?

– Ma... nulla di strano... Una mamma bella, elegante, ricca, può ben vivere come vive la mia, passando da una città all'altra, da un albergo all'altro.

– E non vi siete mai chiesta perché vostra madre non vi tenesse vicina?

– Perché dovevo studiare.

– E ora che avete finito di studiare, perché non vi tiene vicina, la vostra mamma?

– Perché a questa crociera, non sono stata invitata...

– Vostra mamma non è in crociera, Pervinca. Donna Delizia sta girando il mondo, con una Compagnia di riviste.

– Come?

– Pervinca, vostra mamma è una grande attrice: un'attrice di riviste. E la rivista è uno spettacolo, come dire? un poco sguaiato, che le donne che la compongono devono cantare, ballare, e cantano e ballano qualche volta in costumi molto ridotti. Donna Delizia è una grande vedette: non c'è al mondo un'attrice migliore di lei, in questo ramo. Io l'ho vista in scena e posso assicurarvi che è delizioso vederla e sentirla...

– Ma perché la mamma non mi ha mai detto nulla?

– Perché...

Accarezzò i bei capelli biondi, mormorò:

– Perché le attrici di rivista hanno una pessima fama. Certo, qualche volta esse appartengono a una categoria di donne senza scrupoli, ma non è detto che tutte siano uguali. E forse donna Delizia ha avuto paura che voi, sapendola attrice di questo genere di spettacoli, doveste giudicarla.

– Io? Giudicare mia mamma? Ma io sono convinta che mia mamma sia la signora che è in casa anche in teatro!

– E forse non sbagliate, Pervinca – disse generosamente Folchi. – Tuttavia il mondo non pensa così. Il mondo attribuisce molte cattive azioni alle donne di rivista e quanto più queste salgono in fama, tanto meno credono alla loro onestà. Se a una donna senza fama e senza gloria si attribuisce un amante, a queste creature della gaiezza se ne attribuiscono mille, centomila, tutti gli uomini dell'Universo. È fatale, è forse ingiusto, ma è così: qualunque nome si faccia, qualunque uomo si attribuisca a un'attrice del genere, il mondo sarà pronto a credere. Nessuna attenuante per queste creature. Se hanno bei brillanti, si fa il nome di colui che può averli donati; se hanno una bella casa, si sussurra il nome di colui che può averla pagata; se hanno una ricchezza, si dirà forte il nome di coloro che hanno contribuito a crearla. È un marchio che bolla queste donne, è un marchio che le distingue e le mette nella categoria di coloro che non possono essere ricevute nelle famiglie così coloro che non possono essere ricevute nelle famiglie così dette «per bene». È Lili Sybel...

– Che avete detto?

– Vostra madre, in arte, si chiama Lili Sybel...

– Era lei, dunque, che cantava da Vienna! Non mi ero ingannata! Avevo riconosciuto la voce della mia mamma... E cantava così bene! E non mi ha mai detto nulla...

– E ora che sapete, Pervinca, che direte alla vostra mamma?

– Nulla! Io sono fierissima ugualmente della mia mamma, anzi... Credevo che fosse in crociera a divertirsi senza di me e ora so che, povera mamma, è a lavorare per me. Quando tornerà, le butterò le braccia al collo e le dirò che sono contenta di sapere e che non le perdono di avermi tenuto nascosto tutto per tanto tempo. E lo scriverò a Vanna, a sua madre...

– No, Pervinca, non fatelo!

– E perché?

– Perché la madre di Vanna non permetterebbe più alla sua figliola di mettere piede in questa casa!

– Ma che sono, dunque? Delle appestate, le artiste di rivista? Io credo che si possa ballare e cantare e anche essere seminude su un palcoscenico senza essere cattive donne. Mia madre ha avuto un solo amore, nella sua vita: mio padre... Ha sbagliato, ma era sola, senza guida e tanto giovane. Non sbaglierei io che ho sempre lei accanto, che da lei ricevo preziosi consigli... E infine, se ha sbagliato allora, è poi stata una madre esemplare e una donna incensurabile.

Folchi guardava Pervinca e pensava:

«È un angelo... È un angelo...».

E mentre così pensava, la visione di Lili Sybel che rideva tra le di lui braccia, lo ossessionava. Aveva schifo di sé, di quella donna che gli si era offerta ridendo, di tutto quel sudicio che aleggiava attorno a Pervinca e del quale ella neppure si avvedeva.

E candidamente l'angelo domandò:

– C'è altro da dire contro mia madre?

– Non c'è altro...

– Ed è per questo che Marini esita a sposarmi? È cosa così grave essere figlia di un'attrice?

Folchi non rispose. Come dire alla giovanetta che l'attrice non era solo attrice? Come dire alla figlia che sua madre non aveva sbagliato una, ma mille volte? Come dirle che in ogni città dove Lili Sybel andava, un uomo in condizione di poterle offrire una grande somma o uno splendido gioiello, poteva accoglierla tra le braccia?

– Se Marini non vuole sposarmi, ci deve essere un altro motivo. Non è possibile che possa esser tanto retrogrado e sciocco! Non lo ammetto... E non lo ammetto perché so, sento, che se voi foste innamorato di me, non badereste a questi pregiudizi di altri tempi, ma mi sposereste... Non è così, forse?

Baciando le care manine che si avvinghiavano alle sue, Folchi rispose:

– È così, Pervinca. Io vi sposerei senza esitare.

– E allora perché Lido deve pensare diversamente da voi? Vi pare logico?

– Forse non mi pare logico...

– Vedete! Ci deve essere qualche altra cosa! E non può essere che un'amante, un'amante dalla quale non si può liberare. In collegio ho letto un libro, nel quale si narrava appunto di una donna che vietava all'amante di farsi una famiglia, sebbene ella non meritasse per nulla un simile sacrificio da parte dell'uomo che aveva fatto fin troppo per lei.

– Sono cose che accadono anche nella vita, oltre che nei romanzi – dichiarò Folchi. – E può anche darsi che sia così per Marini. A me, ripeto, questo fatto non risulta; tuttavia, può anche darsi che Marini non abbia ritenuto necessario informare me delle sue vicende amorose.

Pervinca sorrise. Ella aveva accolto senza stupore la notizia di essere figlia d'un'attrice da rivista, accoglieva con tranquillità la probabile amante di Marini e poteva dire a Folchi, con voce tranquilla:

– Se è questo solo che allontana Lido da me, oh, posso assicurarvi, Folchi, un invito alle nozze di Pervinca e Marini.

Con voce soffocata l'uomo rispose:

– E io verrò alle nozze con un'altra bambola...

Ella fu tutta ritta davanti a lui, fremente, felice:

– Voi mi guardate stupefatto. Voi pensate che dovrei, e per la faccenda della mamma e per quella di Lido, essere un poco preoccupata... Ma no! Io sono lietissima... Una ragazza moderna come me!

Sentendosi il cuore gonfiare di tenerezza, Folchi pensò:

«Sei tanto moderna, povera piccina, che non vedi neppure il male dove c'è...».

– Io vado a dare qualche ordine, Folchi. Chi sa se si sono ricordati della torta di funghi che piace tanto a Lido... Oh, eccolo! Di dove vieni?

Gli balzò incontro, gioiosa. Egli, che era ormai solito vederla un poco seria, e sentirla un poco lontana e scontenta, sorrise per il sorriso che tutto lo illuminò e rispose:

– Di dove vuoi che venga, cara? Dall'aeroporto!

– E perché tanto tardi? Folchi è qui da un paio d'ore!

– Ma Folchi non doveva, come me, far fare dei passaggi ad alcuni allievi. Il colonnello ha voluto che questi allievi li passassi io e... e sono rimasto fin che tutti sono stati collaudati.

– Davvero? – fece Pervinca con aria maliziosa. – Davvero non mi dici bugie?

Stupefatto, Marini rispose:

– Ma che domande sono queste, Pervinca? Perché dirti bugie? Folchi sapeva che c'erano alcuni allievi che dovevano fare un passaggio su un apparecchio da caccia nuovo...

– Non ricordavo che dovessero farli oggi i passaggi.

– Tu non ricordi mai nulla – fece Marini alquanto risentito. – La sola cosa che ricordi è di fare il professore di lingua inglese. Per questo tagli la corda appena puoi e pianti a me certi scarponi da far volare!

– Che cosa avrei dovuto fare, io?

– Be', pigliartene qualcuno in sella! Ma lascia andare. E dimmi tu, monella, che cosa diavolo ti fa luccicare tanto gli occhi.

– Oh, tante novità!

– Fuori una delle tante.

– No, non ora: dopo cena.

Era stata preparata la tavola nella sala grande. Il calorifero era ancora spento, ma nel grande caminetto

185

verde, alcuni ceppi bruciavano mandando nell'aria un grato odore di bosco. Un tepore sano veniva dalla lieta fiamma e le faville, salendo per la cappa del camino, mettevano minuscole girandole sullo sfondo verde del marmo.

Sulla grande tavola di cristallo verde non c'era tovaglia, ma ogni ospite aveva davanti a sè un quadrato di fine pizzo color ocra. I bicchieri erano verdi e gialli, le posate di bell'argento brunito. Su ogni cosa era impresso, dipinto o inciso, in caratteri piccolissimi e in color oro, il nome «Delizia». «Delizia» si leggeva in ogni piatto e il nome era formato da tante e tante stelline minuscole. «Delizia» si leggeva sulle posate e il nome era scritto in bel corsivo d'oro. «Delizia» era inciso su i fini cristalli e i caratteri erano della stessa tinta dell'oggetto. «Delizia», «Delizia» dovunque, quasi per simboleggiare la donna che questo terribile e bellissimo nome portava.

– Ho pensato tardi alla tua torta di funghi, Lido, ma chi sa che il cuoco non abbia avuto più memoria di me...

Cortese e servile, il cameriere disse, a mezza voce, come se confidasse alla padroncina soltanto un grande segreto:

– Mi sono permesso di ricordare al cuoco le preferenze del signor capitano... La torta è pronta.

– Grazie! – esclamò Pervinca contenta per Marini. – Sono lieta che qualcuno abbia avuto più memoria di me. Ma oggi era giornata di così grandi avvenimenti che la torta poteva passare in seconda linea.

– Mi dirai poi che cosa è accaduto...

– Sì, sì, dopo!

Era lietissima e molto bella. Parlò di tutto: anche di bambola Enrica. E chiese:

– Ti piace il nome Enrica, Lido?

– No.

– Come dovevo chiamarla?

– Non lo so; ma Enrica è un nome detestabile.

– Ti ringrazio – rise Folchi. – Non potevi dirmi con più chiarezza che anche il mio nome è detestabile.

– Non ne hai colpa tu...

– E non ne hanno colpa neppure i miei genitori, che mi hanno dato un nome storico e non un nome assurdo come Lido. Che significa, Lido? Luogo dove ci si bagna? Storpiatura di Lidio?

– Assurdo o no, il mio nome è bello, facile, breve...

– Questione di gusti! Se avessi un cane lo chiamerei Lido, visto che per i cani si dovrebbero sempre usare nomi belli, facili, brevi...

Marini rise male. E Pervinca vide che i due uomini si scambiavano uno sguardo per nulla amichevole.

– Sembrate due nemici! – esclamò scontenta. – E io non capisco perché dobbiate discutere per un nome. Ognuno si tiene quello che ha. Fate pace, subito!

– Ma non siamo in collera – dichiarò Folchi.

– Sì, sì, siete in collera! Datevi la mano!

Si diedero la mano, risero. E Marini, alla sua risata, aggiunse:

– Se osi chiamare nome da cane il mio, mi metterò ad abbaiare alla luna tutte le volte che avrai sonno.

La cena finì lietamente, passarono nel salottino dove pure era acceso il caminetto. Non si era che ai primi di ottobre e tuttavia l'aria era fresca, soprattutto quando scendeva il sole.

Nel suo bell'abito di lana azzurra morbida, linda, semplice ed elegante, Pervinca sembrava una figura di limpido acquarellista. Ella aveva alla scollatura quadrata un mazzolino di fiordalisi in velluto dello stesso colore dell'abito. Il mazzolino era posto a sinistra, dove la scollatura terminava e i petali d'un fiore le accarezzavano la carne pallida, opaca, morbida e d'un colore appena rosato, che faceva pensare a una lampada di alabastro, dove una piccola luce fosse accesa.

Sedettero tutt'e tre poco discosti dal caminetto, in tre

poltroncine accoglienti. Davanti agli uomini stava il mobiletto bar, di lato, il tavolino con il servizio da fumo.

– Mi vuoi dire perché sei tanto contenta, Pervinca?

– Sono contenta perché so che mia mamma è una attrice.

Marini fece un balzo così visibile che la sua poltroncina ebbe uno scarto.

– Non è il caso di spaventarsi tanto! Mi spiace solo che questa cosa abbia dovuto dirmela Folchi... Perché non me l'hai detta tu? Credevi che io mi scandalizzassi? Sbagli; sono orgogliosa di mia madre, sono orgogliosa ancor più di quanto lo fossi. E sbagli se credi che mia madre sia come tante donne che per il fatto di essere attrici si traviano: mia mamma è una bravissima signora. Basta constatare tutto il bene che ha fatto a tutti coloro che hanno avuto bisogno di lei. Guarda Vanna! Sai che cosa mi ha scritto proprio oggi la mia mamma? Mi ha scritto che vuole aiutare quella povera ragazza, che vuole vederla contenta e di darle tutto il danaro che le occorre per sistemare le cose che più la angustiano... Quante signore sarebbero state così generose? Mia mamma è buona e non importa nulla, proprio nulla, se balla, se canta, se mette dei vestiti un poco succinti... Mia mamma non ha amanti, mia mamma ha amato un uomo solo e...

D'improvviso scoppiò a piangere. Sbalorditi, esterrefatti, i due uomini si guardarono in viso.

Marini si volse furibondo a Folchi e gli soffiò:

– Io non so spiegarmi che cosa diavolo ti sia passato per la testa!

– Ha fatto bene a dirmi la verità – pianse Pervinca.
– Almeno ora so che tu non vuoi sposarmi non perché sono figlia di Lili Sybel, che non sarebbe proprio nulla di male sposare la figlia di Lili Sybel, ma perché hai un'amante dalla quale non sai come liberarti.

– Io...

– Sì, Non negare! Guai a te se mi dici che non mi

vuoi sposare perché mia mamma balla, perché mia mamma canta le canzoncine e porta gli abiti poco decenti. Non può essere così, non deve essere così... Dimmi che non è così, Lido, oh, dimmelo!

Spaventato dal pallore della ragazza, terrorizzato da quegli occhi disperati dai quali scendevano lacrime che parevano minuscoli torrenti, Lido sussurrò:

– No, cara, non è così... Hai ragione; non piangere... farò il possibile per spiegarti, per farti contenta...

– Sì, sì, lasciala quell'altra donna, lasciala... Falle un grande regalo, non trattarla male... Potrebbe ucciderti... Io ho letto che uccidono anche gli uomini che le lasciano, queste donne...

Piangeva senza freno, parlava forte. Marini ebbe timore che i servi udissero. Trasse a sé la fanciulla, le fece posare il capo sulla sua spalla, la baciò sui capelli:

– Chetati, amore, non è davvero il caso di soffrire tanto... Sistemerò tutto, vedrai...

– Tu non l'ami più, vero, quella donna?

– No, non l'amo più...

– Non la vedrai mai più, vero?

– Figurati!

– Dimmi: mai più!

– Mai più!

– Dimmi: lo giuro!

– Lo giuro...

Di scatto sollevò il capo e corrugando la fronte, domandò:

– Lo sai che giurare è molto grave? Lo sai che chi non mantiene un giuramento è spergiuro e va all'inferno?

– Non sapevo tutto questo, cara, ma se lo dici tu...

– È così, è così... Tu hai giurato, bada!

– Stai tranquilla.

Ella tacque guardando la fiamma. Poi, come se fino allora avesse mentalmente pesato il valore d'un giuramento, domandò:

189

– Non ti spiacerebbe darmi anche la tua parola d'onore?

– Oh, sì, con gioia! – egli rispose pronto, sincero.

Pervinca si illuminò di felicità. Chiese:

– Si vede che ho pianto?

– Si vede... – rispose Marini.

– Ditemi voi, Folchi, si vede molto?

– Molto no: un poco.

– Allora suonate voi al campanello e alla cameriera e a chi verrà ordinate voi che portino qui bambola Enrica. Voglio che si diverta anche lei, poveretta.

Folchi suonò, un poco a disagio ordinò che portassero la bambola della signorina.

Ma bambola Enrica era in mutandine. E Marini si scandalizzò molto, soprattutto perché oltre le mutandine Enrica non aveva proprio null'altro e il suo corpo pareva davvero di carne.

– Mettile almeno un reggipetto – consigliò Marini, ridendo. – È molto magra, Enrica, ma un reggipetto, perbacco, lo portano anche le canzonettiste...

Quando s'accorse d'aver scioccamente parlato, era tardi. Pervinca lo fissava, lo fissava e pareva volesse leggergli dentro al cervello.

– Come escono in scena le canzonettiste? – chiese.

– E che ne so! Se tu credi che ci si ricordi di quello che indossano certe ranocchie...

Silenzio. E nel silenzio la voce che pareva ancor più giovane del solito, per la trepidazione che vi era in essa, risuonò timida per chiedere:

– La mia mamma è una canzonettista?

– Ma che ti passa per il capo, Pervinca? Tua mamma è una grande attrice di rivista. Riviste sono quasi operette. E le operette sono opere comiche, meno difficoltose dal lato musicale, ma molto gaie, molto divertenti.

– E che si fa nelle riviste?

– Si canta, si recita, si balla. Ci sono molte ragazze

e poi c'è la prima donna, che i francesi chiamano *soubrette*, che noi chiamiamo erroneamente subretta, perché non abbiamo ancora trovato un nome che la definisca con la nostra lingua. Ma lo troveremo e quando l'avremo trovato tutto il mondo userà il nome lanciato da noi... È così anche per la musica: in tutte le nazioni...

– Non divagare, rispondi a me, Lido.

– Che ti devo dire?

– Mi parlavi della prima donna della rivista.

– La prima donna della rivista è colei che solitamente tiene in piedi la rivista stessa. Se la *soubrette* è una bestia, la rivista cade. La *soubrette* ha l'obbligo di essere bella, elegante, intelligente, spigliata, con belle gambe, con splendido corpo, con spalle superbe...

– Deve far vedere le gambe, le spalle, il corpo...

– Oh, santo cielo... Deve far intravvedere tutto questo...

– Su per giù come accade con gli abiti da sera... Tu hai visto gli abiti da sera di mia mamma, è vero? Un poco scollati, si sa, ma non indecenti.

«Povera innocente! Se tu la vedessi con certe uguaglianze di triangoli!» – pensò Marini. E rispose:

– Ma sì. La *soubrette* è quasi sempre in abito da sera. Qualche volta, l'abito ha una spaccatura o di lato o nel mezzo e lascia vedere le gambe nude...

– Nude fin dove?

– Nude, insomma! E smettila! E pensa piuttosto a coprire questa bambola che oltre a essere impudica deve correre il rischio di prendere una polmonite.

– Non ho ancora finito il suo abitino...

– Te l'ha dunque regalata nuda, il caro Enrico?

– No, aveva un abitino grazioso, ma di seta lucida e troppo carico di pizzi. L'ho subito tagliato a pezzi.

– Che brutto carattere hai, Pervinca! Tagli a pezzi tutto ciò che non ti piace?

Ella sorrise. Marini le porse Enrica.

– To', gioca! – le disse molto seriamente.

Ella trasse dalla manica dell'abito un fazzolettino azzurro. Lo piegò a triangolo, lo mise a guisa di scialletto sulle spalle della bambola.

– Va bene così? – domandò a Marini.

– Va molto bene.

– Non è indecente, così?

– Non lo è affatto. In costume da bagno le donne, oggi, sono assai più indecenti. Così coperta, bambola Enrica può andare in capo al mondo.

Parlarono ancora di molte cose. Ma il sorriso luminoso, per quella sera, non tornò più sulle labbra di Pervinca. Di tanto in tanto ella mirava la bambola e, come se agisse distrattamente, ogni volta tirava un poco più su il piccolo scialle azzurro, un poco più giù le piccole mutandine di pizzo.

Più tardi, quando fu sola, invece di coricarsi, andò nella stanza da lavoro. E in fretta cucì per Enrica un abito bianco. Vestì la bambola, la guardò. L'abitino scendeva sino ai piccoli piedi, saliva fino alla gola.

– Se ti metto un velo in capo, Enrica, sembri una comunicanda... Se ti appunto le trecce sotto il velo, sembri una sposa... Vuoi essere una comunicanda o una sposa?

La bambola, per un movimento di Pervinca, sbatté le palpebre ripetutamente. Tra le lunghe ciglia scure gli occhi ebbero bagliori insoliti. La bocca si ravvisò.

– Ah, briccona! – rise Pervinca. – Tu vuoi essere una sposa!

Le appuntò i capelli, le mise sul capo e sulle spalle un piccolo velo candido.

– Auguri, Enrica! – mormorò Pervinca.

La bambola sostenne il velo e l'augurio con molta dignità. Pervinca salì nella sua camera, mise la bambola su una poltrona. E quando fu coricata, prima di spegnere la luce, ripeté:

– Auguri... Auguri...

E poi s'addormentò. E sognò sua mamma che ballava con un piccolo scialle azzurro sulle spalle e lo scialle si scostava e Marini e Folchi ridevano e lei, Pervinca, tentava di trattenere il piccolo scialle; ma era molto difficile perché la mamma, che si chiamava Lili Sybel, piroettava, piroettava, ed è molto difficile coprire il corpo nudo di una danzatrice che piroetta.

XI

Walter Rook piegò la lettera. Il suo viso era assorto e addolorato.

– Che c'è, Walter?

– Devo lasciarti per qualche giorno, Lili. E non puoi immaginare come questo mi addolori...

Lili era al pianoforte e provava, suonando con un dito, una canzone tedesca che doveva essere lanciata da lei in una nuova rivista.

Fece girare lo sgabello, vide il viso triste di Walter Rook, domandò sommessamente:

– Tua moglie?

– Sì...

– Non sta bene?

– Né meglio né peggio del solito: tuttavia, questa lettera del medico, che è pure amico di casa, mi preoccupa. Vuoi leggere, Lili?

Con atto gentile e reciso ella respinse la mano che offriva la lettera.

– Io credo a ciò che mi dici. E se devi andare, vai. Ti aspetterò...

L'uomo sorrise mestamente e forse nella mestizia di quel sorriso c'era pure un poco di ironia:

– Tu puoi dire facilmente: «Vai...». Ma io non posso andare con altrettanta facilità.

– E che vuoi fare allora?

– Nulla di diverso da ciò che ho stabilito. Tuttavia non mi vergogno a dichiarare che parto malvolentieri.

Lili puntò un piede, girò ancora con il viso al pianoforte. Ma non suonò: parve rileggere le parole della canzone e parve mettere in questo atto, tutta la sua attenzione. Ma Walter capì che Lili si era girata per dargli il coraggio di parlare. E lui parlò:

– Lasciare te per andare a vedere una donna che non mi ha mai capito, che ha avuto per me solo parole aspre, che m'ha incolpato sempre di non averle dato un figlio, senza pensare che era lei la colpevole di questa nostra sventura, non è certo lieto per me. Tuttavia devo compiere questo dovere. Starò lontano pochi giorni. E mi consolerò dalle male parole che mi accoglieranno pensando che al mio ritorno avrò da te parole deliziose. Tu sei la mia delizia...

– Due volte delizia, allora...

– Due? Mille, centomila, infinite...

Ella battè un tasto, accennò con la voce il motivo della canzone. Disse:

– Mi starà molto bene questo motivo. Se la rivista andrà in scena lunedì, martedì mattina tutta Vienna canterà: «Erwache dich, Lili!».

– Erwache dich, Lili! – ripetè Walter. – Svegliati, Lili!

E aggiunse, come in un sogno:

– Sarà una scena magnifica. Lili addormentata tra i fiori, mentre tutti i fiori del più fantastico giardino le danzano attorno. Saranno bellissime le fanciulle vestite da pervinche: è un colore che in scena appaga l'occhio, commuove, oserei dire, il cuore. Ed è un po' diverso dal solito... Dunque, tutti i fiori di prato danzano attorno a Lili che, allungata sull'erba, sogna. E il sogno è, naturalmente, un sogno d'amore. Il bell'amante biondo giunge con le braccia colme di pratoline, di pervinche, di fiordalisi: copre la bella addormentata con il suo fresco dono e le sussurra: «Erwache dich, Lili». In sogno poi, levandosi e danzando, la donna ripete: «Erwache dich, Lili...». E poco dopo tutti i fiori cantano e cantano nel cielo le stelle, che saranno tante fanciulle affacciate sullo sfondo, e canta tutta la natura e canta, canta e danza Lili...

S'era tutto illuminato di gioia Walter Rook. Egli vedeva la scena, egli vedeva Lili, splendida nel quadro curato con meticolosa bravura.

– L'abito del sogno deve essere di perle rosa – disse a un tratto Walter Rook.

– Di perle rosa? – fece Lili stupefatta. – Ma se ho già provato il costume di piume rosa?

– Ho pensato che quel costume di piume rosa, oltre a essere poco nuovo come idea, ti scopriva troppo. L'abito di perle, invece è lungo, a strascico. È come una rete di perle, Lili, e sotto si intravvederà il tuo corpo, senza esporlo brutalmente.

Scrutò il viso della donna. Vide un lieve rossore salire alla fronte alta, fermarsi alla radice dei capelli fulvi.

– Grazie – mormorò Lili.

– Sei contenta?

– Molto.

– E mi puoi dire perché?

– Perché...

– Ti aiuto, Lili?

– Sì...

– Perché da qualche tempo tu detesti quella nudità che ti esibiva troppo alla folla. Tu oggi senti il bisogno di celarti un poco, tu senti il bisogno di essere più donna e meno femmina, più madre e meno attrice, più sposa e meno amante... Sbaglio, Lili?

– No... Ma come puoi aver capito, intuito...

– Ti amo, Lili: ma ti voglio anche tanto bene...

Ella fissò commossa Walter Rook e una grande pena le strinse il cuore. Povero, vecchio, buon Walter! Che cosa avrebbe fatto poi, quando Lili se ne fosse andata? Una notte egli le aveva detto: «Sarai l'ultimo amore. Con te finisce la mia vita di uomo che può godere. Io non godrò più alcuna gioia alla mia età, quando si incontra una donna come te, si deve poi far scendere il sipario e restare soli nel buio e vuoto teatro che non si aprirà mai più alla folla. E tu sai, Lili, quanto sia triste un teatro vuoto, un teatro che non risuona né di canti né di voci. Tuttavia, quando il teatro è vecchio, malandato, con i palchetti vuoti come occhi morti, bisogna chiuderlo... Io ho amato molto il teatro della mia vita: ma dopo Lili il velario non s'aprirà mai più. E solo, stanco, finito, abbandonato in una poltrona, guarderò il palcoscenico deserto che risuonerà sempre della tua voce, dei tuoi passi, dei tuoi canti, delle tue risate. Con gli occhi dell'animo, rivivrò le ore più belle che lo spettacolo della vita mi ha offerto, fino a quando qualcuno che sarà molto brutto verrà a dirmi: "Lo spettacolo non si ripete più. Si chiude...". E mi porteranno al cimitero...».

Sospirò, passò una mano sul capo della donna, mormorò:

– Mia Delizia...

Lili Sybel chinò il capo, si guardò le mani sulle quali, in braccialetti e anelli, splendeva il tesoro che Walter Rook le aveva donato. Sentì tremare la mano che le accarezzava il collo, che sfiorava la spalla nuda.

– Mia Delizia... Mi piace chiamarti con il tuo vero nome che tanto bene ti definisce. Delizia... Forse eri nata anche tu per una vita diversa. Forse, se tu avessi incontrato un uomo giovane e forte, che ti avesse saputa capire, soddisfare in tutti i modi, seguire in tutte le maniere, oggi non saresti qui, con questo vecchio Rook al tramonto... Sei giovane, Delizia... Hai tutta la vita davanti a te...

Il volto ridente di Marini apparve a Lili Sybel. I magnifici denti, i capelli biondi brillano in una luce di sole. E la bella voce calda, chiara, sempre ridente, esclamò:

– Donna Delizia...

Ella sorrise.

197

Rapida davanti a lei sfilava la visione della sua vita avvenire. Una vita tranquilla e serena accanto a un uomo che ella sentiva di amare, al quale sentiva di poter dare ogni gioia. Perché Marini avrebbe dovuto negarle la felicità di unirsi a lei? Quanti uomini buttano alle spalle un passato un poco burrascoso di una donna, per mirare unicamente all'avvenire dolcissimo che questa donna può offrire?

Il sorriso era sempre fermo sulle labbra di Lili Sybel e si faceva splendente quando ella pensava:

«Principi e re hanno avuto compagne nella loro vita donne che non furono esemplari di virtù. Io non pretendo che Marini mi sposi subito, ma voglio che egli senta e capisca il mio amore... Al matrimonio si penserà poi; si penserà quando, amandomi, l'uomo sarà ben certo che, vivendo con lui, io saprò essere una donna eccezionalmente fedele e innamorata. Solo le donne come me possono diventare modelli di fedeltà. Io non desidero più nulla, io non ho più curiosità, io non ho più capricci. Forse era meglio che io non fossi stata così facile con Folchi, ma che fa? Marini può anche non aver dato peso a questo episodio. E le donne che non hanno episodi sono ben poche. E infine, io sono Lili Sybel, la più grande *soubrette* del mondo. Non si deve sindacare poi troppo sul passato d'una *soubrette* come me, soprattutto quando porta qualche milione di dote.»

Con la sua moralità che aveva lacune spaventose, con la sua logica che era sempre in collera con la giustizia, Lili Sybel stabiliva la sua vita avvenire, come stabiliva un contratto per l'esibizione del suo corpo e della sua bravura. Nessuna cattiveria era in lei; tuttavia ella ragionava con quella mentalità che era nata in palcoscenico e con quella facilità che le veniva dall'aver trovato tutto facile nella sua fortunata esistenza di bella femmina. Al di là del suo modo di vedere e di sentire, Lili Sybel non poteva andare. E se talvolta donna Delizia tentava un passo più lungo, subito Lili Sybel interveniva, facilitando ogni cosa, trattenendo il passo che avrebbe portato a constatazioni forse malinconiche, a lotte forse inutili. Venuta dal palcoscenico, Lili Sybel aveva portato nella vita modi di vivere che solo avvengono sul palcoscenico. Abituata a essere tra i panorami di tela e di cartone la regina che tutto vuole e tutto ottiene, si credeva ugualmente regina sulla terra. E poiché la fortuna l'aveva finanziariamente aiutata, poteva pensare con molta fiducia a realizzazioni di palcoscenico anche nella vita.

Walter Rook era vicino a Lili, con dolorosa intuizione, che la donna, pur essendo vicino a lui con il corpo, era assai distante con lo spirito.

– Delizia...

Ella guardò l'uomo.

– A che pensavi?

– A molte cose...

– Che non posso sapere?

– Sì... ma è così difficile ripetere ciò che si pensa!

– A me, pensavi poco fa?

– A te, a noi, a... Ma non ha importanza!

Andò presso Rook, gli circondò il collo con le braccia. Su i polsi, i monili tinnirono; sulle dita, gli anelli sfavillarono.

– Cara! Dimmi che sei contenta!

– Lo sono. Solo mi spiace che ti debba allontanare.

– Davvero, Lili?

– Davvero.

L'uomo accarezzò il bel corpo snello e saldo, poi, guardando quel viso di donna che talvolta era chiuso e impenetrabile così da far tremare, mormorò:

– Ti porterò quella collana, Lili...

Vide il bel volto illuminarsi, gli parve che la stretta diventasse meno dolce e più ardente. Ne fu sconvolto.

– Oh, Lili...

Ella si scostò da lui, andò a buttarsi su una poltrona:

– Se devi partire, Walter, non perdere tempo. Più presto vai, più presto torni. E io desidero proprio che tu sia qui per l'andata in scena del nuovo lavoro. Se ci sarai tu, sarò più tranquilla.

– Sì, Lili, andrò.

La sera stessa Walter partì.

La sera stessa Lili Sybel scrisse una lettera a Lido Marini:

«Caro amico. Vi ho mandato alcune cartoline. Non so se mi avete risposto; so che non ho ricevuto nulla e questo mi fa pensare che se mi avete mandato un saluto questo deve essersi smarrito, seguendomi. Dopo molti spostamenti, eccomi a Vienna. Vi spedisco un fascio di riviste perché possiate ammirare Lili Sybel in teatro e donna Delizia nell'intimità. Se la prima è molto lieta e molto contesa, la seconda è una povera donna tranquilla, che non sa davvero cosa farsene del suo nome, perché non sa essere "delizia" neppure per se stessa. Finito lo spettacolo, mi rifugio nell'albergo. Certo voi sapete, Lido, che cosa significhi trovare il silenzio d'una camera accogliente, dopo il fracasso d'una orchestra, degli applausi, del palcoscenico. È un po' come il sole dopo un gran temporale, è un senso di pace, di riposo dei nervi, di, lasciatemelo dire, di salvezza dell'anima. Ed è pure l'ora in cui si pensa a chi è caro e lontano... E che si fa, allora? Ci si allunga in una poltrona in attesa di fumare l'ultima sigaretta, e si pensa a ciò che è caro. Subito viene a me, portata dai miei pensieri, l'immagine carissima di quella mia bimba che ho lasciato in una casa troppo vasta per lei. Subito viene a me questa bimba che non sa e non deve sapere che sua madre è Lili Sybel. Nulla di male che io sia Lili Sybel, ché io sono attrice indiscutibile. Male sarebbe se Pervinca, sapendo sua madre attrice, le attribuisse quei demeriti che si usano attribuire a noi, povere donne di teatro. Quindi, per non essere ingiustamente giudicata, preferisco mettere attorno a me il segreto... E torno a dirvi dei miei pensieri, che sono sempre colmi e vivi di speranze. Penso a Pervinca felice con un uomo che sappia amarla; penso a lei gioiosa in una sua splendida casa. E poi, perché negarlo? Penso anche a me. Sono giovane, ma sono stanca di teatro. Gli applausi non mi ubriacano più come una volta: questo significa che Lili Sybel non si sente più Lili Sybel e ha desiderio di essere solo "donna Delizia". E penso che presto saluterò le scene, per essere soltanto "donna Delizia". La sola cosa che mi fa esitare è il pensiero del dopo... Una donna usa alla mia vita non può lasciare tutto alle spalle senza la certezza di trovare, poi, qualche fatto che le dia ancora uno scopo. Senza una passione nel cuore noi non possiamo vivere. E tramontata che sia la passione per il teatro, la febbre della danza, del canto, dell'artificio, quale altra passione può avere una donna come me? Voi direte, sorridendo con ironia: "Una Lili Sybel trova facilmente una passione". Vi smentisco. Una Lili Sybel non trova facilmente un'altra passione. E allora, stanca che io sia, e totalmente, di questa vita, che farò? Voi direte ancora: "Fate la buona mamma". Buona mamma, risponderò, sono sempre stata e d'altra parte sono troppo giovane e troppo viva per poter esser solo mamma. Un amante? No... Un amore? Sì... Ora vi sento ridere, Lido, e non è davvero gentile che un giovanotto rida tanto d'una donna. Che male fa, questa donna, se dichiara d'aver bisogno d'un amore? Voi sapete bene che se una Lili Sybel dichiara d'aver bisogno d'amore, significa che amore non ha mai conosciuto. Ed è forse questo desiderio di conoscere di che cosa io sia capace, amando, che mi fa mettere in disparte Lili, e mi fa sognare soltanto Delizia innamorata. Vi immaginate, Lido, donna Delizia deliziosamente innamorata? E che cosa dire a Lili che vuol andarsene dal teatro, che vuole godere la propria ricchezza tra due braccia amate, in una casa bella, dove tutto arrida? Forse direte che sono pazza scrivendovi queste cose: ma potrete assolvermi quando saprete che non ho amici, non ho amanti, che non ho nessuno e che ho cominciato, da quando sono partita dall'Umbria, una vita di donna Delizia, mettendo recisamente alla porta ammiratori, dedicandomi unicamente a questo amore che è in me, che ancora non conosco, ma al quale sono già tanto fedele. Che cosa credete, Lido, sia avvenuto in me? Se avete tempo, scrivetemi. Vi saluta con affetto la nuova Delizia».

Rilesse, fu lieta della sua lettera. La chiuse in una busta, chiamò per dare ordine che fosse imbucata.

Poi aprì una piccola valigia di cuoio azzurro. Dalla valigia trasse un libro rilegato in pelle azzurra. Era un'agenda. Prese una matita, segnò meticolosamente uscite e incassi. Sorrise. Rimise a posto l'agenda e la matita, sedette davanti allo specchio. Lili Sybel le rimandò il sorriso. Donna Delizia corrugò la fronte. Era troppo sfrontato, in verità, quel modo di sorridere. Perché mettere in mostra tutti i denti? Erano perfetti, abbaglianti; il dentista aveva preteso diecimila lire per rifare quel lavoretto all'incisivo, tuttavia non era necessario sorridere come se fosse in palcoscenico. Così poteva, anzi, doveva ridere Lili Sybel. Ma donna Delizia? Provò due o tre sorrisi. Decise per quello che scopriva sì i denti, ma non li esponeva come la propaganda di un dentifricio. E pensò che sorridendo così avrebbe fatto colpo su tutte le persone per bene, alle quali piacciono i sorrisi dolci, che fanno pensare a un grande cuore, a un animo limpido, a una lieta e serena saggezza.

Indossava una vestaglia di velluto leggerissimo, color ciclamino, riccamente orlata, allo strascico, di volpe tinta nello stesso colore della stoffa. La vestaglia aveva un'altra bordatura che chiudeva in un triangolo lo scollo sul petto e sulla schiena. Vestaglia troppo teatrale, troppo provocante. Poteva piacere a Walter, poteva incantare il vecchio uomo. Ma sarebbe piaciuta a Lido, una simile vestaglia? Quando una donna vuole avvincere un giovane uomo, deve celare, non esporre. Il giovane non ha bisogno di frustate, ché l'uomo è come il cavallo. Per far correre il giovane puledro, non è necessario batterlo: qualche frustata la si può dare soltanto al cavallo anziano, che s'attarda, perde terreno...

«C'è tutto un corredo da rifare...» – pensò Lili Sybel. – «Tutta questa roba odora di palcoscenico. Bisogna portare a Lido roba che abbia odore casalingo... Deve essere un meditativo, quel ragazzo, ed è proprio inutile che la sua meditazione si fermi a una scollatura o a una curva troppo esposte. Ci perderei...».

Passarono due o tre giorni. Walter ritornò. Come lo vide, Lili s'accorse come durante la breve assenza l'uomo fosse terribilmente invecchiato. Ma bastò che Walter sentisse al collo le braccia della donna amata, per far sì che le sue rughe diventassero meno profonde, gli occhi meno stanchi, la voce meno vecchia.

– Una malinconia, Lili! Mia moglie ha avuto una crisi di cuore. E pur stando tanto male trovò il modo di amareggiarmi...

– Non ci pensare. Ora sono io, qui...

– Sì, cara... Ci sei tu, che mi vuoi bene... Mi vuoi un poco di bene, Delizia?

– Se non ti volessi bene, non sarei qui. Tu sai pure che se non fossi entrata nella tua Compagnia, ne avrei avuta una creata da me, come nel passato, e sai pure che se avessi voluto scegliere fra i miei pretendenti, non avrei dovuto fare altro che tracciare un nome...

– Lo so, lo so... Tuttavia, io qualche volta mi domando perché tu così giovane, bella, celebre, possa tollerare me che sono vecchio... Ma tu sai, Delizia, quanti anni ho?

Ella si strinse nelle spalle:

– Gli anni non contano. E io ho scelto te perché ho bisogno di sentire vicino a me un uomo che non ami di me solo il mio corpo. Uomini così ne trovo dappertutto, ti sembra? Tu invece mi dài la sensazione di sapermi proteggere, di sapermi capire, di sapermi aiutare. Una donna sola ha bisogno di tutto questo e tutto questo non si può pretendere da un bel ragazzo che sappia amare solo con i sensi. Non è così, Walter?

Vicina a lui, accarezzandogli i capelli folti e bianchi, Lili sorrideva. E l'uomo, finalmente, sorrise. E poi mise una mano in tasca e trasse quella teca che Lili aveva già sentita e valutata.

– Ecco il monile per la mia Delizia... – mormorò, già pregustando la felicità della donna.

E fu davvero un limpido e schietto grido di gioia quello che Lili lanciò nell'aria. La collana di brillanti, desiderata da anni, quella che doveva aggiungersi a tutti i suoi splendidi gioielli, era finalmente sua, faceva parte del suo «corredo» di femmina lussuosa.

Senza attendere l'aiuto di Walter, fermò al collo il bel gioiello. Una luce vivida, uno sfolgorìo mirabile, riverberarono sul volto della donna. Ella andò allo specchio, sorrise, toccò le pietre sfavillanti.

– Già si scaldano sulla mia pelle... – mormorò felice.

E Walter, seduto in una poltrona, gioì di quella felicità che gli colmava il cuore di commozione.

Poi Lili Sybel cominciò a parlare della rivista, e più tardi mostrandosi colma di tenerezza, mandò Walter a dormire, assicurandogli che aveva un aspetto estremamente stanco e gli occhi piccoli per il sonno.

– Domani – gli disse accompagnandolo fino alla sua camera – domani sarai forte, bello, sereno. E Delizia sarà vicina a te. E anche Lili, sarà vicina a te. Sei contento, amore?

Egli la ringraziò, baciandole devotamente tutt'e due le mani. Lili tornò nella sua camera e vi si chiuse a chiave.

XII

Lido Marini guardò le tre lettere che l'attendente gli aveva portato. Una era della madre sua, l'altra d'un amico, la terza...

«Questa è Lili Sybel» – si disse. – «Con ogni probabilità dirà che sono un perfetto maleducato, perché non ho risposto alle sue cartoline. E se dovessi dire perché non ho risposto, non saprei dirlo. Ho dimenticato? Ho creduto inutile rispondere a Lili Sybel? Non avrei dovuto essere tanto scortese. Infine, non si deve dimenticare che Lili Sybel è anche donna Delizia e che donna Delizia è sempre stata d'una cordialità grande e la sua ospitalità, generosa e cortese, non ha avuto mai precedenti. Ho torto. Ma basteranno due cartoline per compensare Lili di tanta gentilezza? Fiori gliene ho mandati a montagne, ma...»

Si strinse nelle spalle:

«Quando tornerà, penserò a come sdebitarmi... Oggi bisogna pensare a un regalo per Pervinca. Che cosa si può regalare a quella bimba? È molto difficile fare regali a chi ha tutto... Comunque, me la caverò...».

Così pensando, aveva strappato la busta e tratto il foglio che conteneva. Un profumo leggero leggero, ma squisito, gli salì subito alle nari.

«Che diavolo mi deve dire, Lili? È fissata con me, quella?»

Cominciò a leggere e, via via che leggeva, sulle sue labbra s'andava distendendo un bel sorriso, che stava tra l'ironico e il divertito. Come ebbe terminato piegò la lettera, la ficcò in una tasca.

«Se non è matta Lili» – pensò – «matti al mondo non ce ne sono più... Tuttavia è una matta simpatica, che rivela anche qualche attitudine all'inquadramento... Le risponderò...»

Aprì la lettera del collega. Chiacchiere... Aprì la busta che conteneva la lettera della madre. Era una delle solite lettere:

«Caro figlio, tutto va bene qui... Tuo padre ha cominciato ad andare a caccia... Tua sorella è giunta con i due bambini e con il marito. Io sto bene, ma temo sempre per te... Non sei voluto diventare medico come tuo padre e ora non vuoi darmi quell'altra consolazione: quella di sposarti. Io vorrei vederti accasato con una brava creatura. Una donna che avesse su per giù la tua età o anche meno... Che sapesse dirigere una casa, che non avesse sciocchezze per il capo...».

E più avanti la madre riattaccava:

«Sposati, Lido; credi, la vita di un uomo si conclude solo con il matrimonio. Che farai, se resterai scapolo? Noi non possiamo vivere in eterno e tua sorella ha la sua famiglia. Non vorrai finire nelle mani di una di quelle donne che sono destinate a finire nel più profondo dell'inferno... Qualche volta io penso con spavento che tu debba innamorarti di una di queste ragazze, e ce ne sono troppe, che hanno una madre leggera e che dalla madre ereditano la leggerezza o peggio e portano poi la disgrazia nella famiglia che le accoglierà... Guardati, figlio mio, dal fare sciocchezze. Tutte le donne della nostra famiglia conoscono una sola via: quella dell'onore...».

Mise in un cassetto la lettera di sua madre; andò a bussare alla porta della camera di Folchi. L'attendente di questo che passava nel corridoio, disse:

– Il signor capitano è uscito da mezz'ora.
– Uscito dall'aeroporto?

– Signorsì.

Marini tornò nella sua camera, mise il berretto, pensando:

«Scommetto che è andato lassù, quell'animale! Sta facendo acrobazie per precedermi sempre. Voglio sentire che inventa per giustificarsi... Bisognerà che mi decida a cantargliele chiare...».

Ma subito a quel pensiero, rapido, un altro si aggiunse:

«Cantargliele? E con quale diritto? È la mia fidanzata, forse, Pervinca? E allora, come posso andare io a «Villa Delizia», può andarvi lui...».

Una scontentezza nuova gli colmò il cuore di amarezza. E non comprendendo questa amarezza, si inquietò:

«Al diavolo le donne quante sono!»

Aggiustandosi addosso la giubba, sentì nella tasca la lettera di Lili Sybel. La tolse, la mise con le altre lettere. Poi, senza sapere il perché, la rimise in tasca e uscì.

Salì in macchina, si diresse verso la città. La sera di fine ottobre era fredda. Pensò con gioia al bel caminetto di «Villa Delizia». Ma invece di lasciarsi tentare da quel tepore, accelerò la corsa e giunse a Perugia. Andò al Brufani, dove solitamente, la sera, alcuni piloti cenavano. Non c'era ancora nessuno. Lasciò la macchina davanti all'albergo, s'incamminò per corso Vannucci. Bighellonò, scantonò e fu a Porta Sole. I negozi erano illuminati, la gente passeggiava. Con le mani ficcate nel soprabito, Marini s'andava fermando davanti a ogni vetrina, sentendosi invadere da una spossatezza nuova che gli faceva togliere a fatica la mano dalla tasca ogni volta che doveva rispondere a un saluto. Davanti a un negozio di profumiere, si fermò:

«Ci sarà un profumo molto fine per Pervinca? Ci vuole roba di gran classe, per quella pupa!».

Entrò nel negozio, chiese ciò che desiderava. La commessa capì a volo e gli mise davanti un cofanetto elegantissimo, che oltre a racchiudere un profumo che si poteva, dalla marca, definire immediatamente di gran classe, offriva la preziosità d'un astuccio veramente artistico.

– Si può far recapitare subito?

– Senz'altro – rispose la donna.

Marini diede l'indirizzo, uscì.

«Riceverà il profumo e non mi vedrà. Resti con Folchi, se così le piace...»

Ma non era contento. Pensava alla gioia di Pervinca quando avesse aperto il cofano che racchiudeva solo il biglietto di visita del donatore e alla delusione che avrebbe poi avuto la ragazza non vedendo arrivare l'amico Lido.

Una gioia amara gli stirava le labbra. Vedeva Pervinca stappare la boccetta, annusare il profumo, socchiudere gli occhi. Piacevano, a Pervinca, i buoni profumi. Era raffinata come la madre... Ma Pervinca non aveva la spensierata esperienza della madre e la momentanea felicità che poteva portarle il grazioso dono si sarebbe sciupata a ogni minuto che fosse trascorso senza la presenza dell'uomo amato.

«Ma mi amerà davvero?» – si chiese Lido Marini, riprendendo a camminare per corso Vannucci. – «E se mi ama davvero, che nome si può dare al mio contegno? Che aspetto, io? Che voglio? Che intenzioni ho? Amo e ho paura, è chiaro... Ho paura di Lili Sybel... Questa Lili Sybel che per due giorni ha avuto un capriccio per Folchi e poi è partita con un altro e ora scrive a me... Che vuole da me, Lili Sybel? Vuole sedurmi? Come se fosse difficile sedurre un giovanotto della mia età, come se... Ma che donna pazza... In questa sua lettera dice e non dice, pare e non pare... Ma vada a farsi benedire lei e chi...»

Incontrò tre colleghi.

– Dove vai, Marini?

– Mi scoccio, in attesa di andare a cena.

– Possiamo cenare subito. Poi andiamo a teatro: c'è una Compagnia di riviste che deve essere divertente per la sua «sbulinatura». Abbiamo visto in giro certe ragazze che se dovessero ballare senza reggiseno...

Ridevano, andando tutti verso l'albergo. Più tardi si recarono a teatro dove presero quattro poltrone. La compagnia era molto pretenziosa, la *soubrette* si dava grandi arie, esibiva vestiti che parevano fatti con cocci di vetro e una nudità completamente sfatta. Un elegante signore che stava alle spalle degli ufficiali, osservò:

– È una cosa pietosa. Quando s'è visto Lili Sybel ogni altra *soubrette* annoia. Questa, poi, stomaca...

Un'altra voce maschile, aggiunse:

– Lili Sybel deve essere a Vienna, dove fa quattrini a palate e dove pare abbia un successo veramente grande.

– Grande artista, la Sybel...

– Qualche mese fa la vidi a Perugia... Deve avere una villa da queste parti...

– Una villa? E chi gliel'ha regalata?

– Un uomo, certamente. Non pretenderai che alla Sybel sia una donna che fa un regalo...

– Deve avere una figlia... È vero?

– Non so. Comunque, se cresce alla scuola della madre...

Marini si volse. Guardò di sfuggita i due che parlavano. Erano persone ben vestite, dall'aspetto distinto, serio, disinvolto.

«Se la gente moderna pensa così della famiglia Sybel, figuriamoci l'altra gente... Ma che pettegoli, con quei «deve, deve» – si disse quasi sdegnato.»

Lo spettacolo l'annoiava mortalmente. A un tratto non poté più resistere.

– Ragazzi, io me ne vado... Casco dal sonno...

– Aspetta! Ci mettiamo uno su l'altro e torniamo insieme all'aeroporto.

Pigiati, ma lieti, i colleghi salirono sulla piccola macchina di Marini.

Ma quando fu solo nella sua camera, il giovane si sentì esasperare. Era tornato, Folchi? Bussò alla camera dell'amico. La voce di lui, pacata e chiara, rispose:

– Avanti, Marini.

Folchi era già a letto e leggeva il giornale, fumando.

– Già tornato? – fece Marini.

– Come già tornato? È quasi mezzanotte.

– Non ti sei fermato a cena, lassù?

– No; qualche volta, passi, ma prendere «Villa Delizia» per una pensione sarebbe troppo.

Marini sedette sul letto dell'amico; disse:

– Io ho cenato al Brufani, poi sono andato a farmi restare la cena sullo stomaco guardando un palcoscenico dove la miserabilità di certe donne era appena appena velata. Mi sono scocciato e sono tornato qui prima che lo spettacolo finisse... Tu, che hai fatto?

– Io ho chiacchierato in italiano, inglese e tedesco con Pervinca; poi sono rientrato.

«E di me avete parlato?» – voleva chiedere Marini. Ma non osò.

E Folchi, sorridendo contento:

– Apprende con facilità estrema, Pervinca. Ormai ha imparato più con me, in questo tempo, che a scuola in tanti anni...

– Merito del maestro! – osservò ironicamente Marini. – È risaputo che il maestro simpatico invoglia l'allievo allo studio. Quando poi il maestro è un bel ragazzo come te e l'allieva una bella ragazza come Pervinca...

– È perfettamente inutile che tu lanci sassate nel mio giardino. Non colpiscono nessuno. Pervinca e io siamo ottimi amici e nulla più.

– Ci credi ancora, tu, all'amicizia fra un giovanotto e una bella ragazza? Io non ci ho mai creduto.

– Perché sei maligno.

– Può darsi.

E ancora voleva chiedere:

«È piaciuto a Pervinca il mio dono? Che ha detto non vedendomi arrivare? T'ha incaricato di portarmi i suoi saluti?».

Come se avesse letto nel pensiero dell'amico, Folchi disse:

– Naturalmente, ci sono molti saluti per te e anche ringraziamenti... Grazioso, quel cofanetto. Piacque molto a Pervinca!

Marini trasse un gran sospiro, ma fece soltanto:

– Ah...

– Ah... bella frase!

– Se non si ha nulla da dire, può essere sufficiente...

– E se non hai nulla da dire, non puoi lasciarmi finire di leggere il giornale?

– Ti do fastidio?

– Ma che fastidio d'Egitto! Mi dici che non hai nulla da dire e io ribatto che se devi star lì a dire «ah» e a farmi pendere il letto da una parte puoi andare a fare questi lavori nella tua camera. Oh, perbacco!

– Accidenti, come ti incilindri! Si può sapere che cosa ti gira per la testa?

– Nulla mi gira. Ho fatto tre ore di volo con dei ragazzi che si erano dati la parola per farmi raggelare il sangue e dovevano aver stabilito di far a gara per vedere chi riusciva a crepare prima con l'istruttore. Sono andato a prendere un poco di svago e sono tornato presto perché ero stanco morto: ora sono qui che mi riposo leggendo le balle che scrivono gli uomini e arriva lui a dirmi «ah» e a farmi pendere il letto tutto da una parte. Se c'è una cosa che mi irriti, è il dover star così sbandato quando sono sotto le coperte.

Marini non rispose. Sorrideva.

– E si può sapere che cosa c'è adesso? Perché sorridi? Per mostrarmi i denti? Non sono una donna, io; non attacca il fascino biondo, con me!

– Hai finito? Non ti accorgi di essere ridicolo con queste tue sfuriate da innamorato timido?

– Chi è l'innamorato timido?

– È il capitano Enrico Folchi.

– E che cosa ti fa pensare che io sia un innamorato timido?

– Il tuo stato d'animo. Sei nervoso, irrascibile; sembri una zitella al corteo nuziale d'una bella ragazza... Ma diglielo che l'ami, perbacco.

– A chi dovrei dirlo?

– A Pervinca! Ma credi che non mi sia accorto di nulla? Credi che non veda come scappi, felice di andartene prima di me, per essere solo con lei... Ma figurati! Se lo vuoi, io lascio il campo libero! Tanto, io non la sposerò mai, quella ragazza!

– Tu sei matto da legare! Io non amo nessuno; io vado da Pervinca perché mi fa pena vederla sola...

– Se ti fa pena vederla sola, ragione di più perché non ci vada tu, pure solo. In tre ci si diverte di più... Sempre che non si pensi a divertirsi di più in due...

– Vattene, Marini, mi hai scocciato abbastanza.

– Figurati... Buona notte!

S'avviò, ma subito si volse:

– Che ha detto, madamigella? Non ha chiesto dove ero andato a sbattere io? Non t'ha domandato se per caso ero morto?

– No; ha guardato il calendario e ha visto che non era giorno in cui dovevano morire i fessi... Ha annusato il profumo, ha detto: «Sa d'incenso...» e con l'incenso t'ha mandato a farti benedire. Come faccio io, ora.

– Grazie.

Tornò sdegnatissimo nella sua camera. Trasse la lettera di donna Delizia, riprese a leggerla. Ma il pensiero era lassù, presso Pervinca. Dunque non s'era troppo preoccupata per la sua assenza! Dunque non aveva nemmeno chiesto se l'amico Marini era morto o vivo, se gli era capitato qualche cosa, se era partito, se si era rotto il collo... e tantomeno se fosse andato da quella famosa, supposta amante.

«Ma che cosa vuoi sperare tu, dalle donne?» – si disse. – «Pare che debbano morire d'amore per te e poi, se stai via un'ora e in quest'ora un altro le avvicina, eccole con l'altro e tu sei servito. Tutte così e Pervinca, con l'esempio della madre, peggio di tutte...»

Si coricò. A letto riprese a scorrere le righe tracciate da Lili Sybel.

«Ma aspetta che torni tua madre, ochetta candida! Vedrai, se mi ci metto, come so corteggiare le donne, io! Ti farò diventare matta di gelosia, sì matta quasi...»

Si sarebbe dato un pugno in testa e tuttavia non poté fare a meno di confessarsi:

«Quasi matta quanto sto diventando matto io, per te...».

E meditando una vendetta che già sentiva stupida e meschina, crudele e spregevole, si addormentò.

XIII

Vanna scese le scale a salto. Il postino le allungò con poca grazia una lettera.

«Si vede che non piglia mance, questo principe in incognito...»

Guardò la busta. Era intestata a una ditta fornitrice di agrumi. «Loro hanno mangiato le arance, io dovrò pagare il conto. Il proverbio dice: «Semina e raccoglierai i frutti...». Io non ho seminato, i frutti li hanno mangiati gli altri... Oh, che vita!»

Risalì lentamente. Non consegnò neppure la lettera alla madre. Sapeva che avrebbe detto:

– Mettila lì. Dio provvederà.

Ma Vanna non credeva proprio in quel Dio che, secondo sua madre, sarebbe dovuto scendere dal cielo e passare lungo la doppia fila dei creditori di casa Berté, dispensando banconote. Non lo vedeva la giovane Vanna un Dio intento a dare danaro e a prendere ricevute con tanto di bolli. E allora trovava inutile credere nel Dio di sua madre e preferiva credere nel suo Dio, quello che stava lì, crocifisso, e non scendeva a consolare i creditori, ma stava negli altissimi cieli a vegliare su tutti, anche sulle fanciulle infelici. In questo Dio, che sulla terra ella vedeva sulla piccola croce di ebano, scolpito nell'avorio, Vanna credeva. E aveva fede, aveva pazienza.

Nella sua camera, Vanna riprese a cucire. C'era un mucchio di biancheria da rammendare. Forse quella biancheria attendeva ago e filo da mesi. Sua madre non ci vedeva a rammendare, la vecchia donna di servizio aveva tempo solo per lagnarsi e mettere insieme due bocconi di cibo. Lenzuola, federe, tovaglie, tovaglioli, camicie materne vaste come capanne, attendevano il lavoro della giovinetta. La casa era silenziosa: vi stagnava ancora un poco l'odore dei medicinali, ché la madre non voleva rinunciare ancora a tutte quelle inutilità in gocce che secondo lei doveva prendere per «tirare avanti». Tuttavia, già nella casa un odore nuovo andava prendendo il sopravvento su tutti gli altri. Ed era odore di pulito, di giovinezza, di aria sana.

Chiusa nella camera dove il marito era morto, la madre di Vanna pregava tenendo or un rosario tra le dita or un libro da Messa. Aveva sempre gli occhi un poco rossi, la signora, e usciva di casa solo per andare a trovare la madre del nipote, di quel nipote che doveva diventare il marito di Vanna. La sera, di tanto in tanto, Mauro Berté veniva a fare visita. Allora la signora Berté, madre di Vanna, sedeva sul divano della sala tetra, nella quale Vanna metteva tutti i fiori che trovava nel giardino ed erano sempre brutti fiori, ma colpi di colore. E stando sul divano, la signora Berté fingeva di addormentarsi. Ma di tra le corte ciglia che parevano infarinate, la donna sbirciava i due giovani e sempre stupiva di non vedere né sguardi innamorati, né carezze furtive, né strette gioiose. Una sera Mauro tentò di dare un bacio sul collo a Vanna e questa, scostandosi, disse:

– Non fare il cretino...

Più tardi, quando Mauro se ne era andato, la madre disse alla figlia:

– Io ammiro la tua serietà e la tua onestà, Vanna; tuttavia, se Mauro ti deve sposare, bisogna pure che tu gli conceda qualche bacio. So bene che i baci a una ragazza pura possono fare anche ribrezzo, ma...

Vanna aveva trattenuto a stento un risata. Rapido il pensiero era andato lassù dove una luminosa villa si ergeva nel sole. E i baci di Folchi, come allora, le avevano scottato la bocca, dandole brividi di piacere. Ma alla madre disse:

– Se vuole baciarmi, si decida a darmi l'anello di fidanzamento, stabilisca la data delle nozze e comperi i mobili. Non pretenderà che io prenda come letto nuziale quel catafalco dove dorme sua madre!

La signora Berté aveva capito che Mauro non piaceva alla figlia. E per timore che questa rifiutasse l'unione con Mauro, cominciò a parlare della felicità dei matrimoni combinati e dei disastri di quelli d'amore.

Quell'argomento dei matrimoni d'amore tornava sempre a galla e allorché Vanna le fece notare che il suo era stato appunto e unicamente d'amore, la donna rispose:

– Ma il nostro è stato un caso speciale. Noi non eravamo più giovani quando ci sposammo...

– Va bene – rispose Vanna – aspetterò anch'io di non esser più giovane. E mi sposerò per amore se quel somaro di Mauro non mi impalmerà subito... O subito o mai più. Faglielo sapere.

Cucendo e rammendando, Vanna pensava. E non erano certo pensieri lieti, quelli che accompagnavano l'andare e venire del suo ago, ché il bel viso bruno era tutto un'ombra.

La signora Berté entrò nella camera della figlia. La fanciulla guardò quella figura alta, magra, tutta vestita di nero, guardò quel piccolo viso rinsecchito sul quale parevano una parrucca i folti capelli quasi bianchi. Stava lì, sua madre, immota sulla soglia e pareva volesse e non volesse parlare a Vanna. Questa capì e domandò:

– Che cosa c'è?

La vecchia signora non rispose. Allora Vanna capì che doveva esserci qualche cosa di grave, posò il lavoro, si alzò, andò incontro alla madre.

– Che cosa capita, ancora?

Invece di rispondere, la signora Berté portò il fazzoletto agli occhi.

– Ti dico subito, mamma – cominciò la fanciulla – che se piangi non si risolve nulla. Siedi qua, sul divano, vicina a me, cerca di non piangere e di parlare. Solo così capiremo e provvederemo...

– Se il Signore non ci aiuta... – pianse la donna.

– Ecco: ammetti senza esitare che il Signore non ci aiuti. Il Signore ha altro da fare che star a guardare i nostri pasticci... Ne ha regolati fin troppi. Ora dobbiamo darci d'attorno noi. Parla, per favore.

– Io... io, per non farti soffrire, ti ho detto una bugia.

– Bugie me ne hai dette troppe, mamma, ma non importa. Butta fuori quest'altra.

– Non è vero, figlia mia, non è vero che avevamo già pagati gli interessi dell'ipoteca. Non avevamo ancora pagati quelli dello scorso anno e ora, a dicembre, si devono pagare...

– ... quelli dello scorso anno e quelli di quest'anno. Benissimo! E dici che il Signore non ti aiuta! Ma ringrazialo, il Signore! Ti ha aiutata fin troppo, dandoti un creditore paziente, che non t'ha fatto mettere subito all'asta la casa... A quanto ammonta, quest'interesse?

– Diecimila lire... – mormorò la donna.

– Diecimila lire...

– A l'anno...

– Ventimila, allora... – disse con voce rauca, Vanna.

– Sì...

– Ventimila lire! E dove si trovano?

– Eppure bisognerà trovarle, altrimenti ci vendono tutto e ci mettono sul lastrico...

– Mi pare già di esserci, mamma. Perché io ventimila lire non so proprio come metterle insieme. C'è qualcuno al mondo che possiede ventimila lire? Che riccone!

– Tu scherzi, Vanna, e io sto impazzendo per il dolore. Chi ha prestato il danaro è un contadino ricco...

– Accidenti!

– E ai contadini ricchi è inutile tentar di toccare il cuore!

– È inutile tentare di toccargli il cuore! Bisogna pagare! E poi, quando avremo pagato, bisognerà stabilire qualche cosa, perché noi non avremo mai il danaro per togliere l'ipoteca e neppure potremo continuare a versare diecimila lire l'anno di interessi...

– Con il tuo matrimonio si sistemerà tutto, Vanna...

– Ma siccome il mio matrimonio non è ancora avvenuto... e perché avvenga bisognerà che tutto sia sistemato... Ma guarda che bel giro si fa attorno a questa storia! Mauro non vorrà sposarmi se avremo pasticci, i pasticci non si eliminano se lui non mi sposerà. Divertente, vero, la faccenda?

– Divertente o no, bisogna uscirne.

La voce della signora Berté non era più né implorante né triste. Era una voce dura, di chi pretende, di chi ordina, di chi decide.

Vanna guardò stupefatta sua madre: vide sulla sua faccia un'espressione dura, cattiva, decisa. Si sentì ribollire il sangue senza saperne esattamente il perché.

– E va bene! – scattò. – Escine, se sei capace!

– Io? Ma tocca a te, cara! Infine, se abbiamo fatto dei debiti, li abbiamo fatti per te!

– Per me? Ma in che modo?

– E non ti abbiamo tenuta tanti anni in un collegio di lusso? Credi forse che ti tenessero in quel principesco collegio per la tua bella faccia?

– Ah... – fece Vanna smarrita. – Dunque è così. I debiti sono stati fatti per me... tutta questa ridda di pasticci nella quale si affoga, è stata creata da me! Anche le arance non sono state pagate, anche l'abito nero con i calzoni a righe, anche la stufa elettrica, anche la poltrona-letto, anche i medici, le medicine, le... Eh, no, sai, non attacca. Tu hai speso per mio padre quello che non dovevi spendere, e io non ti giudico perché avrei fatto come te; ma che tu mi rinfacci gli anni che sono stata in collegio è troppo! Perché mi hai messa in un collegio di lusso? Te lo chiesi io, forse? Avevo cinque anni quando mi mandasti in collegio, perché in casa davo fastidio, perché ero troppo vivace e disturbavo i vostri placidi amori! E a cinque anni, lo scelsi io il collegio? Se tu mi avessi messa in un istituto modesto, sarei forse uscita capace di guadagnarmi il pane: ma tu, proprio tu, per una falsa boria, per una errata interpretazione della vita, mi hai chiusa là, fra milionarie e contessine, e ora sono qui, che non so fare nulla di redditizio, e mi sento rinfacciare quanto si è speso per me! Ma infine, parliamo chiaro! Che pretendi da me, tu?

Era ritta davanti a sua madre, fremeva tutta ed era pronta a parare la risposta brutale che sarebbe certo venuta. Invece, la signora Berté, molto tranquillamente rispose:

– Io pretendo che tu sposi al più presto Mauro.

– Benissimo! Diglielo: Mauro, sposa subito Vanna. Io accetto. Ma glielo dici tu, sai, io non dico nulla.

La signora Berté rispose, con quella voce che pareva lo stridere di fredde lame:

– Non è necessario dirglielo: basta costringerlo.

– Costringerlo? E in che modo? Che io sappia, non si può prendere un uomo per il collo e trascinarlo in Chiesa!

La signora Berté fece un atto annoiato:

– Non dire parole inutili, Vanna. Un uomo lo si può mettere con le spalle al muro in mille modi. Basterebbe, per esempio, che tu sapessi farti sorprendere in un colloquio troppo intimo con lui... Che so... Seduta sulle sue ginocchia, molto vicina a lui... Io griderei allo scandalo e lui...

– Basta! – urlò Vanna. – Se tu non fossi mia madre mi faresti schifo. Sei mia madre e mi fai solo pietà.

Balzò all'armadio, ne trasse di furia un soprabito e una piccola valigia.

– Che fai?

– Me ne vado! In un modo o nell'altro saprò trovare il danaro per pagare la somma che tu devi al tuo contadino.

Rigidamente eretta, la signora Berté si parò davanti alla figlia:

– Tu di qui non esci! – intimò.

– Non esco? E chi lo dice?

– Io, te lo dico.

– È troppo poco!

Scansò la madre, corse giù per la scala. Fu nella strada. Imbruniva. A piedi, con il cervello tanto sconvolto da farle temere di impazzire, si diresse alla stazione. Lì, dovette attendere un'ora. Era buio quando il treno arrivò. Salì in uno scompartimento di terza classe e arrivò a Terontola in tempo esatto per prendere la coincidenza con il treno locale per Perugia. Lì giunta, esitò un poco prima di telefonare a «Villa Delizia». Ma il freddo, la fame, lo scoramento, le diedero coraggio. Come ebbe detto il suo nome al cameriere che le rispose, non ebbe da attendere che pochi istanti e la voce gioiosa e stupita di Pervinca le rispose.

– Pervinca, perdona se capito così, senza avvertirti, in un'ora tanto poco adatta... Ma sono disperata, Pervinca...

Di là dal filo, la cara voce di Pervinca le rispose subito:

– Vieni, non perdere tempo in chiacchiere... Ti mando a prendere con la macchina...

Vanna uscì dalla stazione. Posò il suo piccolo bagaglio a terra, attese. Perugia era tutta picchiettata dalle piccole stelle delle lampade elettriche. E come le vie salivano, salivano tutte le luci e pareva che un altro cielo si fosse rovesciato sulla terra. L'aria era fredda, ma portava un così buon odore di erbe falciate, di fiori carnosi, di foglie morenti, che pareva di vivere una capricciosa notte di primavera. Addossata a un pilastro,

Vanna pensava a sua madre e dal cuore le nasceva a poco a poco una profonda amarezza. Ma perché doveva, sua madre, non esitare a sacrificare la figlia? Perché sua madre non era come tutte le altre mamme?

«La fortuna mi assista nell'avvenire» – pensò Vanna. – «Visto che nel passato mi ha sempre girato le spalle...»

E le parve già un presagio di fortuna vedere arrivare la macchina di Pervinca. L'autista scese, la salutò con molta deferenza, ma con altrettanta cordialità. Le aprì lo sportello, Vanna salì e si trovò fra le braccia di Pervinca.

– Tu! Ma perché sei uscita a quest'ora, con una serata tanto fredda?

– Vanna, Vanna cara! Che cosa è accaduto? A quale sventura debbo la gioia di rivederti? In questi momenti benedico anche i guai!

– E che guai, Pervinca...

– Mi dirai, mi dirai... E riparremo a tutto.

La macchina correva e Vanna riconosceva i luoghi tanto amati, che non aveva lasciato da troppo tempo e che tuttavia le pareva di non rivedere da tanti anni. Sotto la luce di una lampada, vide un folto di robinie. Il cuore le si strinse, pensando a Folchi. Ma la mano di Pervinca cercò la sua mano nell'istante stesso e il cuore si chetò.

– Bruci... – mormorò Pervinca.

– Forse ho un poco di febbre...

La stretta della mano di Pervinca si fece più tenace. Pareva che con il suo silenzio le volesse dire di aver fede, pareva che con la sua tenerezza volesse dirle tutto il suo bene. Vanna capì. E una preghiera fervida e sincera salì dall'animo suo a quel Signore nel quale credeva.

«Buon Dio, per il bene che questa creatura compie verso di me, fa che ella possa sempre essere felice.»

Scesero davanti alla pensilina di «Villa Delizia». Le

accolse subito la luminosità dolce delle sale, il bel tepore del termosifone.

– Hai fame, Vanna?

– Sì, ma sarà bene che prenda solo una tazza di latte. Devo avere un po' di febbre, certo.

– Allora vai a letto. Ti faccio portare il latte appena sarai coricata.

La camera di Vanna pareva in attesa della giovane ospite. La cameriera aveva portato un fascio di salvie scarlatte e le aveva poste a terra in un alto vaso di cristallo nero e lucente. La camera, tutta addobbata in rosa, con quella chiazza rossa nel vano della finestra, diede a Vanna una sensazione piacevolissima, come se lì, ad attenderla, ci fosse stato un grande cuore amico.

Pervinca sedette vicino al letto e come Vanna ebbe bevuto il latte tiepido e mangiata una mela cotta nello zucchero, domandò:

– A che cosa debbo la gioia di averti ancora con me?

Vanna ripeté esattamente tutta la scena avvenuta tra lei e la madre. E come ebbe finito disse, con voce sorda:

– Capisci che roba, Pervinca?

– Sono quasi incredula... Può una mamma essere tanto cattiva con la figlia?

– Cattiva? Ma no! Incosciente, ecco tutto! Il male è che ora non so dove andare a sbattere la testa...

– Non devi andare a sbattere la testa da nessuna parte. Domani stesso spedirai un assegno a tua madre perché provveda a pagare questi interessi. Poi ci faremo consigliare dalla mia mamma. È inutile spalancare gli occhi. Posso darti quella somma senza interessi... E di te abbiamo parlato abbastanza. Non mi domandi nulla?

– Vorrei domandarti se sei felice con il tuo Lido.

– Sarei felice – rispose Pervinca – se avesse già sistemata tutta la sua posizione di uomo...

222

Rise come chi la sa lunga e, volgendo un poco il capo per non far vedere che arrossiva, aggiunse:

— Ho scoperto che chi lo trattiene dal fare la domanda ufficiale di matrimonio è una donna...

— Una donna?

— Sì, una di quelle donne che gli uomini credono qualche volta di amare...

— Ah, capisco! Un'amante! E tu vorresti sposare un uomo che ha un'amante?

— L'aveva. Ora non sa come fare a metterla in condizioni di non nuocere. Come sono queste donne, tu sai, ne abbiamo letto e parlato anche in collegio. Si abbarbicano a un uomo e quando questo uomo vuole piantarle per farsi una famiglia, minacciano, piangono, strillano e qualche volta uccidono...

Vanna, meno romantica di Pervinca, non credeva nelle donne che, piantato, uccidono, tuttavia ebbe un poco di paura e domandò:

— C'è una donna che vuole uccidere il tuo Lido? Ma bisognerà farla arrestare.

— Non so se proprio lo voglia uccidere; tuttavia, qualche ostacolo a che lui si sposi, lo oppone, Lido mi ha fatto capire questo e penso che egli voglia essere definitivamente libero, prima di fidanzarsi ufficialmente con me.

— Fa bene... È un galantuomo.

— Oh, sì! Ed è molto coraggioso. Per me, sfida chi sa quali scenate da quella donna.

— Come deve essere bello poter avere un uomo così!

Tacque; lasciò che i suoi occhi vagassero alla ricerca di un sogno perduto chi sa dove, poi mormorò:

— E Folchi?

— Oh, Folchi è diventato il mio grande amico. Mi dà lezioni di inglese e di tedesco e facciamo certe chiacchierate da non finire più.

— E Marini è contento?

— Credo di sì. Folchi viene qui quasi sempre quando Marini è assente per motivi di servizio o per altro. Se non fosse contento...

Vanna interruppe l'amica:

– Viene molte volte qui, solo, Folchi?

– Oh, sì: due, tre volte la settimana. Qualche volta si ferma anche a cena, qualche volta mi porta fuori con lui, come ieri sera. Andammo in un ristorante presso il Brufani: Rosetta, mi pare si chiami. Un luogo molto curioso che non pare molto bello, ma che ti dà poi certi dolci casalinghi che fanno concorrenza a quelli del mio cuoco.

– Siete tornati tardi?

– Non so; forse erano le dieci.

Pareva a Vanna di vedere Folchi e Pervinca vicini vicini nell'automobile che correva per la strada deserta. Chiuse gli occhi, mormorò:

– Fa bene, Folchi, a portarti fuori. Se Marini è contento...

Pervinca vide sul volto dell'amica una tristezza così grande che ne ebbe pena. Interpretò male quella tristezza e disse, lietamente:

– Ma non pensare più a casa tua! Pensa a questa casa, considerala tua! Tutti ti vogliono bene, Vanna, qui! Perfino la servitù, come seppe che arrivavi, dimostrò letizia. Non sei contenta di avere una seconda casa? Non sei contenta di avere una sorella in me?

Vanna tese le braccia, strinse a sé quasi con frenesia la compagna:

– Sì, sì – mormorò – lo so di avere in te una sorella. E qualunque cosa accada, qualunque cosa io debba patire, saprò dimostrarti il mio bene. Contaci sempre sul mio bene, Pervinca, sempre!

– Oh, certo! – rise la fanciulla. – Ho sempre contato su te e non solo da ieri!

Restò ancora un poco con Vanna, poi si coricò, a sua volta.

E il mattino dopo, gioiosamente balzò dal letto,

perché le parve che la casa, per la presenza di Vanna, fosse più amica, meno vasta, meno silenziosa.

Nel pomeriggio, quando non l'aspettavano, giunse Folchi. Aveva un pacco di libri per la fanciulla e Pervinca, osservando il dono dell'amico, chiese:

– Sareste capace di immaginare chi è giunto ieri sera?

– Dove?

– Qui!

– Vostra mamma.

– No...

– Allora non saprei davvero.

– È giunta una bella ragazza bruna bruna, buona buona, che si chiama Vanna.

– Ah...

Pervinca, sfogliando un libro osservò:

– Non mi sembrate troppo contento...

– Vi ingannate, Pervinca; sono contentissimo.

– Chiamo Vanna, allora?

– Chiamatela!

Poco dopo, Vanna apparve. Nel suo abito nero, la ragazza pareva più sottile e più pallida. Ella sorrise a Folchi tendendogli con franchezza la mano.

– Eccomi un'altra volta qui, Folchi. Come state?

Senza tentennamenti, era passata dal tu al voi, mettendo subito, tra lei e l'uomo, una distanza.

– Sto bene, Vanna. Voi siete dimagrita. Come mai?

– Amore e dispiaceri. O, se più vi piace, dispiaceri e amore.

– Male! I dispiaceri bisognerebbe scacciarli.

– Procurerò. Ma che bei libri avete portato! E che portentoso maestro dovete essere. Pervinca mi diceva che le avete insegnato l'inglese tanto bene che si sentirebbe di sostenere una chiacchierata con un londinese di marca.

– Pervinca è buona.

– Buonissima. Se non fosse così, a quest'ora sarebbe furibonda con il suo fidanzato che ancora non s'è fatto vivo.

– Fidanzato? – fece l'uomo.

– Già. Se non sbaglio Marini è il fidanzato di Pervinca.

– Oh, per ora credo che sia fidanzato come lo eravamo voi e io, Vanna!

La giovinetta posò il libro che aveva fino allora sfogliato e, guardando in faccia Folchi, disse con voce sicura:

– Spero di no! Ché Pervinca non è una leggerona come me e Marini non è un farfallino come voi.

– Debbo offendermi, Vanna?

– Se lo credete necessario, accomodatevi. Oh, ma ecco Marini!

– Vanna! – esclamò Marini entrando. – Di dove capitate?

– Non dalla luna, Marini. Capito da casa mia.

– E vi fermerete un poco? Sì? Sono tanto lieto per Pervinca! Almeno per ingannare il tempo non dovrà digerirsi tante lezioni di inglese e di tedesco.

Accarezzò la mano di Pervinca e disse, sorridendo:

– Comincio a essere annoiato di tutto questo tedesco, di tutto questo inglese, lo sai, piccola?

– Annoiato? Ma che c'entri? Sono io che studio.

– Lo so. Tuttavia, se interromperai le lezioni ti sarò riconoscente, e se non le riprenderai mai più ti sarò vivamente grato.

Lasciò la mano della fanciulla, si volse a Vanna e le chiese, gaiamente:

– Come vanno gli amori, Vanna? Oh, non parlo degli amori con Folchi; sono finiti da un pezzo, perché Folchi ha altro da fare, deve fare il professore, lui... Parlo degli amori con quel famoso cugino...

– Non vanno, quegli amori. Si tira per le lunghe... Sapete, nella mia famiglia si osserva il lutto...

– Giusto! Ma chi sa che mentre osservate il lutto non vi capiti di meglio!

– Magari... – scappò fuori a Vanna.

E tutti risero, tranne Folchi che aveva una ruga sulla fronte e pareva molto scontento.

– Che si fa, donnine? – chiese Marini. – Volete andare al cinematografo questa sera? Andiamo a cena in città, poi vediamo cosa ci offrono le sale cinematografiche di Perugia...

– No, grazie – rispose Pervinca. – Io vorrei restare in casa, questa sera. Si cena qui, poi si chiacchiera, poi si va a dormire.

– Ma non è possibile, Pervinca, restare a cena qui, ancora... – sorrise Marini. – Un giorno o l'altro, quando sarai arrabbiata con noi, dirai che abbiamo considerato la tua casa come una pensione.

– Tu prevedi che io mi debba inquietare con te e con Folchi?

– No, cara. Ma è quasi vergognoso...

– Finiscila! Si cena, poi si gioca a tennis da tavola. Vedrai che colpo d'occhio ha Vanna. Mira alla tua racchetta e prende lo specchio di fronte. Una volta, in collegio, mirò a Suor Candida che passava e prese il confessore che stava nel confessionale, in Chiesa.

– Ma la Chiesa, dove era? – fece Marini stupefatto

– Oh, dall'altra parte del giardino!

– Perfida! – protestò Vanna, mandando un bacio all'amica e sorridendole.

E la cena fu molto gaia. Vanna evitava di parlare con Folchi e questi evitava di guardare la fanciulla; tuttavia, l'affiatamento più completo era tra i quattro. Qualche volta, lo sguardo di Vanna si posava sulla bocca di Folchi: allora le sue lunghe ciglia palpitavano e le sue sottili e belle dita tremavano. Ma il volto restava impassibile e sereno. Talvolta, gli occhi di Folchi scrutavano la ragazza. E allora la mente dell'uomo pensava:

«Meno male che non ha tentato di riattaccare. Intelligente, la ragazza. Non lo supponevo...».

E subito da Vanna l'occhio andava a Pervinca, e si riposava su quel volto di bambina che gli beava lo spirito.

C'era molto caldo. Nelle loro giubbe pesanti gli ufficiali cominciavano a soffrirne.

– Io non so che cosa sia avvenuto – fece Pervinca. – O hanno fatto salire troppo la temperatura del termosifone o il tempo s'è mutato. Volete che faccia aprire le finestre?

– C'è gran vento – osservò Vanna. – Non senti come soffia? Piuttosto, Marini e Folchi, visto che siamo in famiglia, potrebbero togliersi le giubbe. Così, se giochiamo sono più liberi.

I giovani nicchiarono un poco. Poi tolsero le giubbe.

– Sfido io che avete caldo! – rise Pervinca. – Avete i panciotti di lana!

– Per andare lassù – osservò Marini – ci vogliono. Per stare qui non ci vorrebbero neppure questi.

Nella sala dove donna Delizia aveva radunato tutti i giochi, cominciarono una doppia partita a tennis da tavola. Poi si stancarono. Allora proposero di nascondere un oggetto e dare un premio a chi l'avesse trovato.

– L'oggetto si può nascondere in questa sala e nel corridoio che porta alla stanza di soggiorno. Se non si limita il luogo d'azione, questi bravi signori sarebbero capacissimi di mandarci a cercare l'oggetto in fondo al giardino.

– Con grande paura di Vanna che teme il babau! – rise Marini.

– Eh, no! – ribatté la fanciulla. – Non temo il babau. Temo gli uomini, io! Avanti, tocca a voi, Marini. Mettetevi in quell'angolo con la faccia al muro. Voi, Folchi, nascondete; che si nasconde? Dammi quel tuo braccialetto a catena, Pervinca. Si piega e può infilarsi dappertutto.

Marini si mise come la fanciulla aveva ordinato. I tre bisbigliarono un poco, risero sommessamente, complottarono. Finalmente, Pervinca gridò:

– Pronto!

Marini si volse; e allora cominciò la solita solfa del «fuoco... fuoco» «acqua... acqua...».

Il giovane cercò, frugò, non trovò nulla. Folchi aveva posto il braccialetto dentro un fascio di fiori. Finalmente, Pervinca, strizzando un occhio, facendo un cenno con il dito, gli indicò dove era l'oggetto. Fingendosi felice, Marini trasse il braccialetto dai fiori. E scelse chi doveva andare a sua volta alla ricerca del braccialetto. Indicò Pervinca e nello stesso tempo, sussurrò:

– Lo metto in una tasca della mia giacca...

Pervinca si volse con il capo al muro. Dopo parlottii scherzosi, Marini spedì Vanna a mettere il braccialetto nella sua giubba che era appunto nel corridoio.

Pervinca come ebbe l'ordine di iniziare le ricerche, finse di non sapere dove mettere mano, poi andò nel corridoio seguita dai «fuoco, fuoco» dei compagni.

Tastò le giubbe; non riconobbe quale fosse quella di Marini quale quella di Folchi. Uguali di grado e di colore, non era facile distinguerle. Allora gridò:

– Posso frugare nelle tasche? È permesso?

– Più che permesso! – risposero i giovani.

Pervinca frugò. In una tasca sentì cricchiare della carta e tinnire i ciondoli del suo braccialetto. Sorrise, introdusse la mano nell'ampia e fonda tasca. Il braccialetto era finito in un angolo e per toglierlo Pervinca dovette levare prima quella cosa che cricchiava e che era una lettera. Istintivamente ne guardò la soprascritta.

Restò immota a guardare i ben noti caratteri di sua madre. Un brivido le passò dalla nuca ai calcagni, si sentì diventare madida, s'accorse che la radice dei capelli le era diventata sensibile.

– Fuoco! Fuoco! Bruci! – gridò Vanna.

Afferrò con le dira tremanti il braccialetto, lasciò ricadere la busta nella tasca.

Vanna, che le era corsa incontro per congratularsi con lei, la vide bianca come una morta.

– Pervinca! Tu stai male!

– Sì, un poco...

– È stato il caldo – assicurò Vanna. – Bisogna che tu prenda qualche cosa... Un caffè... vïeni, cara...

Anche i due uomini furono attorno alla fanciulla. Con un giornale, Folchi le diede un poco di frescura, mentre Marini le porgeva un liquore.

– Non è nulla, passa – sorrise Pervinca.

Vanna, inginocchiata davanti a lei, le teneva strette nelle sue le mani.

– Sei tutta fredda, buon Dio! Non vorresti andare a letto, Pervinca? Marini e Folchi se ne vanno e noi stiamo chete chete ad aspettare che questo brutto male passi... Bisogna proprio andare, ragazzi. Noi donne, quando stiamo male, non vogliamo impiccioni attorno a noi. Buona notte, buona notte...

Un poco a malincuore, i due giovani se ne andarono. Pervinca era sempre pallidissima.

– Vuoi coricarti?

– Un momento...

– Eccoti il caffè. Bevilo mentre è caldo, su, coraggio!

– Non va giù, sai – mormorò Pervinca respingendo il caffè.

– Prova! Io credo che ti sia rimasta sullo stomaco la torta di funghi. È indigesta... Non torcere la bocca, lo so bene che sono discorsi prosaici, ma anche i poeti hanno un tubo digerente, abbi pazienza! Un cucchiaino di caffè per far piacere a Vanna, uno per far piacere a Lido...

– No, basta!

La risposta era così recisa che Vanna trasecolò:

– Basta che cosa?

– Tutto, tutto, tutto!

Vanna si levò in piedi, fece un cenno alla cameriera perché l'aiutasse a sorreggere Pervinca.

– Bisogna andare a letto, cara. Su, non fare i capricci, non mi piaci quando fai le bizze come una piccola di tre anni.

Pervinca si lasciò sorreggere e quasi portare nella sua camera. Vanna licenziò la cameriera, dicendole cortesemente:

– Potete andare. Faccio da me, grazie.

Pervinca era lì, seduta sul letto, con le braccia ciondoloni, il mento sul petto, le trecce sfatte.

Vanna aveva ormai capito che non si trattava di male fisico, ma di qualche altra cosa che non capiva e che tuttavia già presagiva. Tacque, attendendo che Pervinca parlasse. La spogliò come una bambola, le fece indossare il pigiama, la fece allungare sotto le coltri, sedette al suo capezzale. Con gli occhi fissi al soffitto, Pervinca stava immobile, silenziosa. Vanna, paziente, attese. Ma come sentì la compagna sospirare, disse:

– Ora finiscila di fare storie! Butta fuori quello che ti angoscia, non piangere che è inutile piangere e spassionati con Vanna.

– Oh, Dio...

– Ecco. Hai chiamato anche il buon Dio, e una cosa è già fatta. Ora fuori il resto. Che cosa t'è capitato mentre eri nel corridoio? Io sto rompendomi la testa in congetture degne d'un romanzo giallo e non riesco a venir fuori con una bella scoperta. Che cosa hai visto, che cosa hai sentito, che cosa hai trovato?

– Ho trovato una lettera nella tasca di Lido...

– Be'! Sarà il conto del sarto. Sapessi quante lettere del genere arrivano a casa mia!

– Era una lettera di mia mamma...

Vanna ebbe un guizzo come se fosse stata toccata dalla corrente elettrica. Ma seppe dominarsi e ridendo esclamò:

– Ma guarda! Tanto fracasso perché hai visto nella tasca di Marini una lettera di tua mamma! Ma ti venisse tanto bene, ragazza! M'hai fatta spaventare, hai fatto spaventare quei due ragazzi, hai messo sossopra la casa, per una sciocchezza di questo genere! Bisogna essere di poca testa sai, per...

– Mi sono sentita morire...

– Eh, l'ho visto! Parevi la morte a passeggio!

– E penso ora alle cose più terribili, più gravi, più tormentose...

– E fai malissimo! Tua madre avrà scritto forse a Marini per chiedere tue notizie, per avere notizie più sicure di quelle che puoi averle dato tu!

– Perché Marini non mi ha detto nulla di quella lettera?

– Oh, se ne sarà dimenticato! Gli uomini sembrano nati apposta per dimenticare le lettere in tasca! Forse voleva parlartene, tanto è vero che si mise la lettera in tasca, poi ti vide, smarrì il cervello, non ebbe altro per il capo che Pervinca sua e addio lettera... Vedrai che te ne parlerà domani. Ma che paura mi hai fatto, Pervinca! Per una cosa così sciocca, per una cosa tanto normale e semplice!

– Io ho paura!

– Ma di che cosa, in nome del cielo?

– Di quella lettera.

– E dàlli! Quella lettera è nulla: tua mamma, per essere più tranquilla avrà scritto a Marini chiedendo tue notizie. Tu capisci che essendo in crociera e non potendo avere notizie rapide, abbia preferito essere rassicurata da lui, prima forse di affrontare qualche giorno di mare.

Allora la piccola voce di Pervinca risuonò dolorosa e spezzata:

– Mia mamma non è in crociera.

– Come non è in crociera?

– Ha detto una bugia.

– E dov'è allora?

– A Vienna...

– Be'! Vuol dire che dopo il mare ha voluto vedere

un poco di terra, e bella terra, perché Vienna è bella e simpatica, dicono...

– Mia mamma è a Vienna a ballare...

– Dì, hai il delirio, ora?

– No, non deliro. Mia mamma è un'attrice di rivista...

– Ah! – fece Vanna. – È dunque vero?

– Lo sapevi?

– No; ma in collegio, un giorno, una ragazza in gran segreto mi rifischiò un pettegolezzo delle «grandi». Una sosteneva che tua madre ballava in teatro...

– E tu che dicesti?

– Dissi: «Magari ballasse in teatro anche mia madre: la vita con lei sarebbe più sopportabile».

– Non ti scandalizzasti?

– Ma vai là che non sono queste le cose scandalose! Ci sono porcherie ben peggiori al mondo! Ma tu, come hai saputo che tua mamma balla? Te l'ha detto lei?

– No, me lo disse Folchi.

– Bel cretino!

– Ma no! Quando io mi spassionai dicendogli che non capivo il contegno di Marini e che soffrivo tanto di questa sua esitazione nel farmi sua moglie, Folchi, forse per difendere l'amico, mi rivelò che mia madre era attrice, che con ogni probabilità Lido esitava davanti al fatto che, essendo io figlia d'un'artista di rivista, potevo esser mal giudicata, come pare lo siano tutte le donne di teatro e specialmente di rivista. Tu sai bene che Lido invece non ha esitazione per la professione di mia madre (della quale professione del resto non mi ha mai fatto cenno alcuno), ma che esita per aver modo di sistemare la donna che aveva nel passato e che se sapesse d'un suo matrimonio gli potrebbe dare delle noie... Figurati se può farmi male l'essere figlia di Lili Sybel, famosa e celebre dappertutto!

Un altro guizzo fece scattare Vanna:

– Tua madre è Lili Sybel? – domandò stupefatta e

gioiosa. – Ma se tutto il mondo l'ammira! Lili Sybel! E io sono sua ospite! Oh, come sono orgogliosa, come sono felice!

Scoppiò in una di quelle risate che nascevano dentro la sua gola, sbruffavano sulle labbra e si scatenavano poi a bocca aperta.

– Figurati, figurati se lo venissero a sapere le mummie di casa Berté! Oh, le loro facce! Oh, il loro scandalo! Perdinci, se mi scocciano per il matrimonio con il cugino, spiffero che sono stata ospite di Lili Sybel e tutta la schiera delle mummie scappa via trascinandosi dietro lo spaventapasseri Mauro. Ma ti pare? Mauro mezzo santo, mezzo scemo, sposare un'amica della Sybel? Roba da chiamare a benedire le case solo perché ci sono passata io!

Rideva; ma repentinamente la sua risata si spezzò:

– Che hai, Pervinca? Stai ancora male? Sei nuovamente tutta bianca!

– Vanna! – implorò la ragazza stringendo la mano dell'amica – Vanna dimmi perché se i tuoi sapessero che sei amica della Sybel non vorrebbero neppure più che tu sposassi Mauro? Che cosa significa essere amiche di Lili Sybel? Che cosa vuol dire essere Lili Sybel?

– Vuol dire essere donne diverse dalle altre, e poiché alle mummie le donne diverse dalle altre non piacciono, ecco perché dentro le loro bende pietrificate le suddette mummie si agiterebbero gridando allo scandalo...

– Mia mamma doveva dirmi che era un'attrice. Se me lo ha nascosto significa che...

– Oh, senti! Tua madre se ti ha taciuto di essere attrice ha avuto le sue buone ragioni e non è detto che un giorno o l'altro non abbia a rivelarti ciò che ormai è a tua conoscenza. Ma che cosa c'entri, poi, il rischiar di morire perché hai visto una lettera di tua mamma nella tasca di Marini, non capisco ancora...

Pervinca da bianca che era, diventò scarlatta. E

sommessamente, come se ella stessa avesse paura delle sue parole, mormorò:

– Dicono che queste donne di rivista siano poco serie, abbiano pochi scrupoli, si prendano degli amanti...

– La mela marcia c'è anche nel paniere del re. E con questi «dicono» che cosa deduci, tu?

– Nulla...

– Eh, no! Qualche cosa ti gira, per la testa, io lo so! E se non mi vergognassi a profferire un'infamia come quella che tu pensi, ti direi ciò che ho capito.

– No, no, non dire così, non penso infamie!

– Sì, tu pensi un'infamia indegna di te, che offende tua madre!

– Non è vero... – protestò debolmente Pervinca.

– È vero! – proruppe Vanna. – Tu hai assorbito tutto quello che sta dietro il vago «dicono», tu hai la testa colma di frottole e ora temi che Marini... che Marini se la intenda con tua madre!

La voce si spezzò, un'idea folgorò nella mente della ragazza:

– Buon Dio! – balbettò angosciata – ora vedo chiaro! Ora capisco! Tu pensi che l'amante di Marini sia tua madre...

Pervinca non rispose. Aveva negli occhi una luce di follia.

– Ma è mostruoso quello che tu pensi!

Silenzio. E Vanna, disperata:

– Ma, Pervinca, come puoi pensare che l'amante di Marini sia la tua mamma? Che cosa te lo fa credere?

– Tutto. E l'esitazione di Marini nel chiedermi in sposa e l'esitazione di Folchi ad ammettere che Marini aveva un'amante. Tu capisci che se Folchi avesse potuto fare il nome di questa amante, non avrebbe poi esitato troppo a buttarlo fuori, questo nome!

– Può darsi che non ne sappia nulla!

– Figurati! Sanno tutto uno dell'altro, quei due...

– Insomma: tu vuoi condannare, Pervinca. E con

235

quale diritto? Aspetta almeno, vedi, indaga, precisa. Sarebbe troppo comodo dire: «Quello va impiccato perché io penso che ha ucciso una persona!». Non per nulla ci sono i Tribunali!

– Aspetterò... Ma tu capisci che se è come io dico, tutto è finito. Non si può sposare l'uomo...

– Ma taci, pazza! – proruppe Vanna.

Si pentì subito dello scatto, ché vide la bocca dell'amica contrarsi. E il pianto fino allora trattenuto cominciò a sgorgare dagli occhi chiusi.

– Ecco! Ora il piantolino! Ah, l'ho fatta bella io, a scegliermi un'amica tanto piagnona! Speravo di trovare qui tante belle ore serene e, invece, guarda che ti trovo! Una bambina che si inventa delle brutte fiabe, che se le racconta e poi vuole farle credere agli altri e infine ha paura di ciò che ella stessa ha inventato. Tu sei come quei bugiardi che a forza di raccontare una fandonia finiscono col crederci loro stessi.

– Staremo a vedere – mormorò Pervinca. – Se Lido mi parla della lettera della mamma tutto si spiega, se tace...

– Ne parlerà, vedrai... Ora dormi... Siamo d'accordo che dando dieci consigli a una donna, si è certi che la donna seguirà l'undicesimo; tuttavia io vorrei proprio che tu meditassi bene, molto bene, e poi concludessi che sei una bestiolina. Un bacio e buona notte, cara!

Se ne andò.

Si buttò sopra il letto vestita. Non era tranquilla per l'amica e non aveva sonno. Pensieri che l'atterrivano si accavallavano nella sua mente. Schietta e limpida, ma propensa a guardare il mondo senza velare gli occhi, Vanna sentiva che qualche cosa di non corretto doveva esserci nella vita delle donne che, come Lili Sybel, ballavano seminude. In collegio, il bisbiglio attorno alla madre di Pervinca era durato a lungo. E s'era parlato di abiti scandalosi e di avventure ancor più scandalose, e s'era molto malignato sulla ricchezza di quella donna! Poi tutto s'era taciuto e Vanna non aveva mai più pensato a quelle chiacchiere di fanciulle avide di sensazioni che, o per romanticismo o per cattiveria innata, amavano ingrandire ogni pettegolezzo e attaccare la frangia a ogni parola. Quando poi era diventata intima di casa Barbàro, Vanna si era totalmente ricreduta e aveva cominciato ad amare e stimare donna Delizia, che, oltre a essere una brava signora, dimostrava di amare d'un tenerissimo amore la sua figliola.

Ma ora il pensiero di Vanna si smarriva. Se Marini esitava a sposare Pervinca, un motivo doveva pur esserci. Poteva un'amante del passato avere così grave peso sulla vita avvenire di un uomo da costringerlo a temere reazioni? Un'amante o ha dei diritti e allora bisogna tenersela, o non ne ha e allora si può lasciare quando piaccia. Inutile quindi l'esitazione, secondo Vanna, che non capiva le mezze parole, i mezzi termini, le mezze decisioni. E se a mettere davvero in imbarazzo Marini fosse la vita di Lili Sybel? Era dunque vero che queste donne possono far scalpore attorno a loro da intralciare l'avvenire anche di un figlia?

Vanna cercava di spiegarsi molte cose che, non sorrette da esperienza alcuna, la inabissavano in un cumulo di supposizioni senza via di uscita. E a colmare la sua inquietudine e il suo smarrimento c'era quella lettera che Pervinca aveva trovato nella tasca del giovane. Perché Lili Sybel scriveva a Marini? Per chiedergli notizie della figlia, certo. Ma in tal caso non sarebbe stato facile a Marini mostrare la lettera alla ragazza, così che ella vedesse ciò che vi era scritto?

«Forse» – pensò – «Marini ha dimenticato davvero di mostrare questa lettera a Pervinca. È innamorato; gli innamorati dimenticano tante cose. Se quella lettera fosse stata compromettente, non l'avrebbe tenuta in tasca. Ma perché donna Delizia ha scritto a lui e non a Folchi? Ella non sa che Pervinca e Marini si amano...»

Si mise supina. Un sudore lieve le inumidiva le

tempie. A un tratto si sentì respirare con affanno. Un'inquietudine, che crebbe tanto fino a darle un'agitazione irragionevole, l'afferrò. Paure, sospetti, dubbi combattevano in lei e di tra visioni torbide e vaghe, sorgeva e spariva un corpo di donna: uno splendido corpo seminudo, che si offriva a un pubblico di uomini. Quella donna aveva il viso di donna Delizia e gli uomini battevano le mani e gridavano, tutti insieme:

– Lili Sybel! Lili Sybel!

Si destò all'alba. Smarrita, insonnita, si vide ancora con l'abito del giorno precedente.

Scese dal letto, mise una vestaglia che Pervinca le aveva regalato ed era calda, morbida, accogliente. Andò a origliare alla porta dell'amica. Non sentì nulla. Allora ritornò nella sua camera, fece toeletta, piano piano, pensando a tutti gli avvenimenti della sera prima.

Si sentiva più calma, Vanna; tuttavia ella avrebbe desiderato che fosse già il tramonto, che fosse già arrivato Marini, che questi avessi detto:

– Ecco, Pervinca, ieri ho dimenticato di darti questa lettera di tua mamma... Ma nel pomeriggio Folchi e Marini, prima uno poi l'altro, telefonarono dicendo che dovevano partire in volo. E Marini non fece alcun accenno alla lettera di donna Delizia.

XIV

Lili Sybel, nel suo costume di perle rosa a lungo strascico, era in piedi, davanti allo specchio. D'un tratto,
nervosamente, disse alla cameriera:

– Chiamate la sarta: c'è una spallina che scende.

La sarta accorse, riparò il piccolo inconveniente.
Soddisfatta, mirandosi attentamente, Lili ancora ordinò:

– Il signor Gren, subito.

E anche Philips Gren accorse subito. Egli era il ballerino. Giovanissimo e molto bello, univa alla rara abilità di danzatore una signorilità che attirava la simpatia di tutti. Egli, immoto davanti a Lili, aspettava ordini. Non s'era neppure buttato sulle spalle l'accappatoio e il suo corpo perfetto, da statua greca, si rivelava
tutto sotto il maglione di pesante seta color oro. Pure
d'oro erano i lisci e lucidi capelli già perfettamente
composti per la scena. Nel volto di fanciullo, due occhi
grigi, limpidi, ridenti, non avevano perduto la loro ingenuità, pur usi com'erano a guardare un mondo poco
pulito.

Rigido davanti a Lili, così immoto da sembrare davvero una statua d'oro, egli domandò:

– Che cosa comandate, signora?

– Volevo dirvi, Gren, che forse avete ragione, che il
vostro consiglio datomi alle prove è giusto. Quando mi
sveglio e corro a voi, sarà bene lasciarmi fare il balzo
prima di afferrarmi alla vita. Voi mi prenderete a
mezz'aria.

– Va bene, signora; è così che volevo anch'io. Voi non avete bisogno di essere sollevata, siete leggera e agile.

– E nel passo di punte non sarebbe bene che mi teneste alle reni, standomi dietro? È un lungo brano musicale che dobbiamo danzare e mi sento stanca. Voi mi sosterrete, Gren?

– Contate su me, signora. Vi sosterrò così che neppure vi sentirete a terra. Ho buoni muscoli, e nelle gambe e nelle braccia.

– Grazie.

E guardò il bel ragazzo. Così biondo, in quel costume che lo dipingeva, egli giustificava pienamente il delirio che suscitava tra le donne della Compagnia e le spettatrici della sala. Lili Sybel s'era accorta di questa collettiva passione e ne sorrideva. Sorrise anche quella sera con piacere e indulgenza.

– Perché sorridete, signora?

– Quanti anni avete, Gren?

– Diciannove, signora.

– Un ragazzo, siete, e già tanto bravo!

– È un male di famiglia. Mia madre fu ballerina famosa e mio padre fu il più grande piroettista della sua epoca.

– Morti tutt'e due?

– Oh, no, signora! Vivono tutt'e due in una loro casetta su i monti. Dove andrò anch'io quando le gambe saranno stanche.

– Voi farete molto cammino, Gren. E Walter Rook vi aiuterà, perché glielo dirò io di aiutarvi.

– Grazie!

Si inchinò, baciò con slancio, ma con rispetto la bella mano di Lili.

E come sollevò il capo e la guardò, la donna trasalì. Ella aveva visto, ringiovanito, meno bruciato dall'aria e dal sole, il viso di Lido Marini.

L'improvviso turbamento non sfuggì al giovane.

– Che avete, signora?

– Mi ha colpito, in questo momento, la vostra somiglianza con un amico di casa nostra. Non mi ero mai accorta che...

Ma le parve inutile dare spiegazioni al ballerino. Sorrise, domandò:

– Vi piace questo abito?

– È un incanto!

E Lili pensò:

«Chi sa se a Lido piacerebbe Lili così vestita!».

Congedò il giovane, si mirò a lungo.

Dalla gola ai piedi, ella era chiusa in una rete di perle rosa. E le perle aderivano al suo corpo come gocce d'acqua, disegnandolo, denudandolo, pur rendendolo casto per quella lunghezza che non rivelava le gambe pur facendole intravvedere. Il lungo strascico si apriva a raggera e nel passo, risuonava dolcemente. Perché la danza non fosse ostacolata, una spaccatura era davanti, ma come la donna si fermava, l'abito si ricomponeva come per magia. Brillanti sfavillavano alle braccia, ai polsi, al collo della donna. E un cappello di perle rosa, ornato da un fascio di «aigrettes» rosa, attendeva di essere calcato sulle chiome color mogano.

Ed ella stava appunto facendo un nodo con i nastri del corpicapo, quando Walter Rook, entrò. Era scuro in volto e Lili Sybel, continuando a guardarsi nello specchio, domandò:

– Che c'è?

– Nulla, cara.

– Non è vero.

L'uomo sorrise.

– Tu vedi ogni ombra. E debbo dirti che un'ombra grave c'è, in questo momento, ma passerà...

– Non si può farla passare subito, Walter? Non puoi dirmi che cosa hai?

– E se ti offendi?

– Non mi offenderò.

– Perché Lili, hai tenuto tanto tempo qui, nel tuo camerino, quel ragazzo?

– Quale ragazzo?

– Gren...

– Ah, buon Dio! È lui la causa dell'ombra? Allora l'ombra deve andarsene subito. Ho chiamato Gren per dirgli che desideravo seguire il consiglio che m'aveva dato durante le prove.

– Ed è rimasto tanto tempo qui, per sentirsi dire solo questo?

– Sì... Ah, no, ecco! Gli ho anche parlato del suo avvenire, gli ho anche detto che egli somiglia molto a un amico, a un ufficiale che ho conosciuto in Umbria.

– Chi somiglia a Gren?

– Un ufficiale, ho detto!

– Scusa, Lili... – mormorò l'uomo, sentendo nella voce della donna una viva irritazione.

– Ma sì, ti scuso! Tuttavia credo che non ci sia molto da pensare se ho trovato una somiglianza tra un uomo e l'altro.

– E dov'è ora, quell'ufficiale?

– Al suo aeroporto, credo!

– Ed è, quell'ufficiale, bello come Gren?

– Oh, Walter! Perché vuoi tormentarti!

– Rispondi...

– Ma sì, è bello, come Gren e forse di più, perché è meno ragazzo.

– Ti ha amata, quell'uomo?

– Ma no! Veniva nella nostra casa quando c'erano Pervinca e Vanna e scherzava con le ragazze e con loro e altri colleghi facevano passeggiate.

– Quanti anni ha?

– Oh, non lo so! Credo venticinque, ventisei...

– Giovane... – fece Walter passandosi una mano sulla fronte.

– Giovane, sì – ripeté Lili.

E non vide che il volto di Walter si contraeva come per uno spasimo.

– Invecchiare è restare solo...

– Ma come sei lugubre, Walter, questa sera! Che pensi? Che temi? Guardami e dimmi che sono bella!

Egli era seduto, lei in piedi. Ella posò le mani sulle spalle dell'uomo e disse:

– E sono tua, Walter! No, no, abbracci ora no! Mi sciupi!

– Lili, dimmi che non hai amato quell'uomo, quell'ufficiale...

– Sciocco!

– Tu non rispondi!

– T'ho detto sciocco: non è una risposta? Oh, ecco il campanello! Arrivederci, Walter!

Ella corse via, leggera.

Sul palcoscenico, l'attendevano già tutte le danzatrici vestite da fiori. Un gruppo di pervinche si stava ricomponendo a ventaglio. Ella guardò il gruppo, pensò alla sua pervinca di lassù, sorrise. Si stese sul letto formato da un rialzo del bel prato. Mani abili ed esperte accomodarono l'abito, collocarono il cappellone rosa a terra, ma ben in vista, che il pubblico femminile doveva ammirare quelle «aigrettes» che costavano un capitale.

L'orchestra attaccò sommessa la canzone di Lili. Il velario, piano piano si aprì. Lo splendore, il lusso, le scene, fecero subito mormorare il pubblico d'ammirazione. E mentre, in languida posa che valorizzava le forme perfette, Lili Sybel dormiva, i fiori iniziarono la loro danza. Nel sogno, Lili si sollevò a sedere. Scintillarono i brillanti, sorrise la bella bocca, si tesero le braccia. E allora, dalle quinte, volando sulle punte Philips Gren corse a lei, per danzarle attorno la più agile danza.

Lili, pur facendo la trasognata, vedeva il bel ragazzo in un nimbo d'oro. E come egli si volgeva a lei, il volto di Marini le apparve.

«Lido...» – pensò incantata. «Lido... bellissimo...»

Lili fu in piedi; lieve lieve camminò circonfusa di luce, di perle, di brillanti. Poi, mentre l'orchestra elevava il tono, mentre le fanciulle cantavano «Svegliati Lili», ella si destò, prese lo slancio, fu tra le braccia di Gren. L'uomo, invece di sentirla irrigidire per poterla sollevare alta, la sentì afflosciare. Con destrezza la sostenne. Sentì il bel corpo cadergli sul petto, vide la bocca rossa e splendente sollevarsi verso la sua bocca. Fu un attimo. Lili si staccò da lui. L'orchestra attaccò le note che iniziavano la romanza di Lili.

Fra le quinte Walter Rook si chiedeva perché mai Lili avesse mutata la scena. Ma la donna aveva finito di cantare e il pubblico applaudiva con calore e convinzione. Lili gli passò vicina di corsa, inseguita dalla cameriera e dalla sarta che le sganciavano l'abito. Egli giunse in camerino mentre Lili cambiava l'abito di perle, per indossarne uno di piume rosse sfumate di rosa. Quel costume era assai ridotto. Il bel corpo pareva fiorire da un'immensa rosa. Lili, come sempre, era seria e imbronciata. Quando si mutava tra un quadro e l'altro, era impossibile ottenere la sua attenzione. Tuttavia, Walter che non poteva tacere, osservò:

– Non hai eseguito la scena come s'era stabilito. Perché?

– Perché mi piaceva fare diversamente... Le scarpe sono slacciate, svelte, svelte, donne. Il ventaglio di strass, quanto ci vuole!

Spinse le donne, scartò Walter, fu con un salto dietro le quinte, attenta, vigile, pronta.

Ed entrò perfettamente in tempo, ritta sulle punte, mostrando a tutti, oltre la sua bellezza, la sua abilità.

«Vedano, vedano» – pensava ballando – «vedano questo passo... E non dicano poi che so essere solo bella e solo elegante... Lili Sybel non è un'attrice: è un'artista... Attenzione, Lili... Il tempo, Lili... Oh, bravo direttore, mi ha ripresa...»

Il pubblico non si era accorto di nulla, Gren e Walter, sì. Ma il pubblico applaudiva fragorosamente e allora non c'era da far altro che sorridere ed essere contenti. Lili danzava con Gren; gli soffiò:

– Perdo il tempo stupidamente, questa sera...

– Non importa: ci sono io... lasciatevi guidare...

Ella si lasciò portare. Su le reni nude sentiva le mani calde di Gren, su la nuca l'alito caldo del giovane. Poi il volto di lui fu accanto al suo: ella socchiuse gli occhi e pensò: «Se mi piego un poco, solo un poco tu mi baci, Lido...».

Si piegò: una piroetta, uno scarto, un balzo: e due labbra fresche e giovani sfiorarono la sua spalla.

Il pubblico volle il bis. Tutto il pubblico cantò:

– Erwache dich Lili! Erwache dich, Lili!

Sorridendo felice, Lili Sybel scese dal palcoscenico, andò tra la folla. Ella sapeva di non dare delusione alcuna avvicinando il pubblico; ella sapeva che la sua innata signorilità, la sua bellezza completa, la sua seminudità, potevano essere affascinanti viste da presso, ancora più che sulla scena.

– Giovanissima non è – bisbigliò una donna assai elegante. – Tuttavia è incantevole.

– Non credevo fosse così fine... – disse forte un uomo in marsina.

Lili passava sorridendo, accettando fiori, donando alle signore i fiori che le venivano da mani maschili. Dava e riceveva con una signorilità squisita, regalando sorrisi a tutti, senza parsimonia. I suoi gioielli visti da presso si rivelavano per quel che erano, cioè di gran pregio; il suo costume si faceva ammirare per ricchezza e freschezza, e la sua pelle, così curata e detersa e levigata, destava l'invidia delle donne, l'ammirazione degli uomini.

Tuttavia, anche invidiandola, le donne la guardavano con simpatia, ché Lili non aveva in sé quell'aria provocante che hanno molte attrici e non dava certo l'impressione di voler soffiare un marito o un amante a un'altra donna.

L'orchestra suonava sempre «Erwache dich, Lili!». Parte del pubblico cantava, parte chiacchierava e applaudiva.

E Lili Sybel passando alta e gentile tra la folla, pensava: «Domani, domani Vienna parlerà solo di me... I giornali innalzeranno alle stelle Lili Sybel. Anche i giornali delle altre nazioni parleranno di me. Sono celebre, e quando un'attrice è celebre non importa che ella venga dalla lirica, dalla prosa o dalla rivista: la celebrità è tutta su uno stesso livello. E Lido potrà accostarsi a me senza timore, perché io non sarò l'ultima arrivata...».

Più tardi, mentre il teatro sfollava, Lili, struccandosi, ascoltava Walter Rook che diceva per la decima volta:

– Io non capisco che cosa ti sia venuto in mente di cambiare quella scena... Si sarebbe detto che tu desiderassi essere abbracciata così da Gren, si sarebbe detto che Gren ti baciasse...

Lili per la decima volta rispose:

– Capii che il balzo non mi sarebbe riuscito. Gren comprese meglio di me e mi assecondò... Tu hai avuto delle visioni, per tutto il resto, mio caro Walter.

– Eppure...

– Basta, è vero? Non è nelle mie abitudini discutere e tanto meno non essere creduta. Se ti preme Lili non offenderla. O Lili se ne andrà.

L'uomo la guardò sconsolato.

E Lili, subito chetata, pensò:

«Poveretti i gelosi! Vedono sempre sbagliato... Egli crede che io mi sia abbandonata tra le braccia di Gren pensando a Gren: e io non ho nemmeno percepito la presenza di quel ragazzo, io ho sentito le braccia di Lido, la bocca di Lido, l'ansito lieve e uguale di Lido...».

Come ella fu pronta, Walter la aiutò a indossare la pelliccia e saliti nella macchina tornarono all'albergo. Lili salutò l'amico, entrò nella propria camera, si spogliò, infilò un pigiama di seta bianca, una vestaglia bianca ornata di volpe candida, sedette a una piccola scrivania, cominciò una lettera.

«Mio caro amico, torno ora da teatro dove ho avuto un successo strepitoso. La rivista che si chiama: "Erwache dich, Lili!" è piaciuta immensamente e credo immensamente sia piaciuta la protagonista. Sono contenta. Ma non per il successo in sé, ché ai successi teatrali sono ormai abituata. Sono contenta perché questa volta capisco d'essere "qualcuno". Non sono più la solita *soubrette* di rivista: sono Lili Sybel. Sono un nome e mi fa piacere esserlo, perché... Ecco, ora ridete. Ma che fa? Ridete pure, io scrivo lo stesso ciò che in questa notte mi gira per il capo. Sono felice di essere qualcuno perché se un giorno Pervinca saprà che sua mamma è attrice, saprà giustificarla apprendendo che non è una attrice comune. E sono contenta, perché se un giorno incontrerò l'uomo che dovrò amare, potrò dirgli: "Prendimi senza discussioni; anche se attrice di rivista, sono una fuori classe, ho saputo salire, ho saputo elevarmi sopra tutte le altre. Sono una grande attrice e quando una donna sa essere grande attrice, significa, io credo, che è 'qualcuno'". Avete finito di ridere? Allora continuo e voglio dirvi di me: immodesta, lo so, ma è il mondo che mi guasta. Tuttavia meglio essere malati di egocentrismo che di quel male che fa avere gli occhi solo per gli altri. Io guardo me, studio me, voglio bene a me. Forse per questo voglio essere felice, ancor più di quanto oggi lo sia. E se penso senza egoismi, capisco che alla mia felicità manca un cuore amico. Avete mai amato, Marini? E se avete amato, volete dirmi che cosa sente il cuore quando è tutto offerto a un altro cuore? Io non lo so, perché non ho mai amato. Adoro mia figlia e voglio bene a un amico; voi. E voi se siete amico mi dovete aiutare a essere felice. Non capite, è vero? O se capite, ridete con ironia di me? Forse avete ragione... Sopportatemi. Sono donna e posso sbagliare. E di essere perdonata sono certa, del resto, perché vi commuoverò raccontandovi un episodio recentissimo. Questa sera io dovevo fare una danza con il ballerino della Compagnia, certo Gren, magnifico ragazzo di diciannove anni, dalle forme perfette e dalla bravura rara. Gren somiglia stranamente a voi. È un Lido Marini più giovane, più chiaro di pelle, più bambino. Ma per figura e tratti pare voi. Per dar maggiore verità alla scena che interpretavo e che doveva raffigurare il ridestarsi d'una bella fanciulla e l'avvampare improvviso d'amore per un giovane che le stava appresso, io pensai a voi. E sapete che accadde? Non potei interpretare la danza come i coreografi l'avevano stabilita, ma dovetti interpretarla secondo il mio cuore. E fu un successo immenso, ché tutti ebbero la sensazione di vedere una creatura veramente innamorata volare tra le braccia dell'uomo che le aveva improvvisamente ispirato amore. Figuratevi che un uomo assai ricco e importante che dice di amarmi, ma che io tengo assai distante da me, osò chiedermi se quel ballerino mi piacesse! Oh, uomini, come siete talvolta in errore! Forse è proprio vero che l'uomo invecchia ma non matura. E ora sono qui, sola nella bella sala del mio appartamento. C'è un tepore profumato che viene dai fiori che ho trovato qui, rientrando. Sono fiori di ammiratori e di ammiratrici. Vi sono anche molte scatole, che aprirò più tardi. Una, che vedo da dove sono, porta una corona comitale e so di dove viene: è della contessa Weber che m'ha invitata nel suo palazzo per una serata in mio onore. Un amico indiscreto mi ha anche detto ciò che la scatola contiene: una fotografia della contessa. E la fotografia ha una cornice in platino e a ogni angolo ha un rubino. Vedete, Marini, che piccola donna importante è Lili Sybel? Che pensate, che pensate di Lili? E di donna Delizia? Albeggia. Non aprirò le scatole. Non mi interessano i doni: io mi sono offerta un incantevole dono: quello di stare un poco con voi e di scrivervi... Mi basta. A rivederci, Lido!»

E commossa per quanto aveva scritto, Lili Sybel s'addormentò sorridendo.

XV

Vanna girò tra le dita la busta. Aveva immediatamente riconosciuta la calligrafia del cugino.

– Che vorrà, quel grullo?

– Apri, lo saprai...

Come se un presentimento la tenesse, Vanna esitava.

– Vuoi leggere sola? Devo andarmene? – chiese Pervinca.

– Figurati! È che... che sento qui dentro qualche cosa di brutto. E non ho alcun desiderio di inquietarmi. Mi sento rinascere solo da pochi giorni e voglia di morire un'altra volta, davvero, non ne ho.

– Eppure, sia bene sia male ciò che quella lettera contiene, dovrai ben saperlo. Se è bene, gioirò con te; se è male, ti sarò vicina, con tutto il cuore per aiutarti a eliminare il male.

– Se è così... apriamo!

Con un sospiro, Vanna lacerò la busta. E a voce alta lesse:

«Cara Vanna, dopo molte meditazioni mi sono deciso a scriverti (poteva anche farne a meno!). E la mia lettera purtroppo non sarà una lettera che ti farà piacere (crepa, menagramo!). Comunque, io ho atteso fin troppo a scriverla (e attacca, stupido!). Stai a sentire, Vanna (sono qui, per mia sventura, a sentirti!). Tu sei fuggita dalla tua casa senza salutare nessuno (ora se ne accorge!) e sei fuggita per rifugiarti dove un ragazza per bene non avrebbe mai dovuto rifugiarsi. (Ma che dice, questo asino scalzato?). In poche parole: io so bene a chi appartiene «Villa Delizia» e so quale sia il mestiere di colei che ha una doppia personalità...».

La voce di Vanna si abbassò, si incrinò, tacque. Ma Pervinca disse, con voce calma:

– Vai avanti. È molto interessante...

Vanna esitò un poco, poi disse:

– Ma sì! Bisogna ben sapere fin dove può arrivare l'idiozia di un uomo! Andiamo avanti!

«...che ha una doppia personalità e che costì si fa chiamare Delizia Barbàro e nel mondo del teatro si chiama Lili Sybel. Ora, se Delizia Barbàro pur avendo una figlia senza avere marito, può essere una donna tollerabile per moralità, Lili Sybel è mostrata a dito, è lo scandalo in persona, è l'abominio stesso fatto donna. Tu vorrai credere che essendo prossimo a diventare tuo fidanzato ufficiale, io non abbia esitato a indagare e a far indagare, per sapere esattamente chi vive con te e che cosa fanno le persone che largamente ti mantengono. Ho quindi saputo esattamente tutto, ho pure saputo che costì tu e la degna figlia di Lili Sybel ricevete due ufficiali, con questi uscite di frequente, a ogni ora del giorno e della notte. Concludendo: tu e la figlia di Lili Sybel vi comportate come Lili Sybel, la quale è notoriamente una donna perduta, alla portata di chi ha il portafogli colmo... È inutile che ti dica quindi che non intendo tollerare a lungo questa macchia che disonora la mia famiglia e che ti impongo di considerarti libera, così come io mi considero libero...»

– Brutto schifoso! – sibilò Vanna.

E si pulì le labbra che le tremavano, sbiancate.

– Ora gli rispondo subito! Gli dico...

– Oh, Vanna! Per colpa nostra!

– Per colpa vostra? Per merito vostro, mi libero da tutto! Stai a sentire, stai a sentire che cosa gli scrivo!

«Egregio signor Berté, mi spiace dover scrivere Berté, che essendo anche il mio nome, vorrei poter pronunciare senza aver schifo. Comunque mi consolo pensando che nella teoria delle cose sudicie una c'è sempre che non è sudicia per colpa sua: e questo sarebbe il nome portato da me. Tengo poi a dirvi subito che sono ben felice di essermi rifugiata a "Villa Delizia": se non lo avessi fatto, voi forse avreste continuato a corteggiarmi, dandomi così quel vivo senso di nausea che non sapevo reprimere e che solo tolleravo per far piacere a mia madre, la quale di nausea fisica se ne deve intendere poco. Inoltre, poiché sono in età di poterlo fare, vi comunico che rimarrò a "Villa Delizia" forse per sempre, perché mi piace star qui, perché è divinamente bello star nella casa di Lili Sybel, perché la figlia di Lili Sybel oltre a essere bella, è cara, generosa, buona, onesta. Più onesta di voi e di tutte le beghine pronte a scandalizzarsi come voi. Oh, signor Berté, come sono felice di non essermi fatta compromettere da voi! Come sono felice di non aver ascoltato i saggi suggerimenti di mia madre! Non compromessa da voi, posso guardare al mio avvenire serenamente. Compromessa da voi, sarei caduta nel fango. Invece il fango è venuto tutto lì, dove voi state, caro signor Berté... E qui si respira un'aria così pulita che voi non potete averne neppure idea. Vi ringrazio per la libertà che mi date: non ve ne era bisogno. Non vi eravate accorto che, andandomene, io vi avevo già restituita la vostra e ripresa la mia? Buon Dio, come siete distratto! Salutate vostra madre e vostra sorella e dite loro (e l'avvertimento serve anche per voi) che sarà bene che si guardino dall'andare nella casa di mia madre. Se quella casa appartiene ancora alla signora Berté, è per merito di Lili Sybel, che ha pagato gli interessi dell'ipoteca: se i mobili, le seggiole, i letti, sono ancora in quella casa, è perché Lili Sybel ha pagato i fornitori che volevano sequestrare tutto. Se berrete un'aranciata, ricordate che le arance furono pagate da Lili Sybel... Oh, non andate a sedere su seggiole malfamate, non bevete aranciate di mal costume, non entrate in una casa salvata da una donna perduta! State nella vostra tana, lì solo starete bene. E a non rivederci. Vanna.»

Aveva scritto pronunciando ad alta voce ciò che buttava sul foglio. Quando ebbe finito, posò la penna, succhiò una macchia d'inchiostro dal dito medio, disse, tenendo il dito tra le labbra:

– Brutto scemo! Se sapesse che regalo m'ha fatto! E tu prepara un'altra faccia, sai. Non intendo vederti né rattristata, né immusonita. Io sono felice che la faccenda si sia risolta così. Siilo anche tu.

– Ma è così cattivo il mondo con le donne come mia madre?

– Il mondo è cattivo con tutti. Gli uomini nascono ciechi e muoiono miopi; il nostro prossimo è sempre pronto a darci legnate. Non pensare né al mondo, né agli uomini, né al prossimo. Pensa a me, se non hai proprio nulla da fare. Che mi consigli, per questa sera? Abito nero ancora? Ce lo metto quel collettino di pizzo bianco?

– Mettilo. Ravviverà un poco il nero.

– È quello che dico anch'io. E...

– Vanna – interruppe Pervinca – non ti spiace davvero?

– Che?

– Quello che è avvenuto. Quello che t'ha scritto...

– Ma stai zitta! Da tanto tempo non ero felice come oggi. Oggi tornano i due ufficiali con i quali stiamo in giro giorno e notte... Magari, fosse così! Invece ci portano a fare la passeggiatina igienica e ci riportano a casa ben bene salvaguardate. Il tuo qualche bacio te lo molla, credo; ma il mio... Oh, il mio non mi guarda neppure più. E ha ragione, del resto. Se è innamorato di te, perché dovrebbe guardare me?

– Ma smettila, Vanna. Perché ti ostini a credere che Folchi sia innamorato di me?

– Perché si vede.

– È assurdo. Lui sa bene che io amo Marini!

– E che cosa importa? Se tu credi di far ragionare un uomo innamorato!

Pervinca restò con gli occhi perduti lontano a pensare.

E Vanna le domandò:

– A che pensi?

– A quella lettera di mia madre.

– Ancora? Ma sei fissata! Sii calma, oggi i nostri amici tornano e sono certa che per prima cosa Marini ti dirà di aver ricevuto qualche giorno fa una lettera di tua mamma e te la darà da leggere. Ammesso che l'abbia ancora.

– Perché non dovrebbe averla?

– Perché è stato assente qualche giorno e può averla smarrita, strappata, perduta; perché io non credo che le lettere di tua mamma, per quanto tua mamma sia cara e celebre, debbano essere conservate sotto una campana di vetro... Oh, ma sei insopportabile! Ma come ti sta bene quell'abito rosso. Non avrei mai immaginato che una bionda potesse portare con tanto vantaggio il rosso. Quando farò la sarta ti farò una toeletta da sera in velo rosso, sai, quel rosso tramonto... Sembrerai una nuvola d'oro rossa di vergogna!

– Quando farai la sarta? – fece Pervinca, stupefatta.

– Già, qualche cosa dovrò pur fare nell'avvenire! Pagherò i miei debiti con voi...

– Vanna, oggi sei cattiva!

– Sì, e per oggi smetto. Ma lasciati vedere! Tu li incanterai quei due giovanotti. Si direbbe che i tuoi capelli ricevano un riverbero di fuoco...

Ma Pervinca non sorrise.

Sentiva gravare sulle giovani spalle una colpa che lei non aveva commessa, di cui tuttavia sentiva che la si accusava. Una malinconia infinita era nel suo spirito, una sensazione penosissima di felicità perduta.

– Svelta, svelta! – gridò Vanna. – Aiutami a farmi bella. Me la regali un poco di cipria? Ce lo mettiamo un pochino di rossetto sulle labbra? Ora provo a rialzarmi i capelli sulla fronte, tutti indietro, come tua mamma... Sto bene? Eh, ci vuole altro! Tua mamma sì, sta bene; io sembro un galletto di primo canto.

Andava e veniva dalla stanza da bagno di Pervinca alla camera di questa: e nel suo muoversi agitava l'aria, così che pareva portasse un fresco respiro a ogni cosa. Pervinca, seduta sul letto, guardava l'amica, meravigliandosi che ella potesse essere tanto gaia e tanto serena.

– Chi sa – disse Vanna – chi sa se si sono divertiti Marini e Folchi.

– Sono abituati ai viaggi nel cielo.

– Strano! Abituati! Come ci si può abituare a passeggiare vicino al sole o alle nuvole?

– Eppure...

– Oh, come sei filosofa, questa sera! Stai lì, mediti chi sa che cosa e non pensi neppure che questa sera ci divertiremo.

– Sarà una sera come tutte le altre.

– Ah! – esclamò Vanna. – Per te che ci sia o non ci sia Marini è lo stesso? Per me, pur certa come sono che Folchi non mi ama, è una gioia averlo vicino così, come è una gioia avere vicino Marini. Noi due sole, che si fa? Con due uomini vicini, la vita cambia aspetto. Ti immagini se dovessero venire i briganti a rapirci, come ci saprebbero difendere? Quasi rimpiango non ci siano davvero i briganti...

Vestita di nero, con il colletto di trine finissime che Pervinca le aveva donato, Vanna sarebbe parsa un'educanda se il suo viso non avesse avuto quei due occhi da zingara e quel lieve tocco di rosso sulle labbra. Il suo corpo, nell'abito scuro, si snelliva, e le sue mosse, sempre improvvise, parevano ancor più vivaci del solito.

– Tu sembri elettrizzata, questa sera! – osservò Pervinca.

– Mi ha messa di buon umore non la lettera del caro Mauro, ma la risposta. Mi sono tolta un peso dallo stomaco, ho buttato fuori qualche cosa che avevo qui e non andava né su né giù e mi sentivo soffocare. Ah, credi, si sta pur bene quando ci si è spassionate!

– E spassionata in quel modo, poi!

Risero, scesero a pianterreno. Tutto era in ordine per ricevere gli amici e quando, puntualmente, giunsero, le fanciulle li accolsero con sincera gioia.

A tavola parlarono un poco di tutto e soprattutto del viaggio che i giovani avevano compiuto; dopo cena giocarono a carte, poi a tennis da tavola, poi si annoiarono di tutto e tornarono a chiacchierare. Ma della lettera Marini non parlò. Via via che il tempo passava, Pervinca si faceva triste. Una domanda era sulle sue labbra: «Che cosa t'ha scritto mia mamma?».

E questa domanda le bruciava le labbra e le faceva dolere il cuore.

Vanna tentò con ogni mezzo di portare Marini sull'argomento lettere.

– Volete sentire una novità, amici? Il mio fidanzato mi ha lasciata. Mi ha scritto una lettera nella quale si dice sdegnato perché frequento voi due, che, secondo Mauro Berté, detto scemo, dovete essere tipi poco raccomandabili. Ho già scritto la risposta. Scommetto che lettere come quelle che riceverà Berté, detto il merlo, non avete ricevute mai, voi. Voi certo, riceverete solo lettere gentili, colme di frasi d'amore. Voi, Folchi, qualche lettera d'amore l'avete ricevuta anche da me. Non vi ricordate? Quando ci amavamo da morire, io vi scrivevo sempre! Quando dovevamo amarci per l'eternità, io vi soffocavo di espressioni amorose! Oh, avete tutto dimenticato. E voi, Marini, le dimenticate le lettere d'amore?

– Non ne ricevo mai!

– Nemmeno una?

– Nemmeno una!

– Nessuna donna vi scrive?

– Mai!

Vanna e Pervinca si guardarono. E Vanna tentò ancora, quasi con timore:

– Proprio, nessuna donna vi scrive?

– Ma se ho detto di no, Vanna, perché insistere? Spero, tuttavia, di riceverne, un giorno, qualcuna da voi...

– Eh, no, caro! A tipi come voi, io non scrivo! Vi dimentichereste subito...

L'altro rise e tacque.

Ma andandosene via, Marini non seppe spiegarsi mai perché Pervinca lo guardasse con insistenza, come se attendesse da lui la spiegazione a un mistero.

XVI

L'Umbria pareva incipriata per una fiorita di neve. Vanna, dietro i vetri, in camicia da notte, scalpitava come un cavallino:

– E ancora ne verrà! Oh, come è bella!

– Non ne verrà più – sorrise Pervinca stando ancora rannicchiata a letto. – Io vedo il sole di tra le nubi.

– Io non vedo nulla. Scommettiamo che nevicherà? Che ne verrà almeno un metro?

– Buon Dio, un metro di neve a novembre! Non ti sembra ti pretendere troppo, Vanna?

La giovinetta saltò sul letto dell'amica e disse:

– Oggi dobbiamo lavorare.

– Davvero? – fece Pervinca quasi convinta.

– Davvero. Togliamo tutti i libri dalla biblioteca e li riordiniamo. Così, se ci capita tra le mani qualche libro proibito, lo leggiamo senz'altro.

– D'accordo.

– E alzati, dunque!

– Sì...

Ma Pervinca non si muoveva e allora Vanna, sbrigata rapidamente la sua toeletta, decise:

– Ti precedo. Tu fai ciò che vuoi. Io vado nella biblioteca.

Se ne andò. Quando Pervinca la raggiunse, Vanna aveva già riordinato tutto e messo in disparte alcuni libri che secondo lei non erano adatti per signorine.

– Questi romanzi – dichiarò Vanna – non sono adatti a noi. Per questo li leggeremo subito subito. Sono quattro, li ho sfogliati, ho trovato molte belle frasi d'amore. Due a te, due a me; poi io ti darò i miei e tu mi darai i tuoi. Spero che siano più divertenti di quelli che ti porta Folchi. Buon Dio, che cose sagge ti somministra quell'uomo!

– È saggio anche lui...

Vanna storse la bocca, mormorò:

– Sarà...

Poi le fanciulle andarono in cucina, ché il cuoco doveva insegnar loro la confezione di certi biscottini croccanti, e dalla cucina andarono in guardarobe ad aiutare la guardarobiera. Allegramente, cucirono e rammendarono. E così la mattinata passò.

Nel pomeriggio il cielo si rasserenò.

– Hai vinto la scommessa – disse Vanna a Pervinca. – Ma poiché io non posso pagare, ché non ho nulla, pagami tu una corsa in macchina fino in città.

Pervinca fu lieta di accontentare l'amica. Fece sedere l'autista nel sedile posteriore, volle accanto a sé Vanna e insieme andarono in città dove, dopo aver preso il tè, affidarono la macchina all'autista e si misero a bighellonare di negozio in negozio. Cariche di pacchi, tornarono in automobile e ancora Pervinca prese il volante.

Ella guidava con molta bravura e molta calma e chiacchierava con l'amica. L'aria era fredda ma limpida e il tramonto era prossimo. A uno svolto, videro un'automobile ferma. L'una e l'altra riconobbero immediatamente la macchina di Marini. Subito Pervinca rallentò, si mise a fianco dell'automobile.

E rimase senza respiro.

Seduti vicini, ridenti e apparentemente felici, stavano Marini e donna Delizia.

– Mamma! – gridò la fanciulla.

E fu un grido di gioia e di disperazione il suo, che turbò l'aria cheta, che strinse il cuore di Vanna.

– Pervinca! Non scendere, è freddo. Prosegui, ti raggiungiamo subito!

Con fatica, la ragazza rimise in moto. E di tanto in tanto si volgeva per vedere se gli altri sopraggiungevano. Ma c'era sempre una curva e Pervinca aveva l'impressione che quei due invece di raggiungerla si fossero allontanati.

Tuttavia ella era da pochi minuti in casa, quando donna Delizia e Marini entrarono.

Pervinca si buttò nella braccia della mamma, balbettando parole incomprensibili. Ma quando Marini le tese la mano, ella finse di non vedere.

Pervinca! – disse donna Delizia abbracciando la figlia. – Che ne dici di questa sorpresa. Giunta improvvisamente, telefonai per far venire la macchina alla stazione e mi risposero che la macchina era fuori. Allora, poiché non c'erano né tassì né carrozze, telefonai a Marini che mi venisse a prendere. E lui, cortesemente, volò alla stazione. E tu, Vanna? Cara piccola, quanti guai hai avuto! Ma li accomoderemo tutti, stai tranquilla. E ora permettete, vado a cambiarmi. Ho viaggiato bene, ma comunque arrivo da Vienna e non è poco. Non andate via, Marini.

Ella fuggì lieve e ridente; Pervinca la seguì.

Quando fu nella sua stanza da bagno, aiutata dalla cameriera tutta orgogliosa di poter aiutare nelle sue funzioni di camerista, Lili Sybel si spogliò. Pervinca, che era nella camera della madre, sentì che questa diceva:

– Non importa se è calda molto... Ho bisogno d'un bagno caldo per rinnovarmi... Sono un poco stanca. Ancora sali, per cortesia...

Sentì con esattezza che la madre si tuffava e pensò:

«Osa tuffarsi nella vasca mentre la cameriera è presente. Osa mostrarsi nuda alla cameriera...».

Poi sentì scrosciare la doccia, una risata di sua madre, la voce di lei calma e lieta:

– Strofina, strofina forte, non aver paura. La mia pelle pare delicata ma non soffre se la si strapazza con un massaggio... Oh, così mi pare di essere tutta nuova!

E poco dopo, chiusa in un accappatoio bianco a fiori rosa e azzurri, donna Delizia apparve. Aveva i capelli chiusi in una cuffia di gomma, il volto pulito, lucido di recente lavaggio. Era forse più giovane senza trucco, Lili Sybel, ma meno affascinante.

– Non guardarmi troppo, Pervinca. Senza trucco mi pare di essere nuda!

«Ecco» – pensò la ragazza. – «Le pare di essere nuda nel volto. Ma il corpo, il corpo lo sentirà mai nudo, mia madre?»

– Che sorpresa, vero, piccola? – fece donna Delizia togliendosi la cuffia, scuotendosi i capelli.

Ella s'era seduta davanti alla toeletta e andava destreggiandosi tra barattolini e scatolini. L'accappatoio s'era aperto sul petto e Pervinca poteva scorgere il profilo d'un seno piccolo e alto.

Volgendosi alla cameriera, donna Delizia disse:

– Chiedi se hanno già portato i miei bagagli e se sono arrivati guarda nella valigia da toeletta e prendi una scatola sulla quale sta scritto: «maschera di bellezza».

Si pettinò i folti capelli, si guardò i denti, aprì l'accappatoio per mirarsi le gambe.

– Non mi dici nulla, Pervinca? Sei contenta?

– Tanto, mamma!

– E lo sarai ancor più, quando vedrai cosa ti ho portato. Una pelliccia di opossum, deliziosa. Darai il giacchettone di pelo a Vanna, che, povera figliola, deve essere quasi nuda. Volevo prenderti anche qualche altra cosa, ma sono partita così improvvisamente...

– Come mai questo arrivo, mamma?

– Oh, per un motivo molto triste. A Vienna giunse la notizia che la signora Rook era morente e Rook dovette partire.

– Ma non era con voi la signora Rook?

Donna Delizia arrossì leggermente e per la prima volta Pervinca vide sua madre arrossire.

– Infatti – proseguì donna Delizia – infatti all'inizio del viaggio ella era con noi, poi cominciò a star male e tornò a casa. Ora, povera creatura, è in paradiso.

– Morta?

– Sì.

– Chi sa quanto soffrirà il signor Rook!

– Certo, soffrirà...

– E gli altri?

– Gli altri chi?

– Ma gli altri che viaggiavano con voi...

– Ah... Be', si arrangeranno.

– Come si arrangeranno?

– Ma cara, non vorrai che mi preoccupi di tutti gli altri! Morta la signora Rook, tornato alla sua città il caro Rook, ecco anche noi alle nostre case. Non c'era scopo di continuare il viaggio se non poteva essere con noi chi ci aveva invitato; è logico?

– E tu, mamma?

– E io che cosa, bambina? Oh, ecco il mio valigino! Guarda...

La cameriera trovò subito il vasetto con la crema che la signora desiderava. Lo porse a donna Delizia e questa, molto seriamente, cominciò a fare smorfie per spalmarsi in modo uniforme il viso con la famosa maschera di bellezza.

E come fu diventata tutta color avorio vecchio, disse alla figlia:

– Senti, cara, ora io devo stare sdraiata per quindici minuti, immobile e muta. Se vuoi starmi vicina, stai pure. Se vuoi parlare mi fai una cortesia. Quello che chiedo è di non farmi muovere la bocca.

– Va bene, mamma.

– Fai socchiudere, e manda fuori Catina.

La cameriera calò una persiana, uscì.

Donna Delizia si affondò nella grande coperta di pelliccia e quasi a bocca chiusa, mormorò:

– Vienimi vicina, cara...

Pervinca andò vicina a sua madre, sedette al suo capezzale.

Supina, con gli occhi chiusi, donna Delizia cercò una mano di sua figlia. La strinse:

– Mamma...

– Uhum...

– Mamma cara, ti voglio tanto bene...

– ...io... tanto...

– ...e non mi importa proprio nulla, mamma, se tu sei Lili Sybel...

Un guizzo, una stretta, un lampeggiar d'occhi.

– ...ome sai?

– Quel cretino di fidanzato di Vanna. Le ha scritto dicendole che non la voleva più sposare perché sapeva che lei era qui nella villa di una donna di teatro... una donna che dava scandalo...

– ...tino... ota...

– Ha anche aggiunto che io e Vanna siamo degne di te, perché anche noi ci comportiamo molto male con i giovanotti e andiamo in giro con loro giorno e notte. Questo non è affatto vero...

– ...rompo la ...accia... scalzone...

– Non ti inquietare; Vanna gli ha risposto quello che si meritava, lieta di finirla con quell'uomo che non è certo degno di lei. Io ti volevo dire, mamma, che se tu sei Lili Sybel, non devi preoccuparti per me: io sono sempre la tua Pervinca, la tua bimba che sa quanto hai fatto per lei...

– ...mez... milione... dote...

Ormai la maschera andava tirando i tessuti e donna Delizia pareva di vecchio avorio. Solo gli occhi si muovevano, ora, e davano fiamme.

– Stai zitta, mamma, e sappi che voglio vederti quando sarai in teatro...

Donna Delizia levò una mano, tracciò nell'aria un segno orizzontale da destra a sinistra, da sinistra a destra, tenendo l'indice teso.

– No?

– ... più...

– Che cosa più, mamma?

– ... atro...

– E perché, mamma? Se trionfi, se tutto il mondo ti ammira...

– ... stanca...

Chiuse gli occhi, non parlò più. E anche Pervinca tacque. Poi, come se uno squillo di sveglia l'avesse destata, donna Delizia balzò giù dal letto, corse alla stanza da bagno. Ancora l'acqua scrosciò. Finalmente un gran sospiro e una voce gaia:

– Vieni a vedere che pelle liscia, Pervinca!

La figlia accorse, guardò la madre che delicatamente asciugava il volto.

– Tocca, tocca...

– Pare seta!

– Ah, sì. La pelle si conserva! E io, Pervinca, sono in gamba?

– Oh, sì, mamma!

– Ora che non devo più essere solo donna Delizia, posso parlare come una buona amica a te, non è vero, bimba?

– Sì, mamma, abbiamo così pochi anni di differenza!

– Sedici anni! Sono proprio pochi, vero, piccola?

– Pochi davvero, mamma!

– Vieni, vieni...

La trascinò presso la toeletta.

– Ora mi trucco. Parla pure, posso parlare anch'io... Figurati, potrei truccarmi a occhi chiusi, tanta è l'abitudine!

– Sei così bella!

– Sì... non mi lagno...

Rise, battendosi il piumino sulle spalle e sollevando una profumata nube:

– E sai, piccola, ho delle idee per il capo...

Pervinca, senza sapere perché, sentì che il cuore le batteva forte.

– Ho delle idee che forse disapproverai sulle prime, ma che poi approverai.

– Quali idee, mamma?

– Voglio lasciare per sempre il teatro e sposarmi. Ti spiacerebbe? Oh, si intende, che prima cercherei un bel marito per te. E non ti mancherà la scelta. Sei bella, giovane, ricca... Mezzo milione subito di dote, sai, posso darti, oggi... Sceglierò io un bel ragazzo che abbia una buona posizione, che ti sappia apprezzare. E anch'io mi farò un nido.

Disegno con cura le labbra, chiuse delicatamente l'astuccetto di metallo dorato, lo ripose, aggiunse:

– Se ti sposi, io resterò sola. E mi spaventa la vita sola, sola, senza nessuno che mi voglia bene...

– Resterò con te, mamma; ci sarò sempre io a volerti bene!

– Cara! Tu devi fare la tua casa, io... io sono troppo giovane Pervinca, per rinunciare a tutto. Ho lavorato, ho...

La cameriera avvertì che il pranzo era pronto.

Rapida, donna Delizia infilò un abito di mezza sera, poco scollato, poco vistoso. Mise un solo anello, si profumò con parsimonia, si guardò nello specchio:

– Sono sufficientemente bella per Marini? – chiese ridendo.

Pervinca si sentì svuotare.

– Mamma – disse cercando di rendere ferma la sua voce – perché vuoi essere bella per Marini?

– Così... Ma andiamo, andiamo, ci facciamo attendere troppo. Gli uomini bisogna farli attendere solo quel tanto che basta a non farli spazientire.

Entrarono nella sala contemporaneamente e Pervinca vide subito che il giovane guardava sua madre e non lei. E per tutto il tempo, la madre parlò continuamente, con un brio che Pervinca non le conosceva, con una varietà di argomenti fino allora impreveduti alla fanciulla. Era chiaro che donna Delizia, non più vincolata dal segreto, s'abbandonava alla sua indole e al suo spirito, non cercando più di nascondere alla figlia il suo vero essere, il suo reale temperamento.

Ma quello che maggiormente stupiva Pervinca, era l'atteggiamento di Marini. Egli pareva ascoltare le parole di donna Delizia e, quando questa gli rivolgeva la parola, pareva completamente felice. A un tratto, donna Delizia domandò:

– Avete ricevuto le mie lettere e le riviste?

– Certo; avrei risposto se me ne aveste dato il tempo...

Vanna e Pervinca si scambiarono un'occhiata. E Vanna ebbe paura del pallore di Pervinca. Con gli occhi la incitò ad avere coraggio. Ma si sentiva anche lei molto depressa.

Più tardi donna Delizia disse all'ufficiale:

– Questa sera sono stanca e vi spedisco presto. Domani vi attendo per il tè e si stabilisce il da fare.

Come il giovane se ne fu andato, donna Delizia disse alle fanciulle:

– Venite in camera mia. Ci sono i regali da vedere e ho voglia di chiacchierare con voi prima di dormire.

Le fanciulle la raggiunsero. La cameriera aiutò donna Delizia a togliersi l'abito. La signora si preparò per la notte e con il viso unto e una vestaglia morbida e calda stretta attorno al corpo, trasse i doni per le ragazze.

– Questa pelliccia per la mia Pervinca. A Vanna darai il pellicciotto biondo, povera Vanna che non soffra il freddo. Questo è un modello per mezza sera che dovrebbe andarti a pennello, Pervinca, perché hai le mie misure. E questi sono due anellini: uno per Pervinca e uno per Vanna. E ora mi infilo sotto le coltri e voi mi raccontate un poco della vostra vita.

Ella si allungò a letto, fece accendere solo la lampada dalla luce rosea e tenue, volle le ragazze di qua e di là del letto. E fu lei a parlare:

– Dunque, Vanna, tuo cugino ti ha lasciata. Poco male, quando dal carro scappa l'asino, il padrone vi mette sotto il cavallo. Per ora sei qui e credo non ti trovi male. Quando io sarò sistemata, sistemerò anche te. Che vorresti fare, Vanna?

– La sarta – rispose la ragazza prontamente.

– Lo dici seriamente?

– Seriamente, signora.

– E non dici una cosa stupida, sai. Aprirai una sartoria a Milano. Tu hai il gusto dei colori vivaci: ti guiderò e diventerai una grande sarta. Un po' di pazienza e sarai sistemata. E tu, Pervinca? Che aspirazioni hai?

– Nessuna, mamma.

– Non sei innamorata di Folchi, per caso?

– Oh, no, che cosa te lo fa credere?

– Ma così: mi hai detto e scritto che veniva a darti lezioni di inglese e di tedesco: sai è molto facile che dando lezione un bel giovane come Folchi perda la testa per una bella ragazza come te. Dunque, escluso Folchi, chi rimane? Marini? No, Marini non è tipo per te né tu sei tipo per lui. Escludo a priori che Marini possa essere innamorato di te. E allora? Bisognerà mettersi attorno a cercare un bel marito per Pervinca, la quale oggi può calcolare su mezzo milione di dote. Ho guadagnato molto in questo ultimo giro artistico. Figuratevi che a Vienna avevo ventimila lire per sera.

Sollevò le braccia attorno al capo, sorrise e mormorò:

– Ventimila lire per spettacolo e poi doni e doni a non finire. Domani vi farò vedere tutti i gioielli. Resterete senza fiato, piccole bambole.

E ancora tacque, ancora riprese:

– Ma ora sono stanca. Basta ballare, basta cantare, basta gelare nei teatri poco riscaldati. Ora voglio proprio fare la signora e ne ho diritto, perché sono anni e anni che lavoro. Quindi, gambe a riposo, signora Lili Sybel! E si faccia avanti donna Delizia. Mi sta bene quel donna, è vero? Non so davvero chi abbia cominciato a darmi quel titolo che non mi spetta; comunque, ormai c'è, per consuetudine, e me lo tengo.

Una risatella le fece scintillare i denti:

– La sola cosa che mi dia un po' di pensiero è la sistemazione di Pervinca.

– Ma non è necessario che mi sistemi, mamma! Io sto benissimo così!

– Può essere; ma poiché io voglio sposarmi, bisogna che prima tu sii a posto. O vuoi che mi mariti prima che tu sii a tua volta sposata?

– È indifferente, mamma – rispose Pervinca con un filo di voce. – Soltanto...

– Soltanto che cosa, bambina?

– Soltanto vorrei sapere se hai già scelto l'uomo che dovrai sposare.

– Oh, io avrei scelto, ma ancora non so se lui vorrà sposarmi.

– Posso sapere chi è, mamma?

– Sì che puoi saperlo: è Lido Marini.

Vanna vide l'amica piegarsi su se stessa. Poi l'udì con voce ferma dire:

– Ma è più giovane di te!

– Che importa? Forse si vedono i pochi anni che io ho più di lui? Figurati! Ho conosciuto una baronessa che aveva quindici anni più del marito e pareva più giovane di lui. E poi, con l'esperienza della vita, che cosa vuoi che contino i sei o sette anni in più che ho?

C'era quasi dell'ira nella sua voce. Ma non ira contro le parole della figlia, bensì verso quei sei o sette anni che ella aveva più di Marini.

Tuttavia, con voce nuovamente calma, aggiunse:

– Io voglio molto bene a quel ragazzo. E ormai posso dirvi, bambine, che la mia vita fu tutta una lotta. Ho conosciuto cose che non avrei mai voluto conoscere, e di tra le tenebre che talvolta avevo attorno, pensavo a un uomo che mi piacesse, come si può pensare all'ossigeno quando si sta per soffocare. Voi forse non potete capire, ma io che so, posso dirvi che oggi, per me, pensare a Lido è la felicità, il riposo, è la sosta dopo tanto andare. Io credo di aver lavorato e sopportato unicamente per poter dare molto danaro a mia figlia e poter sistemare il mio cuore. Più che di essere amata, io ho bisogno di amare di avere qualcuno cui pensare, di aver qualcuno in cui credere. La vita delle attrici non è vita facile. Qualche volta bisogna sopportare anche un Rook...

S'interruppe, arrossì leggermente, riprese:

– ... un Rook molto noioso, ma che è un impresario di gran nome e che paga principescamente. Ma chi dà la forza di sopportare anche un essere che non piace e che annoia? La speranza, quella speranza che ci fa intravvedere al di là di tutti i Rook del mondo, un sorriso amato, un ciuffo di capelli biondi, un paio d'occhi azzurri. C'era un ballerino in compagnia, si chiamava Philips Gren, ballava splendidamente. Ebbene, io guardavo quel ragazzo incantata e ballavo volentieri con lui unicamente perché somigliava a Marini. Forse non dovrei dirle queste cose a due fanciulle, ma infine, anche il mio cuore è simile al vostro, ché non era mai stato, prima d'ora, scalfito da nessun amore. E infine, se cerco di sposarmi, di sistemarmi, di entrare nella categoria delle signore per bene, compio una cattiva azione? Alla mia età, le mie colleghe si danno alla pazza gioia, passano da un amante all'altro, pigliano a pedate la moralità. Io no. Giovane e in piena ascesa, cerco un cuore da amare, un focolare da curare. Forse se non avessi sbagliato strada, io oggi sarei una brava massaia, con sette od otto bimbi e il bucato da rammendare. Invece, sono qui, con una sola figlia, molti quattrini e un desiderio infinito di diventare un poco come quella buona massaia che non potei esser in principio. Non so molto di casa, ma sono certa che se mio marito pretenderà che gli ramagli io le calze, pur di accontentarlo, bucherò anche le calze nuove così che io abbia sempre e sempre calzini da riparare per mio marito. Oh, ragazze, amate, sposatevi! Ma sposatevi con l'uomo che avrà scelto il vostro cuore. I quattrini, i trionfi, la gloria, i gioielli, non contano nulla, se non sono riscaldati dall'amore. E ora andate a dormire. E sognate un bel ragazzo, così come io sognerò il mio.

Si girò su un fianco, spense la luce. Pervinca e Vanna uscirono dalla camera; ma nel corridoio, Vanna dovette sostenere Pervinca.

— Perché, perché non hai parlato? — disse subito Vanna, come fu nella camera dell'amica.

— E perché dovevo parlare? Non hai dunque capito, tu, che già quei due sono amanti?

— Amanti?

— Ma non hai dunque sentito che cosa ha detto mia madre? Io ho scelto, ma non so se mi vorrà sposare. Questo significa che fino ad ora si sono amati senza nessun vincolo e che ormai pensano di sistemare la loro posizione. Infine...

Si interruppe. Poi passandosi una mano sulla fronte, che come per febbre, le ardeva aggiunse:

— E infine è meglio così. Mia madre è bella e giovane: non è stata felice in amore nel passato, lo sia ora!

— Ma come? — scattò Vanna. — Tu non puoi tanto supinamente accettare che l'uomo da te amato e sognato come marito possa invece diventare il marito di tua mamma! Ah, senti! Una marmottina bionda, ti avevo sempre pensata; ma marmotta a questo punto, no davvero. Quando si è tanto placidi e senza ribellioni, non si nasce donne: si nasce pacchetto di bambagia e si sta lì ad aspettare di essere affogati in una bacinella di acido borico. Che roba! Si innamora, si prende baci e carezze da un uomo, dal primo uomo della sua vita e poi... e poi si fa di lato e dice: «Avanti gli altri!».

Pervinca con voce calma domandò:

– Perché ti inquieti con me? Dimmi tu che cosa sapresti e potresti fare nelle mie condizioni!

Vanna restò senza parola e l'altra continuò:

– Se ti trovassi nel mio caso, faresti ciò che faccio io. Ti metteresti da parte e diresti appunto: «Avanti gli altri!». E forse ti renderesti conto che è meglio così. Perché dopo tutto, è molto meglio pensare la propria madre sposata che amante d'un uomo.

– Sì – mormorò Vanna – forse tu hai ragione, Pervinca. Ma quei due, sai, quei due...

– Chi?

– Folchi e Marini... Che due canaglie!

– Perché?

– Perché? Ma tu sei fatta proprio di materia inerte! Guarda che tomi! Si sono presi i nostri primi baci, si sono rubati i primi palpiti dei nostri cuori e poi... e poi uno pensava a sposarmi come io penso a diventare regina del petrolio e l'altro?... Be' senti, l'altro, il tuo, è più porco del mio...

– Colpa nostra, Vanna. Ti ricordi che cosa diceva una «grande» in collegio?

– Quale «grande»?

– Quella che faceva l'ultimo anno e aveva un visetto da Madonnina? Diceva: «L'uomo maschio è un ladro. Non bisogna lasciare neppur un finestrino aperto, perché quello dal finestrino introduce una mano e ruba ciò che gli capita».

– Evidentemente, quella «grande», malgrado il suo visino, se ne intendeva o perlomeno doveva aver preso una bastonata come l'abbiamo presa noi.

– Forse; dovevamo ricordarci le sue parole.

– Cara mia, a ricordare le parole di tutte le persone si starebbe fresche. Ora pensiamo a noi. Che si fa?

– Non lo so.

Silenzio. Poi il silenzio fu interrotto da Vanna, che con voce esitante domandò:

– A tua mamma continuerai a voler bene, vero?

– Certo. Perché dovrei farle una colpa di essere bella e attraente? Se lei piace agli uomini, che colpa ha?

– Infatti; che colpa ha? È tanto buona e tanto ingenua!

Pervinca guardò l'amica per vedere se il suo viso tradisse ironia alcuna. Ma Vanna era molto seria.

– Ingenua, perché? – chiese allora.

– Perché – rispose Vanna – perché lei non si è neppure chiesta se tu e Marini per caso... Ella non ammette nemmeno che tu sia tanto cresciuta da esser in condizioni di poter amare. Vedi bene che questa è ingenuità, oltre a essere amore materno, ché il vero amore materno fa sempre vedere piccini i propri figli. Tua mamma ti vede bimba, con la bambola, magari, ma non certo alle prese con l'amore.

Tacque ancora, riprese subito:

– Be', ora possiamo andarcene a letto. Se è vero che la notte porta consiglio, domani vedremo più chiaro in questa situazione. Ma dubito che la notte porti consiglio. Una volta, in collegio, dopo una sfuriata ingiusta della direttrice, pensai di andare a protestare e durante la notte maturai questo proposito; il mattino corsi in direzione e inciampai e battei quel famoso colpo nello spigolo...

– Ricordo... Ti credevamo morta...

– Vedi? Allora dormiamo invece di interpellare i consigli notturni. Penso che una bella dormita possa metter a posto molte cose. Buona notte, Pervinca.

– Buona notte, cara.

La villa fu tutta silenziosa. Donna Delizia dormiva supina con le braccia levate attorno al capo e un lieve sorriso sulle labbra struccate e fresche. Vanna dormiva su un fianco raggomitolata come un gatto e con il viso molto imbronciato. Pervinca aveva gli occhi aperti e due lacrime che stavano lì, tra ciglio e ciglio, che tentavano di scendere e che erano sempre trattenute da una volontà decisa.

Fuori, nel cielo tutto coperto di nubi, brillava una sola e piccola stella, che era un presagio di sereno, che era, forse, un ricordo di sereno ormai scomparso o prossimo a scomparire.

XVII

Qualche giorno dopo, ed era gran freddo, donna Delizia mandò a chiamare Vanna. Come la fanciulla entrò nella camera della signora, questa, che era ancora a letto, le sorrise gaiamente e sventolando un giornale disse:

– Forse c'è una bella cosa per te qui... Guarda un poco, Vanna.

Vanna si fece presso il letto della signora e rimase rispettosamente in piedi di lato al capezzale.

– Siedi, siedi! – invitò donna Delizia, prendendola per un braccio e obbligandola a sedere sulla sponda del letto molto vicina a lei. – Siedi che dobbiamo discutere. Ti hanno insegnato a leggere in quel collegio di marchese e baronesse un poco a piedi e molto boriose?

Trattenendo una risata, Vanna rispose:

– Un poco...

– Allora metti insieme quel poco e leggi qui.

Con l'indice dell'unghia meticolosamente laccata e splendente come rubino, donna Delizia toccò il giornale.

– Leggi forte.

E Vanna lesse forte:

«Causa decesso cedesi grande avviata sartoria per signora posizione centrale, clientela finissima. Indirizzare offerte notaio Armani. Via Y. Milano».

– Capito? – fece donna Delizia.

– Sì, signora.

– Oh, come mi piace quel tuo «sì, signora!». Fammi il piacere di chiamarmi Delizia o se proprio vuoi tenermi un passo in là, donna Delizia. Dunque, capito?

– Mi pare di sì, donna Delizia.

– Sei un tesoro. E che cosa hai capito?

– Poco o nulla.

– Allora, oltre a essere un tesoro, sei un'oca. E spiego io. Qui, è chiaro, qualcuno è morto. C'è un notaio di mezzo e quindi la morte di questo qualcuno è proprio sicura. Non si tratta, insomma, del solito trucco di tentar di vendere una baracca che va male adducendo la scusa della morte del proprietario. Di conseguenza, l'affare può essere buono. E io vado a vedere. Se la cosa mi piace, faccio l'affare, compero la sartoria che avrà certo dirigenti e lavoranti, e metto te a capo dell'azienda. Naturalmente, pago subito e tu diventi padrona. Bello vero che uno paghi e l'altro sia padrone? Non t'era mai capitato, dimmi la verità!

– M'era capitato il contrario: di essere padrona e di dover pagare.

– Bella storia! A me non sarebbe capitata. Ma non perdiamo l'argomento. Io filo subito oggi a Milano; ti vado a pescare questo notaio, te lo maneggio e rivoltolo, e gli faccio buttar fuori la cifra ultima per l'acquisto. Fammi un piacere, ordinami il bagno...

– Preparo io, se permettete.

– Figurati! Ti ringrazio perché mi eviti per un'ora la visione d'una cameriera. Salendo di grado, non ho tuttavia imparato ad amare le cameriere. Chi sa poi perché! E mi dicono che ci sono signore capaci di farsi così alla mano con le cameriere, da concedere a esse l'onore di conoscere il nome dei loro amanti. Così, alla prima occasione, le cameriere spifferano tutto al marito e tu sei servita. Impara a tacere con tutti, Vanna. Una persona istruita un giorno mi disse che il cuore è fatto come un'urna, appunto perché vi si possono chiudere i segreti. Io penso che vi si potrebbero chiu-

275

dere anche se invece di essere fatto come un'urna fosse fatto come una bottiglia di spumante; comunque, facciamo tesoro di quanto dicono le persone che ne sanno più di noi. E ricorda che senza dare molta importanza, apparentemente, le persone che ne sanno più di noi sarà bene ascoltarle.

S'era levata dal letto, tolto il pigiama, infilata una vestaglia leggera che la delineava tutta, fasciandola. Si muoveva per la camera mettendo a posto qualche ninnolo, guardandosi continuamente negli specchi. Ma quel suo mirarsi denotava un'abitudine più che un'ambizione.

Vanna disse, dalla stanza di bagno:

– È pronta l'acqua. Metto i sali?

– No, oggi metto la crusca. Ne ho un sacchetto nell'armadio, costì – gridò Delizia, gioiosamente. – La crusca si dà alle bestie da mangiare e alle donne da usare per toeletta.

– Che fa la crusca? – chiese, di dove era, Vanna.

– Ammorbidisce la pelle, la rinfresca, la rende elastica.

– Ma voi avete una pelle così bella!

– Bella perché la curo. Credi a me, che senza cure, anche la cosa più bella va a farsi friggere. Se a un bel momento non dài neppure una scopata al pavimento per togler via la polvere, verrà giorno in cui sarà opaco, sporco e tetro. Così per noi: quando non si hanno più sedici anni, qualche scopata alla pelle fa bene...

Era entrata nella stanza di bagno, aveva toccato l'acqua con la punta delle dita.

– Non mi fido neppure del termometro – disse Delizia sbirciando tuttavia i gradi che questo segnava. – La mia pelle è più sensibile del termometro. E ora girati che mi butto dentro. Ma se vuoi restare per strofinarmi la schiena con la crusca, ti dico grazie.

Vanna fu lietissima dell'incarico. Fece assorbire acqua alla crusca, poi ne mise una manciata sulla falcata schiena di Delizia e delicatamente cominciò a massaggiare. E mentre ella compiva quel lavoro che la metteva di buon umore e che le permetteva di mirare l'agile e saldo corpo della donna, Delizia parlava:

– Io sono sempre stata felice dell'amicizia di Pervinca per te. E ti voglio proprio bene, Vanna.

– Oh, lo so!

– Brava; dimmi che lo sai per il pochissimo che ho fatto e mi diventi antipatica.

– Eppure voi avete fatto molto per me.

– Stai tranquilla che il poco o il molto l'ho fatto perché così mi piaceva. Non tocco neppure una foglia se il toccarla mi può costare anche il minimo dispiacere. Non credere che sia generosa con chi non mi talenta. Ora le spalle, per cortesia... Io sono fatta a modo mio... Lascia, lascia, le gambe le frego io, faccio senza pietà, tu sei troppo gentile... Ti dicevo che mi sei cara perché vuoi bene a Pervinca. E Pervinca è il mio tesoro. Bella, vero, la mia bambina? E buona, vero? Tante volte mi pare che debba ancora prenderla per mano e portarla a passeggio e sostenerla nei primi passi...

– Eppure i primi passi sono lontani e Pervinca non è più una bambina – rispose subito Vanna con tono deciso di chi vuol precisare.

– Non è più una bambina! Ma sì! Ma non la vedi che si incanta sempre a guardare tutti come se i suoi occhi imparassero solo ora a vedere? Ieri guardava Marini come se lo vedesse per la prima volta. E ieri l'altro, ricordo bene, se ne andò senza salutare Marini ché, certo, lei lo aveva dimenticato. Quella, gli uomini, non li vede ancora. Ed è meglio, sai; così avrò tempo per cercare io l'uomo adatto a lei. Un uomo che abbia almeno dieci anni più di lei, altrimenti, inesperta lei inesperto lui, mi combinano qualche pasticcio. Dieci anni di più, posizione ottima, salute di ferro, carattere a posto. E glielo trovo, sai! Oh, se glielo trovo!

– Ma bisognerà che Pervinca possa amare questo uomo...

– Lo amerà. Quando un cuore è vergine si attacca facilmente al primo uomo che lo fa palpitare.

– Ah...

Ora donna Delizia era tutta rosea. Disse:

– Girati che salto fuori.

E mentre si strofinava nell'accappatoio azzurro e soffice, riprese:

– Lascia fare a donna Delizia. Metterà tutti a posto: te, Pervinca e anche se stessa. Perché voglio proprio dirtelo, Vanna: ho anch'io la mia cotta: amo quello stupido di Marini in modo ridicolo.

– E lui? – balbettò Vanna, curva sulla vasca come per cercarvi qualche cosa.

– Oh lui, lui... è un maschio... giovane... È un poco come per i polli novelli... Se ne fa ciò che si vuole: lesso, arrosto, umido... Mi dài per cortesia le calze?

Vanna andò in camera e donna Delizia cominciò a canterellare: «Erwache dich, Lili!».

– Come cantate bene! – disse con ammirazione Vanna.

– Be', ora che non debbo più celarmi, vi farò sentire e voce e canzonette. Ma lo sai che per tutti questi anni ho dovuto fare una bella fatica? Qualche volta mi veniva voglia di buttare fuori una canzoncina e dovevo ricacciarla in gola. Qualche altra mi scoppiava in gola una di quelle risate che hanno reso celebre Lili Sybel e dovevo mettere fuori una sentenza materna colma di saggezza. Qualche altra, oh, che buffa cosa! Mi veniva voglia di fare un passo di danza e dovevo invece misurare la cadenza, come se fossi a un funerale! E ora che posso fare tutto, perché tutto sapete, eccomi qui innamorata come una stupida, senza più desiderio alcuno di teatro e di applausi e tutta ardente nell'attesa di uno stupidone di Marini. Tu che pensi?

– Io? Nulla! Vi ascolto!

– No, volevo sapere che cosa pensi di Marini. Faccio bene o non faccio bene ad amarlo?

– Ma... io... non so...

– Infatti; sei un'oca giovane come mia figlia. Meno male che sei riuscita a scapolare da quel tuo fidanzato alquanto pesce. Chi sa che fine facevi, povera bellona, con un pretonzolo simile! Ma ci sono io, anche per te. Sartoria di gran classe, poi il marito verrà. Ti pare che vada bene questo fazzoletto con il colore dell'abito? Mi guardi sbalordita? Non sai che anche il fazzoletto deve essere intonato al vestito? Una donna veramente elegante deve saper armonizzare i colori così da farne una gamma sola... Ma la colazione, l'ho ordinata?

– Non ancora. Volete che la porti io su?

– Vuoi? Davvero per tutta la mattina non mi fai vedere facce di cameriere? Ma io ti porto un regalo che neppure immagini! Portami caffè puro con panna a parte. Burro e miele. Biscottini salati. Figurati che questa colazione la assaporai per la prima volta quando avevo... poche lire nel borsellino. Tu sai che sono scappata da casa, è vero? Be', la panna con i biscottini salati m'ha portato fortuna. Tutte le mattine intingo un biscottino salato nella panna.

– Proverò anch'io... – sorrise Vanna.

– Il tuo biscottino con la panna sono io! Vai, cara, che ho fame! Aspetta: porta solo sei biscottini, se ne ho di più li mangio e poi tremo per la linea.

Vanna se ne andò e come ella fu uscita Pervinca bussò alla porta della camera dicendo:

– Non vuoi anche me, mamma?

Donna Delizia aprì le braccia e si strinse al cuore la figliola.

– Come hai detto? Se voglio anche te? Ma tu dormivi e io dovevo dire tante cose a Vanna. La metto a posto, sai. È così cara! Figurati che per merito suo questa mattina non ho visto neppure un muso di cameriera. Care ragazze le cameriere, buone, colme di altruismo, pronte a farti un piacere, pronte a dire bene della padrona... io, le adoro tutte, le cameriere, ma se posso fare a meno di vederle, oh, che gioia! Appena sarò sposata, cambieremo tutto il personale.

– Perché, mamma?

– Non vuoi? Tienitelo! Io ne scelgo un altro. E questi portateli poi via quando ti sposerai. Ma non ti illudere troppo! Oh, ecco Vanna! Ora mangio senza chiacchierare, altrimenti mi rimane tutto sullo stomaco, e voi bimbe andate a far colazione per conto vostro. Aspettate, vi do un bacio e filo.

– Ma dove vai, mamma?

– A Milano; ti spiegherà Vanna. Se questa sera non tornassi, telefonerò. Oh, aspetta... Bisogna dire a Marini che non venga... O vuoi che venga ugualmente, anche se non ci sono io?

Pervinca batté un poco le palpebre, i suoi occhi azzurri furono per un istante disperati, ma la voce era calma, rispondendo:

– Se non ci sei tu è inutile che Marini venga.

– Va bene, gli telefonerò, così gli darò anche il buon giorno. Date ordine che preparino l'automobile. Vi porterò i fondenti alla crema e i marroni canditi di una pasticceria che conosco. Delizie, sapete, delizie come me!

Era felice e come fu sola rise gaiamente vedendo che un timido raggio di sole si tuffava nella tazza del caffè.

– Ma guarda – mormorò lietamente. – Che bravo sole! Anche lui fa il suo bagno! Chi sa di che colore e di che umore ne esce...

Poi telefonò a Marini. Ma le risposero che il capitano era in volo. Allora ebbe un'ombra di tristezza sul viso fino allora ridente e sereno:

«In volo!» – pensò. – «Povero bamboccio... Chi sa che freddo lassù. E chi sa quante volte mi batterà il cuore sapendolo in aria... Ma infine non vorrà volare in eterno e un giorno capirà che è meglio starsene a terra tra le braccia di Delizia...».

Appena fu in macchina mise la mano nella borsetta, ne trasse l'astuccio d'oro delle sigarette, l'accendisigari d'oro con il monogramma in rubini. Esitò un istante, rimise tutto nella borsetta dicendosi:

«Piantala di fumare! Lili Sybel con la sigaretta tra le dita, stava bene, la signora Marini no. Comincia da oggi a essere signora!».

Guardò le sue gambe accavallate: s'accorse che anche la coscia era in parte rivelata. Prese una posizione più decente. E poiché la macchina rallentava e si fermava, ebbe modo di vedere che da un'altra macchina, pure ferma per un passaggio a livello chiuso, due giovanotti la guardavano, ammirati. In altri tempi avrebbe sostenuto quello sguardo e forse avrebbe sorriso. Quel giorno volse il capo altrove, pensando:

«Guardate il di dietro del mio berretto, brutti scemi! Che credete? Sono Delizia Barbàro, io, non Lili Sybel!».

Tanti e così sereni furono i suoi pensieri, che stupì quando l'autista le chiese:

– Dove andiamo, signora?

Erano a Milano.

E allora Delizia pensò che per prima cosa bisognava andare a mangiare, ché gli affari sono una bellissima invenzione, ma che il corpo non doveva soffrire per essi.

Più tardi si fece portare dal notaio. Il quale accolse con molta deferenza la bella ed elegante visitatrice. Donna Delizia sapeva bene che non tutti i notai hanno la papalina e le pantofole, sapeva pure che non tutti i notai hanno un secolo di età e lo studio che odora di muffa. Tuttavia fu molto stupita di veder un bel ragazzone, alto, forte, ben fatto, con un viso da discolo che attirava subito simpatia, con una formidabile dentatura, che faceva pensare a morsi giovanili. E poi, che occhi aveva quel figliolo! Grigi e allegri sotto una fronte alta e serena, sulla quale un ciuffo di capelli scuri, ondulati e folti, mettevano un'ombra sbarazzina. Fu così stupefatta, donna Delizia, che prima di sedere come il giovane diceva, domandò:

– Il notaio, per cortesia.

– Il notaio sono io, per disgrazia. Mio nonno era notaio, mio padre è notaio, bisogna che faccia il notaio. Ma lo faccio molto allegramente perché se mi trovate qui, è un miracolo. E se volete il babbo, ché non vi fidate di me, venite verso sera. Così mi fate un piacere. Vorrei che tutti i clienti non si fidassero di me: potrei andare in palestra a tirare di scherma. Sono campione di fioretto, per dilettanti, si sa. Ma se potessi diventare professionista, sapete che farei capriole? Oh, ma voi che volevate, signora? Fumate?

– No, grazie. Io volevo aver qualche informazione su quell'annuncio in merito alla cessione di una sartoria...

– Siete sarta, voi? – chiese stupefatto il giovane.

– No, ma vorrei acquistare la sartoria per una giovane amica di mia figlia. Una ragazza molto brava che vorrei aiutare.

– Voi avete una figlia?

E la guardava, e la fissava, e non la finiva di guardarla.

«Ci siamo» – pensò donna Delizia. – «Mi riconosce... Tra poco mi chiederà se sono Lili Sybel...»

Mise la borsetta in grembo, timorosa di far scorgere le iniziali della cerniera e dicendosi:

«Cretina idea di regalarmi dei brillanti sotto forma di iniziali! Gli uomini quando si mettono a fare gli originali, diventano idioti. Mi domando se c'era bisogno di buttare qui un capitale... Poteva darmi un assegno, no?».

E l'altro continuava a fissarla e finalmente sbottò:

– Ma scusate: ho l'onore di parlare con Lili Sybel, io?

– Anche voi! – fece la donna con voce annoiata. –

Anche voi mi credete Lili Sybel! Ma quando finirò di sentirmi confondere con quell'attrice?

– Oh, scusate! Ma non dovete prendervela in mala parte. Lili Sybel è deliziosa, da tutte le parti, sapete, e come attrice e come donna e come autentica artista. Io mi metto sempre nella prima fila di poltrone per vederla meglio... Ma... scusate ancora. Dunque volevate sapere della sartoria... Ecco qua, si tratta della famosa sartoria Labella, il cui proprietario è morto per un colpo secco, poveraccio. La vedova vuole ritirarsi, e poiché non ci sono eredi, la sartoria è in vendita.

– Labella, avete detto? Ma è una ditta famosa, che deve avere clientela raffinata. Quanto si domanda?

– Mezzo milione.

– E si possono vedere gli incassi e i nomi della clientela?

– È qui tutto a vostra disposizione.

– Potrei vedere subito? Io riparto oggi.

– Ecco qua...

Suonò un campanello e a un uomo che entrò subito, diede l'ordine di cercare tutti gli incartamenti della ditta Labella. In attesa, donna Delizia guardò il giovane, poi i mobili. Belli, severi, ma per nulla opprimenti. E mentre faceva questa constatazione, ecco la porta aprirsi e un bel signore, anziano ma non vecchio, entrò e fece un leggero inchino.

– Mio padre – presentò il giovanotto – e qui la signora...

– Barbàro...

– La signora Barbàro che vorrebbe acquistare la sartoria Labella.

– Va bene Franco – rispose il notaio padre – posso continuare io la discussione. Se vuoi andare...

Ma Franco non voleva andarsene, era chiaro. E al padre, tra ridente e risentito, dichiarò:

– Caro dottor Armani padre! Questo affare l'ho cominciato io e lo termino io...

Il dottor Armani padre capì l'antifona. Si inchinò, baciò la mano a donna Delizia, se ne andò per la porta di dove era entrato. L'uomo di poco prima portò gli incartamenti e Franco Armani mise sotto gli occhi di donna Delizia tutto quanto poteva interessarla, spiegandole, via via che le passava i fogli, ciò che essi contenevano.

– Ecco qua l'elenco controllabile della clientela. Questi gli incassi dello scorso anno. Un'attrice ha «puffato» la ditta per centomila lire. Quindi, se il povero Labella fosse stato meno stupido, ci sarebbero centomila lire in più di incasso. Qui è quanto c'è nella ditta: poca roba, quindi poco rilievo e di conseguenza meno spesa. Il personale è ottimo e sarà felice di restare al suo posto. L'affare, credete, è buonissimo. Ma devo dirvi che la cifra di acquisto si ferma a mezzo milione, se viene versata subito: cambierebbe se si volesse pagare a rate, che so, tre, quattro rate. Allora, logicamente, salirebbe e di parecchio...

– Io pagherei oggi stesso...

– Ah, siete come mio padre, voi! Debiti, niente.

– Infatti: debiti, niente.

– Brava! Una sigaretta? Ah, no, scusate, mi avete detto che odiate il fumo. Un bel caso, però. Le donne fumano più degli uomini, oggi.

– Pensate che io non fumo non solo perché non mi piace farlo, ma anche perché non mi piace imitare le altre donne.

– Interessante.

Donna Delizia ebbe un atto di impazienza, chiedendo:

– E si può combinare oggi?

– Oh, sì, scusate! Io divago... Ma la colpa è vostra, signora. Mi pare che con voi si possa parlare di tante cose e mai d'affari.

– E perché?

– Ma così... Forse perché siete giovane, bella, elagante, raffinata...

– Da bravo ragazzo – scappò detto a Delizia – non fatemi poi più giovane di quanto sono. Ho una figlia di diciotto anni.

– Ma no! Non si possono aver bambini a otto o nove anni!

– A otto o nove non credo. Ma a sedici sì.

– Trentaquattro anni? Io trenta. Siamo quasi della stessa classe!

Ormai donna Delizia aveva voglia di ridere. Venuta lì per combinare un affare serio, con un serio notaio un poco stantìo, s'era trovata alle prese con un ragazzaccio che riusciva a renderle divertente anche un affare abbastanza serio. Guardò meglio il giovanotto. Bello e sano, elegantissimo. Guardò le mani. Un magnifico brillante gli ornava la mano sinistra.

– Fidanzato, siete? – domandò:

– Fidanzato? Ma che!

– Mi ha tratto in inganno l'anello.

– Oh, un anello di famiglia. Lo portò sempre la povera mamma e lo porto io ora. È il solo che sono riuscito a carpire al dottor Armani padre. Il quale dottor Armani padre è molto ricco, ma molto stretto. Dice che mollerà i cordoni quando prenderò moglie. Intanto, accumula quattrini.

– Siete figlio unico?

– Per mia sventura, sì. Voi forse non sapete che è gran noia essere in uno solo a sopportare le tenerezze, le sgridate, i lagni e le gioie dei genitori.

– Ma vostro padre deve adorarvi.

– Sì! Ma vedete che cosa fa fare l'adorazione? Costringe Franco Armani a fare il notaio quando questo Franco sarebbe felicissimo di fare lo sportivo. Ve ne intendete di scherma, voi?

– Neppure un poco!

– Sapreste distinguere un fioretto da un apparecchio telefonico?

– Questo sì...

– Brava! Allora immaginate che io abbia voglia, sempre, di far sibilare il mio bel fioretto e debba invece stare con il telefono all'orecchio a rispondere ai clienti di papà. Un'allegria, no?

– Potreste prendere una telefonista, magari bella, e andare a tirare di scherma.

– L'ho pensato. Babbo non vuole. E io, a mia volta, non voglio restare qui a far muffa.

– Il vostro sogno quale sarebbe?

– Diventare campione mondiale di fioretto. Ma farlo per mestiere, capite? Non che abbia bisogno di danaro. Babbo ne ha molto e... Ma per avere un mestiere che mi piaccia. Mi capite?

– Altroché! Voi siete come quei giovanotti che potendo fare una vita beata nella loro casa, preferiscono andare a far della fame recitando in Compagnie di quarto ordine...

– Ecco! Voi avete capito! Dovete essere una grande donna. Tuttavia, io non patirei la fame, perché guadagnerei e poi perché, vi ho detto, babbo è ricco.

– Quand'è così... parleremo a babbo...

Risero. E donna Delizia lietamente osservò:

– Allora, caro Armani figlio, io verso una caparra. Centomila?

– Come volete. Ma anche nulla, se volete. Mi fido di voi: siamo amici, no?

– Amiconi! Ma preferisco fare le cose per bene.

Trasse il libretto degli assegni, scrisse con cura, firmò con la sua scrittura alta e snella che ricordava lei stessa e, consegnando il foglietto, disse:

– Fate le cose per bene. Domani mattina tornerò per il contratto.

– Non avete detto che ripartivate?

– Sì, ma poiché s'è concluso poco...

– Dovrete andare in un albergo.

– Per forza, a meno che mi consigliate di andarmi a coricare su i gradini del Duomo.

– No, vi consiglio un albergo ottimo, dove sono conosciutissimo e dove questa sera ceneremo, se non avete nulla in contrario.

– Non ho nulla in contrario, ma poiché ho una figlia da marito, non voglio che mi si creda una girellona. Sono rimasta vedova giovanissima e non s'è mai mormorato sul mio conto...

– Un bel caso...

– Come?

– Ma sì, stupisco che nessuno abbia perlomeno inventato maldicenze su una bella vedova come voi. Ma dicevate...

– Dicevo che potrebbe venire anche vostro padre a cena.

– Un'idea! Magnifica anche! Il babbo non sta mai volentieri in casa, la sera. Né so perché si tenga un cuoco!

– Per dare un salario. Allora: in quale albergo debbo andare?

– Al... Sapete?

– So... Via Manzoni.

– Telefono al direttore raccomandandovi come un tesoro!

– Grazie. A rivederci!

Il giovane l'accompagnò fino alla porta, le baciò la mano, stette a vederla entrare nell'ascensore.

E come fu a pianterreno, donna Delizia cominciò a pensare e pensando sorrideva. E ancora sorrideva salendo nell'automobile e ancora quando fu nella bella camera dell'albergo, dove era stata accolta con inchini profondi e rispettoso ossequio.

In vestaglia, con il viso coperto dalla maschera di bellezza, decisa a essere per la sera non bella, ma splendida, Delizia pensò:

«È il destino che mi ha fatto veder quell'annuncio. Io bisogna che faccia qualche cosa per ringraziare il mio destino sempre amico. Franco Armani è bello, ricco, simpatico. Ama la scherma, ma so che certe passioni sono nel sangue e c'è poco da discutere: non si può dissanguare un uomo per tirargli fuori un fioretto. Ha dodici anni più di Pervinca ma è sano e non invecchierà certo: me ne intendo, quelli sono tipi che tengono duro e lo sport distrae da tante tentazioni. Il padre è un bellissimo uomo. Non ci sono fratelli e i quattrini resterebbero tutti a Franco. E se i brillanti di famiglia sono tutti somiglianti a quelli che il ragazzo ha in dito, alla grazia, che capitale! Questa sera mi lavorerò io i due uomini. E se fra qualche giorno quei due non sono ospiti a "Villa Delizia" non sono più io!».

Si lasciò sorprendere anche da un pisolino. E quando si destò, si sentì fresca, riposata, d'umore allegro e giovanissima. Tolse la maschera dal viso, si fece toeletta, indossò un abito da mezza sera di seta opaca color topazio, molto sobrio, solo ravvivato da due clips formate da tartarughine in topazio. Ma per dimostrare che possedeva bei gioielli, si prese una *trusse* di tartaruga bionda che per chiusura aveva uno smeraldo grosso come una nocciola.

Puntualissimo, Franco Armani si annunciò con un fascio di orchidee, alle quali era unito un biglietto: «Padre e figlio attendono la più deliziosa cliente».

Senza farsi attendere un istante, donna Delizia discese. E fu accolta con sì viva deferenza che si sentì arrossire.

Nell'elegante salone dell'albergo, presero posto per la cena. Donna Delizia guardò subito il padre Armani. Elegante, sottile, alto, con quel tanto di rughe che non guastava, con molti capelli grigi, con gli occhi del tutto simili a quelli del figlio.

Parlando del tempo, della villa, della figlia, delle sue abitudini che andava via via inventando, donna Delizia scrutava gli uomini. «Stoffa di gran prezzo, bei brillanti, biancheria di classe e di gusto, modi raffinati, comportamento signorile ma disinvolto... Gente abituata al lusso, nata nell'abbondanza. Occhio al vecchio, Delizia. Ti sbircia, ti scruta. Ricordati che non stai conquistando nessuno per te, ma un marito per tua figlia... C'è un imbecille che guarda con ostinazione, il vecchio s'è accorto, mostrati sdegnata...»

E con voce risentita:

– C'è quell'idiota a destra, che non mi toglie gli occhi di dosso! Una bella noia...

Il padre Armani che dava le spalle all'uomo che guardava Delizia, si volse di scatto e guardò l'importuno, con uno sguardo così duro e risentito che l'altro si sentì in obbligo di metter il naso verso il proprio piatto.

E il padre Armani:

– C'è della maleducazione in alcuni individui. Una bella signora si può guardare, ma non scrutare. Che ne dite, signora Barbàro?

– Dico che avete mille ragioni, ma che vi sarò grata se mi chiamerete donna Delizia come tutti gli amici. Perché... perché siamo amici, oramai, non è vero?

Il padre Armani, che da bravo notaio aveva subito chiesto informazioni sulla solidità dei capitali di Delizia Barbàro e aveva avuto informazioni ottime, rispose con slancio:

– Amicissimi e orgogliosi di essere considerati tali da voi, donna Delizia.

– E allora, per rendere più salda l'amicizia, venite a «Villa Delizia». Conoscerete anche la mia Pervinca. È una bimba adorabile, un poco smarrita ancora, perché è da pochi mesi uscita di collegio. Con lei ho allevato anche una sua amica, povera ma tanto cara; quella per la quale acquisto appunto la sartoria. Ha il bernoccolo dei colori e del taglio, quella figliola; ha un gusto un po' violento, ma si modificherà.

– Ma siete davvero buona! – osservò Armani padre quasi commosso. – E io mi domando a chi debbo la fortuna di avermi fatto conoscere una creatura come voi!

– E io? – ribatté Delizia. – E io? Se credete che non sia felice di aver conosciuto voi e Franco, vuol dire che capite poco del cuore femminile...

Chiamò un rossore alla sua fronte: il rossore apparve ed ella aggiunse:

– Scusate, signor Franco, vi ho chiamato come se foste mio figlio!

– Ma che dite? Via quel signor del diavolo! Datemi del tu se volete e sarò orgoglioso.

Donna Delizia sorrise, allungò una mano, toccò con le sue belle dita una mano del giovane:

– Grazie – mormorò – ma del tu sarà difficile. C'è la contessa Valeri che mi ha vista bambina e non sa darsi pace perché lei mi dà sempre del «tu» e io rispondo con il «lei», come quando ero piccola. Ma col tempo, quando saremo ancor più intimi amici, mi proverò... Tanto, sono più vecchia di voi...

– Oh, sì, d'un paio di secoli! – rise il padre Armani.

– Ho quattro anni più di Franco, sapete! Ma la mia vita è stata così sacrificata che...

S'interruppe, pensò:

«Non esagerare. Se questo ragazzo sposa Pervinca dovrai pur dire ciò che sei stata, prima che lo apprenda da altri. Quindi comportati bene, ma non fare la vittima, ché vittima non sei davvero stata mai».

La sera passò piacevolissima. Armani padre offrì, dopo cena, una serata di teatro a Delizia; ma la donna rifiutò dicendo che preferiva coricarsi presto.

Gli uomini si congedarono, ma prima di andarsene, Armani padre le disse:

– Domani Franco verrà a prendervi perché veniate a casa nostra a mezzogiorno. Abbiamo un cuoco che non fa mai nulla e sarà felice di dover lavorare per una bella e squisita signora come voi...

Donna Delizia accettò con riconoscenza palese, salutò con fresca gaiezza, salì nella sua camera. E spogliandosi si fece un lungo discorso:

«Stai attenta che il vecchio parte per la tangente. Mettilo a posto subito altrimenti va a farsi benedire il matrimonio di Pervinca con Franco. Non bisogna conquistare nessuno, ora; tu non hai più bisogno di nessuno. Attenzione, Delizia, non farti prendere la mano da Lili Sybel».

A letto, pensò a lungo anche al suo amore. E finalmente, quella donna di trentaquattro anni, che aveva percorso una vita molto avventurosa, compì un atto da educanda. Con la guancia premuta sul guanciale, con le mani poste sotto a sostenere il guanciale come cosa viva, mormorò, a occhi chiusi:

– Buona notte, Lido! Mi senti, mi senti vicina a te? Bel ragazzone caro, delizioso maschiaccio dagli occhi di bambino... Delizia ti è vicina con lo spirito, ti sarà vicina con il corpo, presto, per essere due volte la tua delizia!

E stretta al guanciale, sorridendo come una bimba, quella donna che aveva fatta la sua vita a ritroso, s'addormentò.

Il mattino dopo c'era gran sole e sebbene l'aria fosse fredda, stando al sole si poteva godere d'un dolce tepore. Donna Delizia che non aveva previsto un lungo soggiorno a Milano, fu molto spiacente di dover indossare l'abito da mattino che aveva anche il giorno precedente. Tuttavia si consolò pensando:

«Forse è meglio così. Una ricca signora per bene non deve poi far sfoggio di grandi toelette, in breve tempo».

Fu molto soddisfatta del suo aspetto e quando Franco Armani venne a prenderla, ella si fece trovare pronta, lieta, sorridente, elegante, profumata e fin troppo sostenuta.

Franco Armani aveva un'automobile molto importante: e donna Delizia, seduta accanto a lui che guidava, vide che la macchina era di marca, fuori serie, nuovissima e ben tenuta. Giunti a casa e ricevuti da una cameriera anziana e molto deferente, donna Delizia si incontrò con Armani padre, che l'accolse come una vecchia amica. La donna aveva parole pronte e cortesi, risposte facili, atti corretti e signorili. Quando si avvedeva di essere in impaccio con le risposte, donna Delizia sorrideva e quel suo sorriso teatrale e splendido era più ben accolto di qualunque arguta risposta. Intelligente e scaltra, donna Delizia sapeva ormai su quale strada camminare per entrare, definitivamente, nelle buone grazie dei due Armani. Ma sapeva pure di dover agire con tatto per far sì che i due uomini non pigliassero abbaglio alcuno e non pensassero a prendere una sbandata per lei. E mentre parlava, donna Delizia osservava tutto. Il cameriere era anch'egli vecchiotto, ma di buon stampo, serviva con molta signorilità e rivelava un deferente affetto per i padroni. L'argenteria era massiccia, antica, ricca. I cristalli e le porcellane di gran prezzo, la biancheria di Fiandra e in perfetto ordine. Mobili, quadri, arredamento, tutto era ricco e d'una ricchezza di vecchia data e ben salda. E infine i cibi erano squisiti e rivelavano, oltre a un cuoco molto bravo, dei palati molto fini. Vini vecchi vennero serviti, poi, in un salotto severo, antico e pure bellissimo, donna Delizia assaporò un liquore d'oro, che Armani padre dichiarò di aver fatto fabbricare per lui, venti anni prima. E dopo il buon cibo e l'ottimo liquore, vennero le confidenze.

– Io tengo aperto lo studio – disse Armani padre fumando il suo Virginia – perché non so staccarmi da una vecchia clientela signorile e affezionata. Per di più, debbo confessarvi che se non dovessi lavorare mi annoierei. Forse amo questo mestiere, atavico come una malattia.

– Insieme ai quattrini – rise Franco Armani – gli Armani si sono tramandati il notariato. Ma, parola mia, i miei figli non saranno notaio. Che ne pensate, donna Delizia?

– Penso che i vostri figli seguiranno i consigli del nonno e non i vostri e solo così saranno instradati sulla via della fortuna e del bene.

– Senti? – fece il padre. – Senti come ragionano le persone di cervello? Lui vorrebbe fare lo spadaccino, girare il mondo con uno spiedo in mano e dare lezioni di sbudellamento a tutti i malintenzionati come lui!

– E chi ho mai sbudellato, io? Sono pacifico come un portone, non faccio male a una mosca neppure se è noiosa...

– Ma la vostra idea di fare lo spadaccino di mestiere è un poco assurda – dichiarò donna Delizia – e io penso...

S'interruppe dimostrando d'essere pentita delle sue parole. Ma Armani padre incitò:

– Dite, dite! Vi sono grato fin da ora per quanto direte. Ho piacere che Franco possa ascoltare quello che dice una donna moderna come voi! Quando parlo io, dice che parlano per bocca mia gli antenati; ma voi, voi non siete un'antenata, voi siete la modernità fatta donna.

– Allora, io direi a Franco di tenersi la sua passione come passatempo, ma di non lasciar andare il lavoro. Il babbo si mette a riposo e Franco si fa un nome grande come quello del babbo.

– Senti? – fece Armani padre.

E alla donna:

– E oltre a non essere uno sconosciuto, ancor oggi che lavoro quando ne ho voglia, posso mettere insieme somme considerevoli. Sono tassato per un introito che si aggira sulle seicentomila lire annue.

– Accidenti! – scappò a donna Delizia.

E arrossì e guardò una gamba:

– Scusate l'intercalare, ma mi pareva...

Si curvò, piantò senza pietà un'unghia nella gamba. Un punto scappò, una lucida e bella smagliatura si combinò lungo la calza.

– Ecco una smagliatura, non mi ero sbagliata. Novanta lire andate al diavolo. Io sono come voi, signor Armani. Ho danaro, ne guadagno perché so sfruttarlo anche bene, ma sciupare così i quattrini, mi fa male al cuore. Eccomi qui seduta in una poltrona di velluto, comoda e morbida, e le calze si rompono ugualmente. È una truffa continua alle donne, questa!

«Ma guarda che caro donnino» – pensò Armani padre. – «Ha addosso gioielli per trecentomila lire, ché quella collana di perle da sola ne vale centocinquanta, è ricca e solidamente ricca e si fa scrupolo a sciupare novanta lire. Queste sono donne con la testa a posto. Eleganti, raffinate, accurate in tutto, ma... ma spese stupide e sprechi proprio nulla! Una donna così... eh, perbacco, ci voleva per me. Invece, in tanti anni di vedovanza non ho trovato che donne avide e sciocche o incapaci di ammistrare una casa. E che bella donna! Peccato, peccato che io sia troppo vecchio per lei. Troppo vecchio... Cinquantacinque anni non sono poi troppi!»

E donna Delizia parlava e diceva:

– ... nessuno rifiuta un introito come quello del vostro studio. Voi dovrete continuare le tradizioni della vostra famiglia e, a tempo perso, fare lo spadaccino. Infine non siete obbligato a lavorare come uno che deve guadagnarsi il pane. Di tanto in tanto potreste anche chiudere o mettere un sostituto e andar a dare esibizioni di sbudellamento come argutamente dice il vostro babbo. Non vi pare, Franco? Un poco di lavoro, un poco di diversivo, un bel viaggetto con una deliziosa mogliettina.

– Bisogna averla la mogliettina! – sorrise Armani padre. – E credo che Franco non sappia trovarsela. Io ho tentato, ma ho fatto fiasco. O troppo grassa o troppo magra, o troppo scaltra o troppo scema... Non s'accontenta facilmente, il ragazzo.

– E ha ragione – dichiarò donna Delizia, sapendo

di dare così un colpo al cerchio e uno alla botte – e ha tutte le ragioni. È bello, ricco, intelligente, è figlio del grande Armani... Figuratevi che quando pronunciai il vostro nome mi dissero: «Perbacco è il primo notaio d'Italia...». Mi pare che il figlio del primo notaio d'Italia abbia il diritto, oserei dire il dovere di scegliere... di selezionare...

– E di non trovare nulla – rise Franco.

– Oh, troverete...

Si stava molto bene in quel salotto che aveva un lontano odore di ireos. Ma donna Delizia aveva il pensiero fisso alla partenza e prima di partire voleva vedere la sartoria.

Sospirò, disse:

– Mi spiace dovermene andare; ma vorrei tornare a casa e prima vorrei dare un'occhiata alla sartoria. Così verso tutta la quota, è vero, dottore?

– Ma c'è tempo, c'è tempo... Anzi...

Sorrise, aggiunse:

– Voi, donna Delizia, non verserete più nulla, per ora. Verremo Franco e io a trovarvi, a portare il contratto da firmare e verserete allora. Come vedete, è un invito che mi faccio fare!

– Davvero? – fece Delizia che si sentiva portata dal più bel vento della sua vita. – Davvero verrete nella mia villa? Quando? Domani?

– Aspettate, cara amica. Vediamo... Oggi è martedì. Domani dobbiamo fare il contratto e tutto il resto. Verremo giovedì. Contenta?

– Non ancora. Per essere contenta bisogna che io sappia se porterete una valigia grande o una valigia piccola. Se la valigia è piccola donna Delizia mette il broncio fin da ora...

– Donna Delizia, siete deliziosa cento volte! I vostri genitori dandovi questo nome di paradiso hanno scelto così bene che vorrei poterli conoscere e ringraziare.

Mettendo insieme un viso molto rattristato, donna Delizia rispose:

– Non ho più nessuno al mondo... Siamo in due soltanto: io e Pervinca.

– Oh, cara! – fece commosso Armani. – Ma ora avete trovato un babbo in me e un fratellone in Franco. Credetemi, donna Delizia! È la prima volta che incontro una creatura come voi e, debbo confessarvelo, è la prima volta che nasce in me una così spontanea e subitanea simpatia. Da quanto tempo non sedeva più una persona alla nostra tavola? Anni, sapete, anni!

– Voi volete farmi benedire quell'annuncio di giornale, dottore! Siate dunque ancor più buono: venite a «Villa Delizia» con un valigione: anzi, due valigioni: uno per voi e uno per Franco... Chi sa come sarà felice Pervinca!

Come Marini in un giorno lontano, Franco Armani a sua volta chiese:

– Si chiama Pervinca vostra figlia?

– Sì, perché ha gli occhi di questo fiore.

– Ma è un bellissimo nome! – esclamò Armani padre. – Voi sola potevate scegliere con tanto buon gusto...

E allora Pervinca fu tra loro. Delizia ne parlò con amore e orgoglio, dicendo della di lei limpidezza, della bellezza, della grazia, della bontà. E pur elogiando la figlia, ella non aveva affatto l'aria di volerla «collocare». Pareva dicesse di una giovane e cara amica sinceramente apprezzata e amata.

– Ma venite e la conoscerete! – sorrise. – E conoscerete anche Vanna.

E lì per lì, temendo che a Franco piacessero le brune, ché a questo mondo le precauzioni non sono mai troppe, aggiunse:

– Vanna è povera e appartiene a una famiglia di pazzi che si sono rovinati. Ma io la sistemerò bene e un giorno troverò un marito adatto a lei. Non può pretendere molto, povera piccina, ma può però sognare una casa comoda e serena accanto a un marito che le voglia bene.

E ancora, per essere certa del fatto suo:

– Verrete in treno? Mando a prendervi alla stazione?

– Verremo in macchina, donna Delizia; capiteremo all'improvviso con due valigioni che parranno due vagoni.

– Bravo, Franco! E ora accompagnatemi a vedere la sartoria. Poi ricordatemi che devo comperare i dolci per Pervinca e Vanna. Sono due ghiottone, ma vanno perdonate perché sono due bimbe. Oh, come vi divertirete a metterle in imbarazzo! Basterà dir loro che sono belle per vederle diventare di fuoco!

Poco dopo, accompagnata da Franco Armani, ella visitava la sartoria che era in una via centralissima della città, aveva due grandi vetrine sul corso e teneva i laboratori al primo piano del grande, antico, signorile palazzo. Soddisfatta, quasi stupita di tutto quel bene che le capitava, donna Delizia uscì dalla sartoria e con Franco andò a comperare i dolci per le bimbe. Offrendole una grande scatola artistica, colma di fondenti, Franco le disse:

– Questa è proprio solo per Pervinca. Ditele che un nuovo amico vuole che si mangi tutti questi dolci da sola.

– Le dirò che il nuovo amico vuole che muoia di indigestione...

Franco pagò sempre tutto quello che donna Delizia scelse. E la donna, che era abituata a veder pagare gli uomini, dovette farsi forza per protestare, per dire che voleva pagare lei. Ma, naturalmente, Franco protestò a sua volta e donna Delizia fu molto lieta di accettare, calcolando che il viaggio a Milano le aveva fruttato anche troppo.

Nel pomeriggio partì. Era notte quando arrivò a «Villa Delizia».

Le ragazze, che erano già a letto, si levarono e in pigiama corsero nella sua camera.

– Tu sarai la più elegante e contesa sarta di Milano, Vanna – annunciò. – E tu Pervinca...

Sorrise, consegnò alla fanciulla la bella scatola.

– Guarda che bella scatola! Legno di rosa e argento. Mille e cinquecento lire di scatola...

– Ma perché, mamma, tanto denaro per una scatola?

– Oh, non l'ho pagata io, cara! Mi credi tanto scema? L'ha pagata Franco Armani.

– Chi è Franco Armani? Chiese Pervinca a bocca piena.

Sedute a terra, sul folto tappeto, con la scatola colma tra loro, le due ragazze mangiavano succhiando un poco ed erano così graziose e belle, così bambine e divertenti, che donna Delizia, non poté far a meno di osservare, sorridendo:

– Siete da fotografare! E viene voglia di mangiarvi come voi mangiate quei dolci. Tu, Pervinca, con quelle trecce per le spalle e quel viso imbambolato dal sonno: tu, Vanna, arruffata come una zingara e con quegli occhi che sprizzano fiamme... Che due belle pupe, siete!

– Ma dimmi chi è Franco Armani, mamma!

– È il figlio del notaio che mi fece comperare la sartoria. Un ragazzo splendido, ricco, allegro, simpatico. Ma lo conoscerai. Verrà qui, nostro ospite, con il padre.

– Verrà qui? – fece Pervinca.

– Non sei contenta?

– Oh, sì, mamma!

– E tu, Vanna?

– Io, donna Delizia, non capisco più nulla. Mi dite che avete comperata la sartoria... Ma io... io, che debbo fare?

– La padrona. Io compero, tu dirigi. Tieni i registri, non mi imbrogli e mi dai un tanto che fisseremo... Tu guadagnerai ciò che vorrai e io avrò collocato bene il mio danaro. Ma parleremo di tutto, con comodo. Ora pigliatevi i vostri dolci. Questa è tua, Vanna, sì, tutta la scatola: è di cartone, ma i dolci sono uguali a quelli di Pervinca. Tu fila con il tuo scatolone e ricordati di ringraziare Franco. Un bel ragazzo, sai! E buona notte, bambole! Scommetto che se vi dò un bacio resto appiccicata! Vi siete messe rosolio fin sopra i capelli. Oh, che pasticcione! A nanna, a nanna...

Le ragazze, tenendo ognuna la loro scatola sotto il braccio, filarono via. Pervinca tornò subito a letto e subito si addormentò. Vanna mangiò con delicatezza un altro fondente al liquore, poi in ginocchio ringraziò Dio e per i dolci e per la sartoria e infine concluse così la sua preghiera:

«Signore misericordioso, io non so quanto male abbia fatto nella sua vita donna Delizia: ma per il bene che ora fa a me, aiutala sempre, proteggila, e se ha peccatacci, assolvila».

Soddisfatta con la propria coscienza, certa di essere dal buon Dio esaudita, Vanna si addormentò. E nel sonno, di tanto in tanto, metteva fuori la lingua, con la punta in su, verso il naso, dove c'era un bruscolino di zucchero che forse nel sonno Vanna sentiva.

Gli ordini che, l'indomani, donna Delizia impartì a tutti furono severissimi. Dovevano arrivare persone di gran catasto, disse alla servitù, bisognava essere ancor più precisi e stilizzati del solito.

Scelse ella stessa gli abiti che Pervinca e Vanna dovevano indossare. Fece un'ispezione generale alla villa, frugando anche negli angoli più impensati. Poi, quando tutto fu in ordine, telefonò a Marini, dicendogli che era appena tornata, ma che si assentava quattro o cinque giorni con le ragazze e che l'avrebbe avvisato del suo ritorno.

«È meglio che gli Armani non vedano maschi, attorno. Non è poi gran male se ritardo di quattro o cinque giorni la mia gioia. E se Marini dovesse vedermi in macchina con gli Armani, saprò inventargli qualche cosa che gli metta il cuore in pace... E ora, avanti donna Delizia! Fuori tutta la scaltrezza di Lili Sybel e a cuccia tutta l'impazienza di donna Delizia.» (

Giovedì, verso le undici di mattina, una telefonata da Perugia avvertiva donna Delizia che gli Armani desideravano vederla. Era Franco che telefonava e donna Delizia ebbe la sensazione che la voce fosse un poco emozionata. Fu lietissima di quella constatazione e chiamata in disparte Pervinca, le disse:

– So che sai comportarti bene sempre; con gli Armani vorrei che ti comportassi benissimo. È gente che può essermi utile.

Si guardò bene dal rivelare alla figlia i propri progetti e si affidò a quel suo destino che sempre l'aveva assistita.

Gli Armani trovarono il cancello spalancato e il giardiniere e il portiere in attesa. Per i pochi e larghi tornanti, Franco Armani guidò la macchina fino davanti alla villa, posta alta sulla via.

Un servo, nella sua divisa di panno scuro a bottoni d'oro, aprì la portiera, introdusse gli ospiti nel ridente atrio. E mentre questi si sbarazzavano dei soprabiti, un altro cameriere aprì una porta e una figuretta alta e slanciata apparve.

– Benvenuti! – salutò. – Io sono Pervinca.

Era tutta vestita di bianco: un abitino soffice di stoffa, semplice di taglio, ornato di strisce d'ermellino ai polsi, allo scollo tagliato lievemente a punta, alle taschine. Una sottilissima collana di perle era al collo della ragazza. Le trecce bionde, raccolte attorno al capo, parevano una raggera.

I due uomini guardarono incantati quella visione bionda e bianca, quegli occhi azzurri e dolci, quel viso appena rosato, sul quale non era nemmeno la più lieve ombra di trucco.

E tanto fu il loro sbalordimento che donna Delizia, la quale spiava dietro un tendaggio, non poté fare a meno di pensare, esultando:

«Che razza di imbecilli sono i maschi a tutte le età! Eccoli incitrulliti a puntino...».

Si riprese Franco per primo. E gaiamente salutò:

— Buon giorno, Pervinca. Vedo che qui ci sono i fiori a tutte le stagioni. Io sono Franco Armani. Questo è il babbo mio.

Pervinca sorrise, strinse le mani, annunciò:

— Se volete accomodarvi, avverto la mamma...

Ma la voce festosa di donna Delizia si udì:

— La mamma è stata già avvertita: eccomi qua, amici!

Ella aveva un semplice abito grigio, chiuso fin sotto le orecchie. Aveva rialzato i capelli e il solo suo ornamento erano due enormi e meravigliose perle che le ornavano il lobo roseo e piccino.

— Venite a vedere il vostro appartamento! — invitò donna Delizia. — Mi direte se vi occorre qualche cambiamento.

L'appartamento era composto da due camere da letto, un salotto, e una grande camera da bagno. Tutto era elegante e nuovo, tutto tradiva un buon gusto ardito e tuttavia assai signorile e gradito.

Un grande terrazzo guardava sul giardino e donna Delizia aveva avuto cura di farvi trasportare alcune piante così che lo squallore dell'inverno fosse un poco mitigato da quella visione di verde.

— Donna Delizia mette il suo nome dappertutto — fece Armani padre.

— Davvero — convenne il figlio. — Non avrei mai immaginato di trovare una dimora così paradisiaca. Non ce ne andremo più, donna Delizia!

— Magari! — rise la donna. — Io fin da ora vi considero ospiti permanenti e per invogliarvi maggiormente a esserlo vado a dare ordini per certe cose prelibate che certo vi piaceranno.

Andò via gaia e leggera e subito i due uomini attaccarono:

– Ma hai visto quella figliola, che sole? – fece il padre.

– Accidenti che meraviglia di ragazza e che faccia pulita! E che corpicino...

– Pensa un poco ai fatti tuoi, Franco... Io comincio a credere che quella sartoria ci abbia portato fortuna. O forse il buon Labella di lassù vede che io ti desidero accasato bene e mi protegge. In compenso, io gli sistemo bene la moglie, perché con questa donna Delizia saranno subito versati i danari e non si dovrà faticare a mettere a posto la vedova. Non fare il balordo, Franco: guarda che una fortuna così non ti si era mai presentata. La ragazza è splendida, deve avere quattrini e infine, anche se non ne avesse molti, perdinci, con la bellezza che porta ci sarebbe da discutere poco...

– Non correre, notaio! – rise Franco. – Può anche darsi che la bella bambina non sappia che cosa farsene di me... Potrebbe essere già innamorata di un altro.

– Mi spiacerebbe, ecco!

– Be', preparati, padre! È inutile star qui a discutere. Ora scendiamo.

Nel corridoio, per caso, si imbatterono ancora in Pervinca. Ella sorrise cordiale e gentile e si fece di lato.

– Non scendete, bella bambina? – fece Armani padre.

– Vado a prendere Enrica – rispose la fanciulla.

– Chi è Enrica?

– La mia bambola.

– La bambola? – fecero padre e figlio stupefatti.

– Sì, Vanna ha appena finito il suo abito nuovo e dobbiamo inaugurare ora quell'abitino in onore dei signori Armani. Se mi aspettate corro in camera e porto Enrica. Permesso.

Volò via: i due uomini si guardarono così reciprocamente stupefatti che, vedendosi le loro facce alquanto idiote, non poterono fare a meno di sorridere.

Pervinca tornò con Enrica. Disse:

– Venite in laboratorio. Così vi presento Vanna.

Nella camera dei lavori, Vanna era intenta a finire l'abitino rosso di Enrica. Come vide i due uomini si levò in piedi, sorridendo. Aveva un abito a quadretti bianchi e neri, un baveretto bianco, i capelli ben composti, il viso senza trucco.

– Questa è Vanna Berté, la mia cara amica, la mia sorella, si può dire.

– La futura direttrice della sartoria Labella – disse Franco stringendo la mano di Vanna.

– Ecco – rise la fanciulla – avete indovinato! E non vi pare che io pure lavori bene? Questo è il guardarobe di Enrica. Vedete che begli abitini?

Uno dopo l'altro, sollevò i piccoli abiti della bambola e li fece passare sotto gli occhi sempre più stupefatti degli Armani. Poi, senza esitare, Vanna denudò Enrica e cominciò a rivestirla. E come fu pronta, la consegnò a Pervinca dicendo:

– Piglia la tua pupa. Io vado a lavarmi le mani e torno.

Andò via e i due uomini rimasero con Pervinca. La quale, tenendo Enrica appoggiata a un braccio ripiegato, spiegò:

– Qui facciamo tutti i nostri lavori. Lì c'è una mia pittura. Un mazzo di rose. Non so dipingere molto bene...

– Ma sembrano rose vere! – protestò Franco. – Non ho mai visto rose così ben dipinte...

«Ma che stupido» – pensò il vecchio Armani. – «Senti che complimento da garzone parrucchiere mi tira fuori! Io non me ne intendo, ma quelle rose sono alquanto brutte. In compenso, la piccina più la guardo e più la trovo bella.»

Poco dopo il cameriere avvertì che i signori potevano andare a tavola.

Tutto piacque agli uomini: e cibi e servizio e ospiti. Passavano di incanto a incanto e le ore volavano leste come minuti. Nel pomeriggio, donna Delizia con estrema abilità mandò le ragazze con Franco Armani a Perugia per ritirare alcuni vasi da serra precedentemente ordinati. Fu così sola con Armani padre. Il vecchio era palesemente felice. E parlava a Delizia come a una vecchia amica. Spontaneo e sincero per natura, l'uomo si sentiva portato verso Delizia da qualche cosa che neppure lui sapeva spiegarsi. La donna capì la grande simpatia che aveva suscitato e allora decise:

– Caro Armani! Io ho mandato via le bimbe e vostro figlio perché devo farvi una rivelazione. Voi sapete chi sono io?

– Chi siete voi? Delizia Barbàro, no?

– Delizia Barbàro. Ma fino a poco tempo fa avevo un altro nome: Lili Sybel...

– Lili Sybel? Aspettate... Mi pare di ricordare...

– Lili Sybel, *soubrette*...

– Ah, la famosissima... Capisco ora perché Franco continuava a ripetermi che somigliate in modo grande alla grandissima Sybel. Altro che somigliare!

– Ma io non voglio che questo si sappia. Il mio passato, che non è un passato avventuroso, ma di grande attrice, mia figlia non deve conoscerlo, perché voi sapete come siamo male giudicate noi... Per alcune che vivono male, anche quelle che vivono bene sono segnate a dito... Quindi a voi che siete amico mi confesso, ma che le bimbe non sappiano...

– Figuratevi, donna Delizia!

– Io ho guadagnato moltissimo: l'ultima *tournee* mi ha fruttato...

Calcolò guadagni e regali, disse con sincerità:

– Mi ha fruttato un milione e forse più.

Pensò:

«Ora ingoio il rospo e non ci penso più...».

E aggiunse:

– ... un altro grosso capitale ho ereditato dall'uomo che mi rese madre e che morì senza potermi prima sposare, e quindi mi ritiro dalle scene.

– Una grave perdita per il teatro!

Donna Delizia scrutò l'uomo. Scherzava o parlava seriamente? Si convinse che parlava seriamente.

Allora continuò:

– Mi ritiro dalle scene perché vorrei a mia volta sistemarmi. Forse prenderò marito.

Non era entusiasta Armani padre chiedendo:

– Prendete marito? Siete già fidanzata?

E donna Delizia, certa di far colpo per la figlia, rispose:

– Sì. Con un ufficiale che mi vuole molto bene. È il capitano Marini ricco e di nobile famiglia. I suoi genitori mi conoscono e mi adorano; lui, sebbene abbia due anni meno di me, pare veda in me la sola donna del mondo...

– Invidiabile capitano Marini! – sospirò il vecchio Armani.

Parve a donna Delizia che una ruga più profonda si incidesse nel viso dell'uomo.

«Poveretto» – pensò. «Ho fatto bene a parlare chiaro. Se si pigliava una cotta alla sua età era difficile guarirlo.»

Intuitiva e scaltra, seppe tuttavia distrarre il vecchio dalla sua delusione:

– Pervinca certo troverà un buon marito e farà la sua casa. Io che farei tutta sola?

– Certo certo... Avete ragione... Siete giovane, bella, avete bisogno di un bello e giovane marito.

– È molto bello il mio Lido...

– Ecco, proprio come dicevo: bello, giovane...

Quando Pervinca, Vanna e Franco tornarono, portarono nella casa una ventata di giovinezza. Franco era rumorosissimo e aveva una voce che giungeva dappertutto. La sera trascorse lietissima. E l'indomani, donna Delizia stabilì il programma per le prossime giornate. Tutto ella calcolò per avvicinare Pervinca a Franco, tutto ella stabilì in modo di valorizzare la sua signorilità, la sua serietà, la sua ricchezza. Armani padre, sebbene un poco immalinconito, trovava modo di divertirsi e si consolava covando con lo sguardo Pervinca che egli vedeva già sua nuora. Vanna era allegrissima e teneva testa a tutti i discorsi, mettendo il suo ingenuo e pur arguto spirito a disposizione di tutti. Pervinca era sempre tranquilla e tuttavia lieta e serena. Franco la divertiva. Non le aveva neppure sfiorato una mano, ma la guardava con ammirazione; non le diceva parole d'amore, ma le parlava con affetto; non la trattava da donna, ma neppure la considerava una bambina. E nemmeno pensava, Franco, a darle un bacio.

Un poco abbandonata in una poltrona a dondolo, che pareva una conchiglia rosa, Pervinca ascoltava gli altri che parlavano e s'abbandonava ai ricordi, che erano così vicini e pure così lontani. Ecco, in quella sala, Lido Marini l'aveva baciata, in quella sala le aveva giurato che avrebbe fatto tutto quanto stava in lui per abbandonare definitivamente la donna che era stata la sua amante. E tutte erano state menzogne: e i baci e i giuramenti. Un velo di lacrime le fece vedere Franco Armani tremolante. Rideva, il giovane; parlando con sua madre, rideva con quella sua risata sana e poi parlava e aveva una voce forte, chiara, che risuonava come sotto una navata e aveva parole semplici, di buon ragazzo che nulla ha sofferto dalla vita, che tutto ha ottenuto dalla sorte. Qualche volta, si rivelava in lui il figlio un poco viziato, un poco coccolato, ma erano sfumature, ché subito Franco ridiventava uomo e uomo ben saldo al suo posto.

«Deve essere come il suo nome» – pensò Pervinca. – «Franco, franco in tutto.»

Ma che diceva, ora, il padre di Franco? Di chi parlava? Si eresse, Pervinca, come se si destasse e udì le parole del vecchio Armani:

– Se donna Delizia si marita presto, vorrò essere testimone delle sue nozze. E che bel regalo faremo a questa cara amica!

– Vi sposate? – chiese Franco Armani.

E il padre:

– Ma sì! Oh, io sono bene informato! La signora sposa un giovane capitano pilota... E Pervinca a sua volta sposerà... Non siete fidanzata, bella Pervinca?

La fanciulla aveva chiuso gli occhi ed era ricaduta con la schiena contro la spalliera della poltroncina a dondolo. Ancora un lieve dondolio cullava Pervinca, che pareva addormentata.

– Oh! – fece donna Delizia. – La piccola s'è addormentata! Non è solita star alzata a tarda ora... Ma Pervinca, Pervinca...

Allora Vanna si avvide che la compagna era pallidissima. Corse a lei, la sentì madida, fredda, come morta.

– Ma Pervinca sta male! – gridò la ragazza.

Le furono tutti attorno. Donna Delizia, preoccupatissima, andava balbettando supposizioni:

– Forse ha preso freddo... Ha mangiato qualche cosa che le ha fatto male... Troppi dolci, forse... È come i bambini... Acqua di Colonia... Sali... Oh, santo Iddio, la mia piccina...

Era pallida anche lei e le tremavano le mani.

«Che cara mammina» – pensò Armani padre. – «Che donna completa, adorabile, mille volte deliziosa... Oh, capitano Marini, come ti invidio... E ti invidio anche se donna Delizia è stata Lili Sybel... Meglio una donna così di cento altre senza passato, ma incerte e giudicabili per l'avvenire...»

Finalmente Pervinca aprì gli occhi. Vide curva su di sé la sua mamma, vide quel bel viso solitamente ridente e felice, pallido e sconvolto. Sentì sua madre chiederle, con voce tremante, con voce nuova:

– Che cosa senti, piccola? Che cosa hai? Parlami, cara!

Buttò le braccia al collo della sua mamma, si strinse a lei, triste e disperata mormorò:

– I dolci... tutti i dolci di Franco... Li ho mangiati tutti, ma ora sto bene, ora passa tutto... Proprio, mamma, passa tutto...

Donna Delizia volle accompagnarla subito in camera. La fece stendere tra le lenzuola, la coprì, si curvò ancora per guardarla negli occhi.

– Che paura, cara! Ma come è stato?

– Non lo so, mamma! Forse ho mangiato tanti dolci in questi giorni e oggi abbiamo preso freddo a Perugia...

– Sei delicata, piccola, non sei come me! Figurati che io ballavo con venti grammi di roba addosso, in teatri freddi, e mai ebbi un malanno. Tu no, tu sei fragile. Bisogna essere cauti, Pervinca; la tua mamma non vuole più spaventarsi così...

– Stai tranquilla e scendi, scendi. Ti aspettano.

– Sì, scendo e ti mando Vanna. Poi mando tutti a dormire. Gente simpatica, vero?

– Sì, mamma.

– E quel Franco, che tipo schietto! Mi piacerebbe per te quel figliolo. È giovane e forte, ricco e...

S'addentò. Ricordò di aver già detto queste cose parlando di Franco; ebbe timore di far capire a Pervinca le sue intenzioni, ripetendosi.

– Quando ti sposerai, mamma?

– Credo... credo presto...

– E Marini... Marini, che dice?

Una bella risata:

– Oh, bambolina, pensa a te!

Un'altra risata:

– Che cosa buffa, Pervinca! Se si avvera quello che sogno, il patrigno tuo sarà più giovane del tuo consorte. Ci sarà da ridere! E qualcuno malignerà. Ma sarà un bene perché io ho esperienza e tu no, perché io non ho bisogno d'un uomo che mi guidi, ma tu sì...

Baciò la figlia, avvertì:

– Mando Vanna.

E se ne andò.

Vanna trovò l'amica con gli occhi chiusi. La credette addormentata, si coricò a sua volta.

Gli Armani andarono a dormire e donna Delizia, lieta per la serata trascorsa, per il comportamento della servitù, per gli elogi ricevuti, si preparò a un beato sonno.

Tre giorni dopo gli Armani, sempre più incantati di donna Delizia, e Franco leggermente innamorato di Pervinca, partirono promettendo di tornare presto e gridando che volevano prestissimo nella loro casa milanese donna Delizia, Pervinca e Vanna.

E come la macchina si fu allontanata, donna Delizia disse forte, a se stessa e agli altri:

– Anche questa è fatta.

XVIII

La Sartoria Labella cambiò nome. Su un cristallo nero, a caratteri d'oro, si lesse: «Sartoria Delizia».

Vanna, disorientata come un pulcino nelle tenebre, venne presentata al personale come direttrice. Ma a fianco della fanciulla, donna Delizia mise una vecchia venditrice che sapeva il fatto suo e della quale aveva avuto informazioni ottime. La clientela trovò così una giovane, bella ed elegante direttrice, che con grazia, garbo e senno, seppe infinocchiare le belle e le brutte, le grasse e le magre, le giovani e le vecchie. Dopo due settimane, Vanna Berté era nota tra le eleganti e ricche clienti, più di quanto lo fossero stati i Labella in parecchi anni. Quella ragazza semplice e pure tanto carina, che adoperava i colori come un pittore dall'occhio sicuro e dal gusto audace, sulle prime sbalordì. Ma bastò che una giovane contessa bruna indossasse per una serata alla Scala un abito viola e rosa e facesse restare tutti incantati per la garbata fusione dei due prepotenti colori, per fare di Vanna Berté una creatrice di modelli contesa e ammirata. Attiguo al laboratorio, Vanna s'era aggeggiato un appartamento composto di una cucina, chiara e spaziosa, d'un salottino, d'una bella camera e d'un lindo bagno. Una lavorante le preparava i cibi e le faceva la pulizia. Tutto filava dritto, ché Vanna, pur sorridendo, sapeva imporsi. E le brevi apparizioni di donna Delizia, ormai chiamata «la signora padrona», dicevano chiaramente che in quella sartoria si era ben pagati e ben trattati, ma bisognava proseguire senza deviazioni. Vanna lavorava. Disegnava modelli, li dipingeva, ne stabiliva la qualità di stoffa. Appassionata del suo lavoro, vogliosa di poter un giorno diventare lei la padrona, desiderosa di poter pagare i suoi debiti, non si concedeva riposo. Presto in piedi la mattina, tardi a letto la sera, infaticabile e insostituibile, Vanna portava la sua giovinezza da un punto all'altro del laboratorio, del negozio, della sala di prova. Donna Delizia sorrideva, congratulandosi con se stessa per la buona scelta e in fondo anche lieta per l'interesse che il suo capitale le avrebbe reso.

L'amicizia degli Armani s'era fatta più intima e già Franco aveva vagamente accennato alla sua simpatia per Pervinca.

S'era a fine gennaio quando Marini, invitato a «Villa Delizia», fu molto sorpreso di non trovarvi Pervinca.

– È voluta andare da Vanna – spiegò donna Delizia. – Senza la sua amica non può vivere. E io sono contenta che Pervinca veda un po' di mondo diverso dal solito.

– Sola a Milano? – fece Marini. – Ma non è prudente!

– Oh, Pervinca può stare sola ovunque vada – rispose un poco risentita donna Delizia. – Non vorrete confondere la mia bambina con certe ragazze del giorno d'oggi...

«Senti chi parla...» – pensò Marini.

Ma a donna Delizia disse:

– Scusate, mi sono espresso male...

– No, no, vi siete espresso benissimo! Non tentate di rigirare il pupo nella cuna! Ma vi tranquillizzo, dicendovi che Pervinca non commetterà mai nulla di male e che, d'altra parte, oltre a Vanna, a Milano ha buoni amici: gli Armani, padre e figlio... e posso anche dirvi che il figlio ha grande simpatia per la mia bimba e che io sarei molto felice di vederla sposata a lui...

Marini si sentì spremere il cuore. Chiese, tentando di rendere ferma la sua voce:

– Vorreste... vorreste che Pervinca sposasse questo Armani?

– Vorrei e mi stimerei fortunata. È un bel ragazzone, con una posizione magnifica, ricco di casa sua, allegro, sano e forte. Ha trent'anni e per Pervinca ci vuole un uomo di questa età, perché lei è una cara ochetta e ha bisogno di qualcuno che la guidi nel cammino della sua vita...

– E Pervinca?

– Che cosa?

– Piace a Pervinca questo giovanotto?

– Altroché! Né capisco perché non dovrebbe piacerle. Ha tutti i numeri per far felice una donna, Franco Armani.

Marini si passò una mano sulla fronte. Poi sentì che il cuore gli faceva tanto male da non poter più resistere.

«E io?» – pensò. – «E io che cosa sarò stato, allora, per la piccola Pervinca?»

Ma una voce piccina piccina e tuttavia profonda e chiara gli sussurrò:

«Tu hai esitato, tu hai messo tra l'amore della fanciulla e il tuo, il timore del ridicolo, l'esitazione che il cuore detesta, l'incertezza che uccide l'amore. E ora la piccola dalle trecce bionde se ne va...».

Volle reagire, volle difendere il suo bene:

– Ma voi siete certa che Pervinca sposi volentieri questo giovanotto? Siete certa di non sacrificare vostra figlia?

– Ma che dite, Lido! Se Pervinca non avesse avuto simpatia per Franco, non mi avrebbe chiesto con tanta insistenza di andare a Milano. Non sono stata per nulla contenta di vederla andare, ma ho poi pensato che se così voleva il destino, era inutile opporsi. Pervinca non è ragazza che parla troppo: è sincera, ma chiusa, per colpa di quell'educazione che le hanno dato le monache, le quali insegnano a tacere, a meditare, talvolta a fingere un pochino... Oh, senza ombra di cattiveria, si sa... E del resto, non si può pretendere che in collegio insegnino a dire la verità, brutalmente, ché le fanciulle ne uscirebbero con lo spirito deformato e il cuore non certo ben disposto alla carità cristiana. Così, studiai Pervinca e vedendola soffrire, scorgendola triste, malinconica, insolitamente scontrosa con tutti e perfino con me, che sono da lei adorata, mi resi conto che qualche cosa doveva essere avvenuto. Ascoltai anche una telefonata: Franco l'aveva chiamata da Milano e udii che Pervinca gli diceva: «A rivederci presto». Ci voleva poco a capire che i due avevano già stabilito tutto. Allora domandai a Pervinca che cosa le mancasse per esser contenta e mi rispose che le mancava Vanna. Sempre per quell'educazione avuta in collegio, invece di dire che le mancava Franco, disse Vanna. Io sorrisi, le feci preparare le valige, la misi in macchina e a quest'ora la bimba sarà da Vanna e certo avrà già telefonato al suo Franco. Da parte mia, sono tranquilla perché Franco è un ragazzo molto a modo e il padre è un vecchio gentiluomo di buona razza. È il famoso notaio Armani, notissimo e ricchissimo.

Marini soffriva atrocemente. Si sentiva misero e meschino, capiva di aver perduto Pervinca, di averla perduta unicamente per sua colpa. Ecco dunque che il figlio del famoso notaio Armani, non esitava a sposare Pervinca, figlia di Lili Sybel! E lui, per aver esitato, per aver temuto il ridicolo, pagava caramente e l'esitazione e il timore del ridicolo. Per la speranza di soffrire meno, tentò;

– L'Armani è davvero notissimo, lo so bene. E sa che voi pure siete notissima in un altro ramo?

– Altroché! Ed è felicissimo di imparentarsi con donna Delizia, anche se questa fu Lili Sybel...

Ecco: ora Marini aveva ricevuto il colpo più fiero e si sentiva indegno anche dell'amicizia di Lili. Guardò la donna. Fresca e ridente, con un'espressione gioiosa nel viso, parlava della sua figliola, di Armani, dell'avvenire. Ella era in quel momento la vera mamma, veramente felice di vedere la sua creatura ben sistemata, protetta da un uomo che l'amava, appoggiata a un braccio sicuro che l'avrebbe guidata per tutta la vita.

Dai pensieri tristi lo distolse la voce di donna Delizia:

– Dov'è andato, Folchi?

– È fuori, in missione – mentì.

E per un bisogno di ferire, che lui era stato tanto ferito, chiese:

– Vi spiace molto?

– Che?

– Che Folchi sia assente?

– Oh, per me...

E come se lo stupore per la domanda la prendesse solo in ritardo, aggiunse:

– Ma che domande sono, le vostre? Perché dovrebbe spiacermi o non spiacermi se Folchi se ne sta fuori per affari suoi o di servizio?

– Non c'era del tenero tra voi e Folchi?

Il cuore di donna Delizia si contrasse per la gioia:

«È geloso» – ella pensò, felice. – «Se è geloso è mio!»

– Del tenero – brontolò a bassa voce. – C'è stato un malinteso fra uomo e donna che capita sovente e che fa pentire almeno uno dei due.

– Ah...

– Che cosa significa questo «ah?»

– Nulla...

Donna Delizia si piegò un poco verso il giovane, così che la sua spalla sfiorò la spalla maschile.

– Io non ho del tenero che per voi, Lido, e lo sapete.

– Scherzate?

– Non scherzo. Fin da quando vi conobbi, ebbi un capogiro per il bel Lido Marini e poiché Lido Marini non mi guardava, civettai con Folchi.

– Chiodo che schiaccia chiodo.

– Ma Folchi non ottenne che di farmi rimpiangere sempre più Lido Marini.

– Se scherzate, passi. Ma se dite seriamente, potete mettervi il cuore in pace, perché io vi assicuro che non valeva la pena di rimpiangere un idiota come me.

– Come vi maltrattate!

– Un idiota, sono! Ho sciupato tutto, quando avevo tutto a portata di mano...

Donna Delizia dovette mettersi una mano sul cuore. Le batteva con tale furia da temere si dovesse fermare da un istante all'altro, spezzato dal suo stesso furioso pulsare.

«Ora, ora si pente di aver perso tempo... Ora capisce... Stupidone, stupidone adorabile... Ma riacquisteremo il tempo perduto, oh, se lo riacquisteremo... Glielo dico? O taccio? O lascio che lui si riveli e mi gridi il suo amore? Povero bambinone, quanto deve aver sofferto... Ma che cosa è che mi vela gli occhi? Cose dell'altro mondo. Ora piango... E il nero delle ciglia, dove andrà a finire? Indietro, lacrime! Lili Sybel non piange; donna Delizia non sa neppure che cosa siano le lacrime...»

Marini aveva puntato i gomiti sulle ginocchia e teneva la faccia tra le mani. Su quella testa china, su quei bei capelli biondi, pietosa e innamorata scese la mano della donna. E alla carezza, l'uomo rispose con un singulto:

– Oh, Lili...

«Salvami da questo tormento, Lili!» – voleva dire l'uomo. – «Salvami tu che conosci la vita, fai che io non perda il mio bene! Io ho esitato perché ero imbottito di pregiudizi, io ho esitato perché ero soffocato da sciocche interpretazioni della vita... Ma ora, ora che sto per perdere la tua bambina, aiutami tu a non perderla, Lili, aiutami, tu che sai come va presa questa stupida cosa brutta e bella che è la vita!»

E la donna, continuando ad accarezzare la bella testa bionda:

«Lili! Si, è più dolce Lili... Donna Delizia per gli altri, Lili per lui... Lili è qui, tace perché non sa che dire, ma se tu parli ti ascolta, se tu chiedi, lei darà, se tu piangi, lei capirà... Io ti amo, Lido...».

Erano così vicini, assorti e muti, quando il cameriere avvertì che la signora era chiamata al telefono da Milano.

– Date la deviazione qui – ordinò la signora.

Il cameriere portò un apparecchio rosso scarlatto, che pareva un grosso papavero. Innestò la presa, donna Delizia udì subito la voce festosa di Pervinca. Poco discosto da lei, Marini potè udire esattamente ciò che le donne dicevano:

– Eccomi qui, mamma, con Vanna. Figurati che Franco mi ha fatto trovare qui tanti cioccolatini che se ci mettiamo a contarli arriviamo a mezzanotte. Ma li conteremo, io e Vanna, questa sera.

– Come stai, cara? – chiese donna Delizia.

– Bene, benissimo.

– Sei contenta?

– Tanto, mamma. Solo mi spiace che tu non sia qui.

– Ti spiace? Eppure nei giorni scorsi, qualche volta sei stata scontrosa con la tua mamma...

– Perdonami...

– Ho già perdonato, cara! Figurati se non ti ho capita...

– Che fai, mamma?

– Sono qui, con Lido. Vuoi salutarlo?

Distinta, nitida e chiara, Marini udì la risposta:

– No, mamma. Che bisogno c'è di salutarlo? Buona notte, mamma. Ecco Vanna, che ti saluta.

– Buona notte, donna Delizia! Oggi ho incassato undicimila lire di un vecchio conto... I danari li do alla vedova Labella?

– Parla con Franco, cara. Ciò che consiglia lui è ben consigliato. Buona notte, Vanna. Baciami Pervinca e bada che stia bene e sia contenta...

Marini aveva sempre il volto tra le mani. Ella non potè così vedere che su quel viso d'uomo scorrevano lunghe lacrime. L'uomo si levò, volse le spalle alla donna, andò a guardare un fascio di fiori. E disse:

– Un giorno, giocando a nascondino, Pervinca mise tra i fiori un suo braccialetto...

Un giorno... Ma quanto era lontano quel giorno? Egli lo riviveva come si rivive un sogno, avendo tuttavia lo spirito oppresso da un'amarezza infinita che solo una tristissima realtà poteva dare. Che si poteva fare per riconquistare Pervinca?

Accanto a lui, muta e assorta stava Delizia. Egli ne sentiva la presenza gentile, egli ne intuiva la trepidazione. Sensazioni vaghe erano in lui oltre a quella, terribile, di aver definitivamente perduta la fanciulla amata, e tuttavia a queste sensazioni non poteva dare un nome. All'orecchio gli martellava la risposta di Pervinca:

– No, mamma. Che bisogno c'è di salutarlo?

Sollevò il capo, guardò come trasognato Delizia. Ella era tutta bella, d'una bellezza accesa come una face. Il lungo corpo serpentino fremeva palesemente attraverso la tenuità dell'abito, i grandi occhi emanavano un fascino d'una femminilità ardente.

– Che avete, Marini? Voi soffrite... Ma per chi? Per che cosa?

Gli occhi dell'uomo, stupefatti, dissero:

«E tu mi chiedi per chi? E tu mi chiedi per che cosa? Ma è possibile che tu non capisca?».

E la donna, continuando a ingannarsi, comprese e tenne per sé le mute domande di quegli occhi; ne fu lieta, ne fu beata. Ed ebbe paura di sciupare l'incanto, ed ebbe paura di essere ricordata come Lili Sybel, d'essere trattata come Lili Sybel, d'essere afferrata come Lili Sybel. Ella voleva che il suo matrimonio avesse una data, ella voleva avere, nella sua vita, un giorno da ricordare, da commemorare, da festeggiare. E si levò in piedi, e disse, con voce un poco rotta dall'emozione:

– Siamo tutt'e due un poco sconvolti, Lido. Riprenderemo a parlare di noi, domani... Va bene?

Egli prese le mani che la donna gli offriva, le baciò tutt'e due devotamente, a lungo, per un bisogno di trovare vicino a lui, in quel momento di dolore, qualcuno che lo aiutasse a soffrire meno, a sperare di più.

– A rivederci, Lido.

– Addio, Lili...

Uscì, salì nella sua piccola automobile, diresse verso Sant'Egidio. La notte era fredda, buia, senza stelle. Tuttavia Marini riconobbe il luogo dove s'era fermato tante volte con Pervinca, il luogo dove aveva baciato quelle labbra pure, dove aveva stretto a sé quel giovane corpo che or s'abbandonava or si ribellava. Ma l'aveva dunque amato, Pervinca? Sì, egli era certo di essere stato amato da quella creatura di candore. Ma come aveva potuto, la fanciulla, dimenticare l'uomo che, per primo, il cuore aveva scelto? La coscienza, viva e vigile nell'uomo, gli rispose:

«Tu hai esitato, tu sei colpevole. Chi ama non esita, chi veramente ama sa affrontare anche il ridicolo. E quale ridicolo, infine, poteva abbattersi sopra di te? Stretta al tuo braccio, fiera della sua onestà e della sua purezza, la tua donna sarebbe passata, senza mormorii, tra la folla. Ma tu, al tuo amore, hai posto dinanzi il tuo orgoglio, la tua presunzione di maschio, la tua sicumera di uomo. E ora, qualcuno che ha dato via libera solo all'amore, godrà della bellezza di Pervinca, dell'amore di Pervinca, della purezza di Pervinca...».

L'aeroporto taceva quando egli vi giunse. Mise la macchina nell'autorimessa, attraversò il giardino, giunse alla palazzina, salì nella sua camera. Ma il sonno non veniva ed egli ebbe paura di una notte senza pace. Si levò, andò a bussare alla camera di Folchi. Questi era ancora alzato a scriveva. S'avvide subito che l'amico era sconvolto:

– Che succede?

– È finita con Pervinca! – rispose Marini con voce calma.

– Finita? Non capisco...

– Pervinca s'è fidanzata a un certo Armani, figlio d'un notaio milanese.

Folchi posò la penna, cercò qualche cosa sulla tavola, aprì il cassetto, disse:

– La mia penna si svuota con una facilità estrema...

Tuffò la penna nella boccetta: ma le sue mani tremavano in modo così irrefrenabile che, facendo pressione sulla boccetta stessa, la rovesciarono. Un piccolo lago nero si formò a terra, dal tavolino cominciarono a scendere rade e grosse gocce di pioggia nera.

– Un bel disastro... – fece Enrico Folchi.

– Già...

E Folchi, ancora:

– Chi t'ha detto che Pervinca s'è fidanzata?

– Sua madre, poco fa. E ho poi udito io stesso una sua telefonata da Milano. Quando sua madre le chiese se volesse salutarmi, rispose:

«No, mamma. Che bisogno c'è di salutarlo?» Io credo che non dimenticherò mai più quella risposta. È nel cervello, ormai, e vi resterà...

– Tu sei il maggior colpevole. Era tanto facile voler bene a Pervinca, che poteva essere altrettanto facile poterla sposare.

– Non mi parlavi così una volta!

– Ma potei poi ricredermi e convincermi che pur essendo figlia di Lili Sybel, Pervinca si poteva sposare e iniziare con lei una vita colma di felicità.

– Ora lo dici! Ora che tutto è finito! Ora che l'ho perduta!

Folchi fissò l'amico:

– Ma tu – gli domandò – tu, sei certo di aver sempre amato quella fanciulla?

– Sempre, sempre, fin dal primo istante. E fu poi lo stupido pregiudizio a frenare i miei slanci, e fu poi il terrore di dover un giorno soffrire che mi trattenne, e fosti tu, sì, tu a dar forza ai miei timori, a valorizzarli, a rinsaldarli... Ah, sei colpevole anche tu della mia infelicità e non potrò mai perdonarti... Oggi, chi soffre sono io!

– Credi di essere solo?

La domanda cadde tra loro e fu come se tra loro fosse caduta una parete. Marini guardò l'amico. Lo vide pallido, sconvolto, smarrito. Domandò con affanno:

– Ma allora non mi ero ingannato! Anche tu l'amavi!

– Anch'io. Ma al contrario di te, io non ho mai potuto dirle il mio amore. Neppure la consolazione di dirle la mia passione, ho avuto. C'eri tu, fra me e la mia passione, e c'era... c'era quel brevissimo periodo tra me e Lili Sybel. Il mio amore s'è trovato di fronte a un amico e a una madre! Bisognava essere farabutti per scansare e l'uno e l'altra e farsi avanti. Così ho amato in silenzio, beandomi di lei quando andavo a darle lezioni di inglese, sognando la sua voce che pronunciava il mio cognome, godendo d'una felicità sciocca, da novellino, quando pensavo che Pervinca aveva dato il mio nome alla bambola che le avevo donato. In silenzio, soffrendo senza speranza, l'ho amata al punto di dimenticarmi come uomo, al punto d'avere nausea d'ogni altra donna...

Marini capiva che l'amico parlava a se stesso: stupefatto, sdegnato, smarrito, udiva quelle parole e non sapeva ribattere, ché cuore e coscienza gli dicevano:

«Questo è amore... Così si ama, così si soffre, così ci si bea, quando l'amore è vero...».

E a quelle voci della verità egli ribatteva:

«Ma se non era vero amore il mio, perché soffro tanto? Se non era vero amore, perché sento cadere il cuore e mi pare che per me più nulla possa esistere ormai sulla terra?».

Sentì che le tempie gli martellavano; sentì repentinamente il bisogno di dormire, di non esistere più, di non più penare.

– Buona notte, Folchi – disse a voce bassa.

– Buona notte, Marini...

La porta si chiuse senza rumore.

Marini tornò nella sua camera. E solo mentre stava per coricarsi, si avvide che sul tavolino, presso la finestra, c'era una busta gialla. Non dovette pensare troppo per capire che veniva dal comandante l'aeroporto. Aprì la lettera. Era un ordine di partenza, per trasporto di velivolo in un altro campo. La partenza doveva avvenire il mattino dopo, per tempo, con qualunque situazione atmosferica.

Il cuore di Marini si allargò per un sospiro di sollievo. Ecco: dai tormenti della terra, avrebbe avuto oblìo nella gioia del cielo.

Il viaggio era lungo, ma la rotta gli era nota. Non dovette consultare nessuna cartina di navigazione e neppure tracciare il percorso. S'allungò sotto le coltri, spense la luce. Pensò al suo cielo. Pensò che nell'aeroporto, dove sarebbe giunto, avrebbe trovato vecchi e allegri amici. Pensò anche a una piccola donna che aveva conosciuto nella città dove sarebbe arrivato: una piccola cosa mercenaria, gaia e graziosa, che poteva servire per oblìo di un'ora. Ma il cuore si ribellò a questi pensieri. Il cuore non voleva dimenticare, il cuore pesava, piangeva, singhiozzava un nome:

«Pervinca... Pervinca... Pervinca...».

E a voce alta l'uomo ripeté:

– Pervinca... Pervinca... Pervinca...

Mai come in quella notte egli comprese la bellezza di quel nome, la dolcezza di quel fiore azzurro, la casta modestia di colei che portava quel nome di fiore.

«Pervinca! Piccolo fiore di cielo, piccola bimba dalle mani ingenue, dalle labbra fresche, dai baci inesperti... Oh, Pervinca!»

Cara e preziosa come non mai, perché perduta, Pervinca gli apparve con il suo dolce viso, con i suoi occhi miti, con le sue incantevoli trecce bionde, e allora l'uomo che per orgoglio aveva tutto sciupato nella sua vita, non ebbe più freno al suo dolore. E le lacrime scesero senza ritegno alcuno a bagnare il guanciale.

S'addormentò che albeggiava; e dormiva da un'ora appena quando dovette alzarsi, indossare la pesante tuta, scendere alla linea di volo. Tuttavia, ogni stanchezza svanì come egli fu a bordo. Docile e leggero, il bel caccia rullò sul terreno che pur inaridito dal gelo era qua e là ornato da ciuffi d'erba. Il decollo fu agile e svelto. E il cielo grigio, basso, minaccioso, lo accolse. Tenne per qualche tempo bassa quota, calcolando di restare sotto le nubi fino a quando, la carta e la bussola, gli avrebbero indicato che c'erano alti monti da sorvolare. Ma via via che l'apparecchio avanzava, le nubi si facevano più dense, più scure, più basse. Decisamente, allora il pilota cabrò, *bucò*, fu in chiarìa, ad alta quota. Sopra di lui c'era il sereno del più bel cielo, sotto di lui il nereggiare del più cupo mare di nubi, attorno a lui il nulla e il silenzio. Sicuro degli strumenti di bordo, Marini seguiva la rotta, portato dalla sua leggera macchina alata. E i ricordi, a lui che navigava sotto il cielo, tornarono colmi di malinconia.

«Mio cielo! Azzurro come gli occhi di colei che ho perduta! Mio sole! Luminoso come le trecce di lei che non è più mia! Oh, Pervinca, che cosa ho fatto mai! Inconsciamente, scioccamente, ho creduto di poter dilazionare la tua ora d'amore, ho creduto di poter giocare con te e con la tua mite bontà... E tu, offesa e forse addolorata, chetamente chetamente, a poco a poco, hai preso la tua via. E su questa via un altro uomo, più comprensivo di me, più generoso di me, più indulgente di me, t'è venuto incontro... Oh, Pervinca! Oh, mio dolce...»

Il pensiero si arrestò repentinamente. Ancora lontano, ma già ben precisato, si levava un ammasso minaccioso di nubi, simile a una grande palpebra di ombra calata sulla pupilla ardente del sole. Lido Marini calcolò inutile levarsi maggiormente in quota per sorvolare quell'ammasso d'ombra. Decise subito di andare incontro alle nubi che, formando banco, gli avrebbero ben presto permesso di uscire in chiarìa. Ed ecco, subitamente, le nubi ingigantire e protendersi come tentacoli verso l'insettuccio lucido e rombante. Il rombo argentino si velò, ebbe subito il caratteristico tono sordo della lontananza. Marini conosceva bene quel tono e non si stupì. Soltanto calcolò che quel banco di nubi era ben gigantesco: l'aveva creduto più breve. Ma il velivolo continuava la sua corsa e il pilota era ben certo d'essere in perfetta linea di volo. Ma perché le nubi parvero d'improvviso crollargli addosso? Una vaga inquietudine lo prese. Guardò il cruscotto: s'accorse che la nebbia era appenetrata nella cabina, che neppure gli era permesso vedere le sue mani.

La muraglia di nubi lo serrò sopra, sotto, attorno, fitta, impenetrabile. Qualche cosa di infuocato si levò dinanzi a Lido Marini. Distintamente, egli udì il suo grido d'orrore.

L'aeroporto di Sant'Egidio trasmise l'ora di partenza del capitano Lido Marini.

L'aeroporto d'arrivo trasmise:

«Capitano Marini non è qui giunto. Facciamo ricerche».

... un operaio trovò in una vallata un'elica spezzata a una pala. Null'altro.

Il pilota e la macchina alata s'erano dissolti lassù, più vicini a Dio, più lontani dal dolore.

Enrico Folchi restò qualche giorno inebetito. Non riusciva a rendersi conto di quanto era accaduto. Non gli pareva possibile che Marini, che l'amico Marini, dal quale l'avevano allontanato un poco gli ultimi avvenimenti, ma al quale era stato legato per lunghi anni da sincera amicizia, non dovesse più tornare. Passava e ripassava davanti alla camera deserta, or apriva l'uscio, or entrava in quella camera. Di Marini, tutto era ancora lì, come egli aveva lasciato. I suoi abiti, i suoi libri, il suo buon odore di maschio sano e pulito, la sua scatola di sigarette, il suo pigiama, la sua vestaglia a scacchi turchini e grigi, tutto esisteva ancora e Marini non c'era più. Il pianto bruciava le palpebre di Folchi. E una stanchezza immensa era in lui, ché ormai si sentiva incapace anche di reagire al dolore. Ed egli era così oppresso quando gli annunciarono che una signora lo chiamava al telefono. Andò e udì la voce di donna Delizia. Voce angosciata, tremante di ansia.

– Folchi, Folchi... Ma dov'è Lido? È malato? È partito? Oh, Folchi, io sono spezzata dall'angoscia... Dov'è, ditemelo...

– È partito – egli rispose. – È partito... Verrò più tardi alla villa... Attendetemi...

Salì nel pomeriggio a «Villa Delizia». E mentre guidava la macchina, ebbe più volte l'impressione di seguire un funerale.

Donna Delizia lo attendeva lungo il viale, chiusa in una pelliccia, con il viso sconvolto, con un'ansia evidente e viva nei grandi occhi smarriti.

Egli fermò la macchina, discese. Donna Delizia guardò il giovane, afferrò le sue mani, gli fissò le pupille nelle pupille. E dalle sue labbra che non avevano ombra di trucco ed erano pietosamente illividite, uscì un tragico monosillabo:

– Sì?

Folchi curvò il capo. Sentì le mani della donna irrigidirsi, mentre il corpo di lei si afflosciava. La sostenne in tempo per evitare una caduta sulla ghiaia del viale. E tenendo così sulle braccia la creatura svenuta, entrò nella villa. Tutto fu sottosopra. A fatica, Folchi ottenne silenzio e calma. Donna Delizia venne adagiata sulla bionda coperta di volpi. Rinvenne quasi subito. Vide Folchi, si aggrappò a lui, cominciò a piangere.

E parve a Folchi di non aver mai udito un pianto simile a quello. Non era né lento né interrotto, ma fio-

324

co, continuo, quasi dolce ed entrava nell'anima, la gravava d'un'angoscia viva che aumentava il suo stesso dolore.

Enrico Folchi comprese che donna Delizia soffriva veramente e piangeva così, con tanto strazio, perché ella non aveva mai prima di allora trovato il conforto o il tormento del pianto. Allontanò la cameriera, chiuse la porta, sedette accanto a colei che era stata Lili Sybel, donna di gaiezza e di piacere. Chetamente, dolcemente, con atto fraterno, mise la sua mano nella mano di Delizia. Sentì che le dita si afferravano a lui, sentì che a lui si aggrappava quella povera creatura desolata.

– Gli volevate tanto bene? – mormorò il giovane.

– Lo adoravo! – pianse la sventurata. – Ma sarebbe stato troppo bello vivere accanto a lui... Non poteva Lili Sybel avere questa fortuna. Povera Lili... Povera Delizia...

– Siete giovane! Vi riprenderete...

– Lili non c'è più. E non so, non so come risorgerà Delizia da questo dolore...

Si levò repentinamente a sedere. Buttò indietro i capelli che le invadevano il viso, mostrò il suo volto vero, un poco sottile, sfatto dal pianto, tormentato dalla pena, segnato agli angoli degli occhi da sottilissime e pur visibili rughe.

– Voi non sapevate che l'amavo da morirne, è vero? Infatti, chi poteva supporre che Lili Sybel sapesse amare? Chi poteva immaginare che Lili Sybel avesse un cuore? Un uomo, un giorno, mi disse: «Al posto del cuore tu hai uno scrigno aperto sempre pronto a ricevere gioielli». Ma s'ingannava, quell'uomo; io avevo un cuore ed era un cuore assetato d'amore. E tutto il mio amore l'avevo dato a lui, a Lido...

– E lui... Vi amava? – chiese trepidando, Folchi.

– Ah, non so, non so! Io lo spero! Ma che cosa importa che mi amasse o meno? Io ero felice di adorarlo e sapevo che col tempo la mia adorazione l'avrebbe commosso e travolto... Quando si ama non si chiede troppo, si dà, ed è già sufficente per essere felici.

Era una Lili Sybel sconosciuta quella che gli parlava, era una donna Delizia impreveduta, nuova, più umana, più vera. E con malinconia immensa, dove però c'era un po' di invidia buona, Folchi pensava a colui che era scomparso e lasciava sulla terra un così vivo retaggio d'amore.

Donna Delizia era ricaduta sul letto e il pianto, quel suo pianto lento, continuo, quasi dolce, straziò un'altra volta il cuore di Folchi. D'un tratto ella disse:

– Bisogna che io non sia sola, in questi giorni. Voglio Pervinca.

– Perché volete farla venir qui a vedervi soffrire? Lasciatela dov'è, lasciatela alla sua felicità... In me avete un amico devoto, Delizia...

Non aveva potuto né saputo chiamarla Lili, il nome d'amore. Spontaneo alle labbra gli era salito il vero nome della donna, quel nome che le stava tanto bene e la distanziava da Lili Sybel.

– Grazie... – ella balbettò.

– Ora vado, sono stanco, smarrito, spossato. Tornerò presto; ma se avete bisogno, avvertitemi: sarò da voi in qualunque momento.

Donna Delizia rimase sola. Tutta allungata tra le volpi, supina, immota, con lo sguardo fermo sempre nello stesso punto, ella lasciava che le lacrime, chetamente, sgorgassero dai suoi occhi. E le pareva di sentirsi lavare da quelle lacrime, e le pareva che qualche cosa, per ogni lacrima, si cancellasse. Avidità, venalità, menzogna, finzione, calcolo, tradimento, tutto quanto di male era in lei, da lei sfuggiva. Si sentiva, per quel bagno di lacrime, rinascere tutta nuova, più buona, più donna. Finiva la femmina, sbocciava la donna. Finiva la menzogna, nasceva la verità. Nel suo cammino, ella aveva buttato di lato ogni cosa sana: ora retrocedeva per raccogliere tutto quanto di buono era in lei e aveva sciupato.

Il pensiero di Marini le straziava il cuore. Ben capiva, la donna, di aver amato di vero, di puro amore quel bel ragazzo biondo. Ben capiva che nella sua speranza d'amore i sensi non avevano chiesto troppo, sopraffatti dallo spirito. Per questo, ella poteva piangere sul più bell'amore della sua vita, sull'unico amore del suo cuore.

Qualche ora dopo, ella potè reggersi in piedi. Si sentì come svuotata, le parve d'essere cosa inutile tra oggetti inutili. Che avrebbe fatto? Tornare al teatro, ballare, ridere, scherzare, divertire, mostrare la sua nudità? Impossibile. Ella era ben certa di non poter più tornare Lili Sybel, ella sapeva bene che per Lido Marini Lili Sybel era morta e non sarebbe rinata più. Come in sogno, ella si rivide alla ribalta, tra i riflettori, avvolta in quel profumo caratteristico di palcoscenici che è un misto di profumi fini e grossolani, di ciprie raffinate e di ciprie da poco prezzo, di carni pulite e di carni malodoranti, di vesti eleganti e di vesti sature di vecchi sudori. Mai più, mai più, ella avrebbe potuto sopportare quell'odore che restàva dappertutto, quell'odore che penetrava nelle nari e si portava ovunque. Mai più, ella avrebbe potuto ridere, cantare strofe audaci, esibire la sua bellezza. A Lido Marini ella aveva sacrificato il trionfo e la celebrità: Marini s'era portato via ogni desiderio di trionfo e di celebrità.

Aggirandosi per la camera, chiusa in una vestaglia che pareva diventata in brevi ore troppo larga e troppo lunga, donna Delizia si sentiva smarrire.

E, come soleva, rapidamente decise. Fece preparare una valigia, ordinò all'autista di tenersi pronto ché si partiva per Milano.

Aveva bisogno di restare con sua figlia, di respirare quel respiro puro, di trovare pace e fiducia guardando quei due cari occhi turchini. Partì. E il viaggio le parve eterno. A Milano, si fece portare subito alla «Sartoria Delizia». Scese di macchina, entrò nel negozio. Vanna parlava con una signora elegantissima che studiava, alla luce del giorno, un contrasto di tinte. Come Vanna vide Delizia, restò senza parola. Disse sottovoce:

– Donna Delizia... – e fu tutto.

– Io salgo, Vanna; appena ti sarà possibile, raggiungimi.

Salì, trovò Pervinca intenta a numerare alcuni figurini dipinti a mano e che Vanna non voleva passare in laboratorio per tema che venissero copiati. Vanna dava istruzioni a voce, raramente permetteva la visione dei figurini. Con due schizzi si spiegava, con poche parole si faceva intendere, ma era così gelosa di ciò che creava, da temere «copie» anche nel più fido lavorante.

Pervinca era lì, nella sala privata, china sui fogli. Come l'uscio si aprì, ella levò il capo. E sottovoce stupefatta, mormorò:

– Mamma...

Donna Delizia corse verso la figlia, la prese nelle braccia, la strinse freneticamente. Poi un singhiozzo le chiuse la gola.

– Mamma... Mamma, che cosa succede? Sei malata, mamma? Non ti ho mai vista così, non sei più tu, non ti conosco più... Oh, mamma!

Stando così, tra le braccia della figlia, quasi abbandonata contro di lei, donna Delizia, pianse:

– È morto...

– Chi, mamma, chi è morto?

Ma prima che la madre rispondesse, Pervinca aveva capito. Chiuse gli occhi, si sentì morire. Ma tra le braccia ella aveva sua madre, sua madre che non aveva mai visto piangere, che in pochi giorni era terribilmente mutata, che non era più né Lili Sybel né donna Delizia, ma una povera creatura come tante altre, oppressa dal dolore, colpita dalla sorte.

Accarezzò il volto bagnato di sua madre e, sottovoce, con infinita tristezza, domandò:

– Gli volevi tanto bene, mamma?

Sincera, come solo poteva essere donna Delizia, ella rispose:

– Non ho amato che lui...

La stessa domanda di Folchi sbocciò sulle labbra di Pervinca:

– E lui, mamma?

– Non lo so; non me lo sono mai domandata. Mi bastava volergli bene, perché era tanto bello volergli bene...

Col cuore stretto dal tormentoso ricordo dei primi, dei soli baci ricevuti nella sua vita, Pervinca ripeté nel suo cuore:

«Era tanto bello volergli bene...».

E tacque, e si tenne tra le braccia sua madre che piangeva la morte di Lido Marini. E poi parve a Pervinca di non poter più reggere a quel dolore che tutta la prendeva, sostenne la madre, le disse:

– Vieni...

L'accompagnò nella camera di Vanna, la fece sedere su una poltroncina. Sulla spalliera era posata la stoffa per un abito da sera di cui Vanna stava studiando il classico modello. Era una stoffa nera, tutta picchiettata di minuscole gocce in cristallo. Sembrava che un pioggia d'aprile, lieve lieve, si fosse posata su quella stoffa e un improvviso raggio di sole, dopo quella pioggia gentile, baciasse le gocciole minute e argentee. Contro quel brillìo, discreto, donna Delizia posò il capo. E allora Pervinca vide che le lacrime di sua madre erano vivide e nello stesso tempo dolci come quelle pietruzze che brillavano su quella stoffa scura. Ebbe pietà di quel pianto che pareva quello di una bambina. Soffocò il suo dolore, fu tutta protesa verso colei che non aveva mai visto piangere e che le aveva offerto un'esistenza colma di sorrisi e di giocondità.

– Non piangere, mamma – le disse carezzandola. – Sei giovane, sei tanto bella. Incontrerai ancora qualcuno che ti vorrà bene...

– Io non voglio qualcuno che mi voglia bene. Io voglio qualcuno cui possa io voler bene. Forse tu non puoi capire, Pervinca. Ed è meglio che tu non capisca.

– Ebbene, io sono certa che incontrerai qualcuno che amandoti ti darà la possibilità di poter amare. Ora, devi essere forte.

– Era così bello, quel ragazzo!

Guardando lontano, dove forse si irradiava di gloria e di luce la figura di Lido Marini, Pervinca rispose:

– Era tanto bello...

– Aveva capelli biondi come i tuoi...

– Sì, mamma...

– Ed era giovane, pieno di vita...

Chetamente, Pervinca carezzò i capelli della mamma. Come erano freschi e morbidi, cedevoli e folti! Come era giovane quella sua mamma innamorata e disperata!

– Ora devi farti coraggio, mamma. Questa sera verrà a prenderci Franco...

Donna Delizia sollevò il bel viso affinato dal pianto:

– Almeno – mormorò – almeno tu sei contenta?

Invece di rispondere, Pervinca si chinò a baciare sua madre nei capelli.

E la madre, sbagliando ancora una volta, convinta che quello fosse un bacio di gratitudine, domandò ancora.

– Ti ha detto che vuole sposarti?

– Sì, mamma. E credo ti abbia scritto pregandoti di concedergli la mia mano.

Donna Delizia sorrise. Con voce suadente, che Pervinca ancora non conosceva, mormorò:

– Sono contenta. So che con quell'uomo sarai felice. Quando saprò pregare bene, con fede e serenità, ringrazierò Dio per questa gioia che m'ha dato. Io non so se tu ami profondamente Franco. Ma so che ti sarà facile amarlo in seguito. Affidati a lui, sarai felice.

«Sarò felice?» – pensò la ragazza. – «Potrò essere paga d'una serenità dalla quale l'amore, quello che dovrebbe essere in me, potrà venire escluso? Sono io abbastanza forte per affrontare il matrimonio quando ancora il mio cuore piange un uomo perduto?»

Si sentiva smarrire. Comprendeva che era necessario per lei avere un uomo cui affidarsi, si rendeva conto che lei, più d'ogni altra ragazza al mondo, aveva bisogno di aiuto e affetto: ma non poteva ancora spiegarsi tutto ciò che attorno a lei era accaduto, tutto ciò che le sembrava misterioso e solo il tempo avrebbe chiarito.

Ormai Pervinca non si chiedeva più di vedere limpidamente nel passato di sua madre e di Lido Marini. Guidata dalla sua purezza, non poteva immaginare l'uomo amato e sua madre carnalmente uniti. Ella ammetteva un amore, forse vivo in sua madre e latente in Marini, ma che fosse rimasto allo stato iniziale. Così le piaceva pensare, così soltanto ella era prossima alla verità. Neppure si chiedeva che cosa avesse pensato di lei, negli ultimi tempi, Lido Marini. A sollevarla da ogni troppo grave dolore interveniva la sua coscienza di ragazza onesta, che s'era sentita negare un prossimo matrimonio. Chi aveva ragione? Folchi le aveva detto che Marini forse esitava perché temeva si mormorasse sulla figlia di Lili Sybel. Ella aveva creduto che Marini esitasse per sistemare una donna del passato. E questa donna era sua madre? Pervinca non poteva ammetterlo. Allora bisognava credere a ciò che Folchi aveva inizialmente detto: Lido Marini amava, ma aveva paura.

«Paura, paura di me? Così poca fiducia avevo dunque saputo ispirargli? Paura dei commenti, dei sorrisi, della volgarità della gente? Così tiepido era il suo amore da lasciarsi spegnere dal gelo del pettegolezzo? Avrei potuto, io, retrocedere davanti a una simile supposizione? Oh, no! E allora?»

Accarezzò sua madre che stava col capo arrovesciato, con gli occhi chiusi, con una espressione triste che sconvolgeva i suoi tratti fini.

«E allora fu un grande amore il mio e fu un povero amore il tuo, Lido! Dio ti accolga, ora, nella Sua pace, e possa tu vedere di lassù quanto bene era attorno a te e quanto dolore hai lasciato a noi!»

La voce mite di suor Giannina, che in tempi non remoti aveva parlato al suo cuore, a lei ripeté le indimenticate e indimenticabili parole:

«Solo coloro che saranno lassù potranno vedere chiaramente nei cuori degli uomini sulla terra. E quanti saranno morti ingiustamente giudicando, ingiustamente pensando, ingiustamente credendo, di lassù potranno vedere la verità e conoscere in quali cuori ebbero il torto di non credere o di credere».

Pervinca ormai sapeva che Lido Marini vedeva con gli occhi della verità e di questo era paga.

La voce di donna Delizia risuonò nel silenzio:

— È quasi buio, è vero?

— Sì, mamma. Vuoi dormire?

— Sì...

Pervinca abbassò una persiana. Mise una coperta di lana sul corpo della madre si curvò ancora a baciare quel viso un poco umido, se ne andò in punta di piedi.

Nella sala privata trovò Vanna in trepida attesa.

— Che cosa è accaduto, Pervinca? Vi ho sentito parlare, ho sentito tua madre piangere, non ho osato entrare...

— Lido Marini è morto.

Vanna sbiancò, con voce afona ripeté:

— Lido Marini è morto?

— Un incidente di volo. E mia madre piange e mia madre patisce e mia madre soffre come certo non ha mai sofferto nella sua vita.

Vanna si fece presso l'amica, le passò un braccio attorno alle spalle, sommessamente domandò:

– E tu, Pervinca?

– E io... e io...

Strinse le labbra, battè le palpebre, ricacciò un singhiozzo:

– E io non debbo soffrire, Vanna! Io debbo lasciare a lei tutto il dolore, lei sola ha il diritto di piangerlo!

Un singhiozzo le spezzò la voce. Ma si riprese e con amarezza infinita soggiunse:

– Non si può essere in due donne a piangere sul perduto amore; non si può, soprattutto se queste due donne sono madre e figlia...

Vanna strinse a sé l'amica. La strinse come se volesse proteggerla o come se volesse sollevarla alta, nel sole, come si levano le cose sante, le cose belle, le cose pure.

Poi sedettero vicine sullo stesso divano. E tacquero. Fissavano tutt'è due lo stesso punto, sempre quello. D'un tratto, Pervinca disse:

– Ti ricordi, Vanna, le prime sere lassù, quando...

E Vanna:

– Ti ricordi, Pervinca i primi giorni, lassù...

Come allora, mano nella mano, rimasero vicine, pronte a difendersi, pronte a sostenersi, pronte ad affrontare insieme il dolce peso della gioia, il grave peso del dolore.

Ignare dell'amore, della vita, del dolore, fieramente sostenevano i primi inganni d'amore, i primi tradimenti della vita, i primi affronti del dolore.

Di là, allungata in un letto, una donna che tutto conosceva della vita, piangeva sul suo primo, vero, immenso dolore.

XIX

Vanna dichiarò recisamente:

– O scegli questo modello o parola mia ti mando a nozze in camicia da notte.

Pervinca sorrise nelle spalle e rispose:

– Be', a Milano tutti sanno che mi vesto alla «Sartoria Delizia»: tutti copierebbero la mia camicia da notte, convinti che io indosso l'ultimo modello della tua sartoria.

– Poche chiacchiere, bambina! Io voglio che tu scelga questo modello aderente, che s'apre a terra per lo strascico. E non voglio affatto la solita stoffa bianca, voglio laminato bianco o broccato.

Franco, seduto in una poltrona, rideva e guardava con occhi innamorati la sua fidanzata, che, un poco divertita, un poco inquieta, teneva testa finalmente alle imposizioni di Vanna.

– Ma che storia è quella di voler scegliere! – sbuffò Vanna. – Io sono la modellista! Tu sei la cliente, quindi tocca a te tacere.

– Giusto! – fece il giovane Armani.

Pervinca arricciò il naso e brontolò:

– Dà ragione alla sarta, lui...

– Ohè, non commettiamo errori! Protestò Vanna. – Io sono la modellista!

– Già, l'avevo dimenticato!

– Stai ferma, che debbo prendere le misure. Santo Iddio, sei ancora cresciuta! Se non provvedete a metterle un quintale in testa, permanentemente, questa

334

ragazza vi sorpasserà, caro Franco! Ma non eri dunque ancora finita, quando uscisti di collegio? Io sono rimasta paperottola, tu... Ma per parlarti dovrò proprio arrovesciare il capo, io?

Parlava e annotava, tracciava disegni e scriveva numeri, e non stava né ferma né zitta un istante.

Franco la guardava e sorrideva. Da qualche tempo aveva notato che un giovane sostituto di suo padre telefonava frequentemente a Vanna. E quella ragazza tanto cara a Pervinca e di conseguenza a lui, poteva essere un'ottima moglie per il giovane sostituto, che non aveva nulla all'infuori della sua laurea, ma che certo si sarebbe fatto una posizione solida. Disse a Vanna:

– Voglio darvi marito! E l'abito di nozze lo disegnerò io!

– Per carità! Si vedrà Vanna Berté direttrice della «Casa Delizia», andare a nozze con un copialettere in testa, una cartella di atti rogati per borsetta e una persiana avvolgibile per manto.

– Non è un'idea da buttare via! – rise Franco. – Mi pare già di vedervi! Pensate che il nostro copialettere ha un delicato colore azzurro...

– L'azzurro mi sta male: sono troppo nera; non ve ne siete accorto?

– Sì e no. Ma deve essersene accorto un signore di nostra conoscenza al quale, del resto, piacciono molto le donne brune.

Vanna arrossì fino agli occhi e brontolò:

– Chi è poi, questo signore...

– Oh, lo conoscete! Non troppo alto, non troppo grasso, di giuste proporzioni, con un bel naso diritto, con due begli occhi grigi, capelli castani, parlata toscana... Veste bene, ma sobriamente, parla bene, ma giustamente... Ha ventinove anni, è sostituto presso un famoso notaio di Milano... Ne sapete nulla, voi, signorina Vanna?

– Che devo saperne, io? Io sono una povera modellista, sempre alle prese con clienti molto eleganti, sul tipo della prossima signora Armani... Che cosa credete, che abbia tempo da perdere, io? Vuoi star ferma, Pervinca, o vuoi che ti mandi a nozze con un livido nel braccio? Ti do un pizzicotto.

– E io – dichiarò molto seriamente Armani – e io, se pizzicate la mia Pervinca dico al dottor Rider che siete una donna crudele, capace di mangiarsi il marito durante la prima notte di nozze. Così, invece di farsi avanti e chiedervi in sposa, Rider andrà a finire chi sa dove. Mi pare di vederlo, povero ragazzo, che corre, corre per la campagna e di tanto in tanto si volta per constatare di non essere seguito da una furiosa donna bruna...

– Potete dirgli che si fermi... – mormorò Vanna.

– Come?

– Ma sì, ditegli che si fermi, che Vanna non mangia il marito. Posso giurarlo. Vedete bene che il pizzicotto a Pervinca non l'ho dato! Dillo, dillo: t'ho forse pizzicata?

– Mi pare di no! – rise Pervinca.

– Vedete? Sono docile e buona e paziente! Ma quanta pazienza sto sprecando per questa vostra quasi moglie, non lo sapete, vero?

– Vi compenserò, Vanna. Dirò a Rider che può venirvi a salutare e al pranzo di nozze ve lo metterò vicino vicino.

Gli occhi di Vanna splendevano. Curvò il capo, si inginocchiò ai piedi di Pervinca, con gli spilli le assestò il modello in tela al quale aveva fino allora lavorato.

– Stai diritta e ferma, non ti voltare a guardare quel signor notaio! Avrai tempo tutta la vita di guardartelo... Oh, che gente!

E sottovoce, temendo di farsi udire e volendo tuttavia soddisfare la sua ansia di sapere:

– Ventinove anni ha Rider? Ne dimostra meno... Ma è meglio, è meglio che abbia ventinove anni...

– Un vecchione! – dichiarò Pervinca.

– E tu allora, non sposi Matusalemme? Trent'anni! Figurati che marito vecchio!

– Ohè, ragazze! – protestò Franco Armani. – Volete buscare scapaccioni a serie. Uomini di ventinove e trent'anni sono vecchi, per voi?

Vanna pizzicò una gamba di Pervinca per incitarla:

– Si sa che siete vecchi – rise Vanna, ma noi ci adattiamo, per il momento. Vuol dire che il secondo marito lo sceglieremo più giovane. Ti pare, Pervinca?

– Si sa...

– Ora v'accomodo tutt'e due!

Brandì un vaso di fiori, ne tolse il mazzo, intinse una mano, spruzzò le ragazze:

– Lo vedi? – fece Vanna. – Non è ancora tuo marito e già ti malmena... Fortunatamente, il mio Rider è di pasta buona... tanto buona che vorrei assaggiarla subito. Quando verrà a chiedermi in sposa?

– Presto, per sua sventura!

Vanna balzò in piedi, si fece vicina vicina a Franco:

– Dite davvero? Si può una volta tanto parlare seriamente con voi?

– Sentila! È roba da sbalordire un campanile! Ma non importa: quel povero Rider verrà quando voi lo autorizzerete a farlo. Volete che gli parli?

– Eh, lo credo! Se non glielo dite voi che l'aspetto, volete che glielo dica io? Non posso attaccarmi al telefono e gridare: «Caro Rider, quando venite a chiedere la mia mano?». Non siete il mio angelo tutelare, voi? Sapete bene che mia madre mi ama quel tanto che basta per ricevere l'assegno mensile e per scrivermi di averlo ricevuto. E oltre questa amorosa madre, non ho altri parenti. Tocca a voi, quindi, fare da compare.

– E va bene! Sarete servita! Ma ora ridatemi Pervinca.

– Aspettate, devo mettere ancora uno spillo qui...

– Basta con gli spilli! Me l'avete ridotta come un istrice, povera piccola!

– E va bene, eccovi Pervinca! Ma, povera figliola, in quali mani sei capitata! Bella come sei, potevi anche sperare in meglio!

Sospirò molto profondamente e concluse:

– Comunque, ormai è fatta. Sarò certo più felice io con il mio Rider... A proposito, che nome ha il mio Rider?

– Giuseppe.

Vanna torse la bocca, poi sorrise e disse:

– Non è un nome troppo poetico, tuttavia mi spiacerà meno dirgli che il mio vero nome è Giovanna.

– Vanna Rider – mormorò Pervinca. – È bello!

– È quello che ci voleva – constatò subito l'amica. – Almeno metto definitivamente in disparte quel Berté che mi ricorda un gufo.

– Un gufo? – chiese Armani stupefatto.

– Un gufo cugino. Ma l'abbiamo messo a posto, vero, Pervinca?

– Tanto a posto che deve esser rimasto spiaccicato dove Vanna l'ha spedito.

Allora Armani che forse da tanto tempo aveva quella domanda sulle labbra e non osava mai pronunciarla, fece:

– Chi sa quanti corteggiatori avete avuto, voi due belle bimbe!

La sua voce tentava d'essere indifferente e invece tremava un poco. Vanna sorrise a capo chino e subito ribatté:

– Corteggiatori, noi? Ma lo sapete da quanti mesi siamo uscite di collegio? Appena in libertà dovemmo abituarci a vivere senza dover dire: «Sì, madre», «Sì, sorella», «Sì, superiora», «Sì, suora». In collegio bisognava dire sempre sì, anche alla suora portinaia: non era ammessa una nostra opinione ed erano così organizzati nel darci torto che qualche volta osavamo credere che l'orario ferroviario fosse un'opinione nostra. Appena in libertà, io dovetti cominciare le lotte intestine con i cari Berté e questa pupattola dovette abituarsi a fare la signora. Credete pure che ci vuole un certo allenamento anche per fare questo. Poi, donna Delizia partì e noi dovemmo fare le padroncine di casa. Anche per fare questo ci vuole allenamento, ché bisogna imparare a conoscere quali dei servi è ladro e quale onesto, oltre all'essere in grado di ordinare un pranzo che non sia a base esclusiva di marroni canditi e di fondenti. Poi, perbacco, dovemmo imparare a lisciarci le piume. Oche come eravamo, non sapevamo far altro che lavarci il muso e tirare via davanti lo specchio. E il tempo passò...

– E durante le vacanze, gli altri anni, che facevate?

– E che dovevamo fare? Le bambine, ché eravamo bambine! Pervinca giocava, io mi guardavo in giro nella mia brutta casa e pensavo che, galera per galera, era migliore per me il collegio, almeno era fiorito.

Franco Armani aveva fatto sedere Pervinca sul bracciolo della sua poltrona e la teneva stretta alla vita e volgeva il viso a lei, per mirarla, con sguardo di infinito amore. Ancora non riusciva a convincersi che quella creatura fosse sua. Ancora dubitava della sua felicità, ancora ne trepidava. Il fatto di saperla figlia di Lili Sybel non l'aveva per nulla turbato, anzi, aveva pensato: «Solitamente da donne un poco matte nascono figlie di senno grande». E studiando Pervinca si era accorto di non aver sbagliato. D'altra parte, donna Delizia si comportava in modo così ammirevole, dimostrava una pratica della vita così perfetta e un senno e una serietà così lineari da indurre Franco Armani e il di lui padre a convincersi di aver fatto una scelta magnifica. Per di più, Armani s'era innamorato e pazzamente innamorato di quella bella bambina dagli occhi azzurri. E poiché aveva dodici anni più di lei, ne era geloso, d'una gelosia logica, naturale, che non gli faceva battere le vene, ma gli tormentava un poco il cuore. Egli aveva paura che Pervinca, giovanissima, avesse avuto qualche amoretto per un giovanissimo. E gli spiaceva pensare che la fanciulla potesse credere lui vecchio a confronto del collegiale che forse l'aveva corteggiata. Così, quasi a conclusione dei suoi pensieri, mormorò:

– Siete proprio due bambine... Ed è un bene che tutt'e due vi siate scelte mariti giovani, ma a vostro confronto maturi.

– Ma – fece Vanna un poco emozionata – ma credete che Rider mi sposerà davvero?

– Lo credo bene! Altrimenti dovrò mandarlo al diavolo. Non mi combina più nulla e pochi giorni fa ho trovato un foglio sul quale il nome *Vanna* era scritto in tutti i caratteri: stampatello, corsivo, gotico... Roba da minorenni; ma l'amore rende tanto minorenni che rimbambisce. E là dentro siamo in due a essere rimbambiti e c'è mancato poco fossimo in tre.

– In tre? – domandarono insieme le fanciulle.

– Già: mio padre mancò poco che pigliasse una tremenda sbandata per mamma Delizia. Ma la cara suocerina mia fece capire a quel vecchio allocco di mio padre che non aveva alcuna voglia di prendere marito. Figuratevi se dopo essere stata prossima a sposare un bel figliolo come Lido Marini poteva adattarsi a un bel vecchio come mio padre!

Tacque; poi aggiunse:

– Era molto bello, Marini...

– Come lo sapete? – domandò Vanna con un filo di voce.

– Ho visto molte fotografie sue riprodotte nei giornali quando parlarono della sua morte. Tu lo conoscevi bene, vero, Pervinca?

Vanna in quell'istante gridò:

– Fatti fotografare così, Pervinca, gira il capo verso di me, di tre quarti...

Pervinca si volse. E Franco Armani non vide il gran pallore che era sul dolce viso della fidanzata. E non pensò più alla risposta che Pervinca gli doveva dare, perché Vanna aveva preteso che lui si levasse per constatare come era bella Pervinca così, di tre quarti. Ormai il gran pallore era scomparso e Franco Armani poteva mirare orgoglioso e innamorato, il bel viso della sua donna.

Poi Armani baciò la mano di Pervinca, le baciò la fronte, le sfiorò le labbra. Strinse tutt'e due le mani a Vanna, ebbe anche voglia di allungarle un cordiale scapaccione, se ne andò.

E subito Vanna investì l'amica:

— Non vorrai per tutta la vita impallidire ogni volta che si parla di Marini. Sei una bella stupida!

Era fieramente sdegnata. Secondo lei Marini doveva essere rimpianto come una bella giovinezza che se ne va e nulla più. Aveva una profonda stima di Franco Armani, capiva il suo slancio, il suo amore, la sua bella e sana gelosia. Ricordava le esitazioni di Marini, le sofferenze di Pervinca e pretendeva che questa dimenticasse il povero morto per ricordare unicamente la felicità che Franco le offriva.

— Ma — balbettò Pervinca — ma tu pretendi troppo. Come si può lì per lì dimenticare il primo amore?

— Balle! Il primo amore è l'ultimo! E questo povero Franco merita non solo di essere l'ultimo amore, ma il più dolce amore. Guarda un po' come ho fatto io con quell'altro papavero...

— Quale papavero?

— To'! Folchi! Credi che non abbia sofferto? Accidenti... se ti dicessi che credevo il mio cuore ridotto a un puntaspilli tanto mi pungeva da tutte le parti... Ma ho detto: «Non mi vuole. Non mi ama. Crepi! Troverò un uomo che sappia vedere in me qualche cosa di più e di meglio!».

— Ma i primi baci...

– Oh, stai zitta, per carità! Non si sa mai esattamente chi dà il primo bacio: io fino a poco tempo fa credevo di averlo avuto da Folchi, poi, pensandoci bene e tornando indietro, ricordai che una volta, forse un secolo fa, ebbi un bacio dal figlio del campanaio.

– Come?

– Ma sì: vicino alla mia dolce dimora c'è una Chiesa. Io scappavo là durante le vacanze per togliermi dalle nari l'odore di muffa e di medicina della mia casa e per respirare aria satura d'incenso. Una volta volli salire sul campanile e lì mi seguì un garzoncello in brache e maglietta sporca. Il quale mi disse: «Guarda giù». E poi, invece di farmi guardare giù, mi diede un bacio.

– Oh, che schifo!

– Vero? Roba da svenire! Ma io non svenni perché sarei caduta di sotto. E perché il ragazzo era un giocatore di calcio, con certe spallone e certe gambone che non facevano schifo per nulla.

– Ma Vanna!

– Scandalizzata, la piccina? Ma no, cara! Io ho voluto dirti che non devi più soffrire per quel povero figliolo. Tu sei malata di nostalgia, tu sei poetica come una mammola tra le erbette novelle. E nella vita la poesia sta bene fuori, ma dentro, dentro, ci vuole la prosa. Abbi pazienza, cara, e ascoltami. E ama il tuo Franco. E...

Balzò vicino all'amica, le si strinse addosso:

– Ma sarà vero...

Pervinca capì al volo, rispose:

– Altro che vero! Tu presto sarai Vanna Rider!

– L'hai detto tu: Vanna Rider. Tu mi hai sempre portato fortuna e io sono certa che sarò Vanna Rider e sarò felice e renderò felice mio marito.

– Franco dice che non è ricco... ma che è intelligente, colmo di buona volontà.

– Io non ho bisogno di un marito ricco. Lavoro volentieri e dove non arriverà lui arriverò io. Non vorrete licenziare la vostra direttrice, spero!

Pervinca rise:

– Ah, no! La nostra direttrice ci è carissima perché ci dà certe percentuali che sono meràvigliose. Ma lo sai che la mamma è entusiasta?

– Che cliente, tua mamma! Fossero tutte così! E paga e fa un conto a sé e non vuole che la percentuale sia mischiata con i suoi conti. Così, capisci, io...

– Oh, parliamo d'altro!

– Lo sapevo: poesia e quattrini non vanno d'accordo. Fortunatamente, c'è donna Delizia...

Sbuffò in una delle sue risate e aggiunse:

– Ma lo sai che non so proprio immaginare donna Delizia che diventa «nonna Delizia»?

Pervinca diventò di fuoco.

– Oh! – esclamò Vanna. – Ecco la pervinca che diventa papavero! E per così poco! Dovrai pur farli sei o sette bambini, no?

– Ma, Vanna...

– Pochi, sei o sette? E va bene, mettiamo dieci o dodici, affare vostro! Io mi accontento di quattro. Sempre modesta, Vanna! Quattro riderini allegri e vispi, da adorare, da baciare, da sculacciare! Me li vedo già qui attorno: uno taglierà la manica d'un modello prezioso per fare una bandierina; un altro, che sarà un'altra, taglierà lo strascico della contessa Merilli per fare un abito alla bambola; l'altro...

– Saranno guai, allora!

– E sculaccioni. Ma saremo molto felici.

Pervinca guardava il meraviglioso brillante che aveva sull'anulare. Glielo aveva infilato Franco, dicendole:

– Non lo togliere che per infilare la fede.

Ed ella aveva ubbidito. Voleva bene a Franco, cominciava ad amarlo. E pregava Dio perché quell'inizio d'amore la portasse a un amore grande, che l'accompagnasse per tutta la vita, che la rendesse felice dandole la possibilità di rendere felice, a sua volta, l'uomo che con tanto slancio e tanta fede le aveva offerto il suo bel nome.

Una lavorante veniva ad avvertire Vanna che in sala di prova c'era la famosa attrice di prosa Mirella Defende.

− Vengo subito − rispose Vanna.

E come la lavorante se ne fu andata, aggiunse:

− Mi dicono sia una emerita oca. Ma è fatta così bene che è un piacere vestirla. E quando una donna così bella è tanto ben vestita, si spiega come possa essere diventata famosa... A rivederci, bambola. E stai allegra.

Pervinca sorrise, completamente serena. Vanna, sulla porta, si volse, le mandò un bacio, le gridò:

− Più tardi proveremo gli abiti da viaggio. Preparati a stare in piedi un paio d'ore.

XX

Donna Delizia era ancora a letto e leggeva saltuariamente alcuni giornali, quando la cameriera bussò e le portò una lettera espresso.

Donna Delizia riconobbe immediatamente la calligrafia di Walter Rook. Dopo la morte della moglie, Walter non si era più fatto vivo e a Delizia era parso strano il contegno dell'uomo; tuttavia non vi aveva dato molta importanza. Sapeva per esperienza che gli uomini potevano impazzire per una donna come Lili Sybel per un mese o un anno e poi, di colpo, dimenticavano e tornavano in senno. Da Walter Rook ella aveva ottenuto ciò che desiderava, l'aveva ricambiato come lui desiderava, la partita era chiusa. Rigirava quindi la lettera tra le mani senza decidersi ad aprirla. Pervinca stava per sposarsi, il gran dolore per la morte di Lido Marini s'andava affievolendo, tutto attorno a lei riprendeva a vivere, ché il suo stesso cuore viveva normalmente come, nei tempi migliori, il sole di febbraio faceva presagire una lieta primavera... Che cosa poteva volere da lei, Walter Rook?

Uno specchio posto di fronte al letto le rifletté una donna Delizia un poco mutata, ma sempre bella. Lili Sybel era definitivamente morta né sarebbe rinata mai più. C'era solo donna Delizia, una bella signora che tutti guardavano, ma in modo diverso da una volta. E questo piaceva a lei, e questo ella aveva voluto, ma per Lido...

Scomparso il giovane, dopo giorni di sincero dolore, donna Delizia si era piano piano ripresa. E a contribuire alla sua serenità il prossimo matrimonio di Pervinca. Felice era, la donna, della sistemazione della figlia, felice di questa sistemazione che appagava i suoi sogni, il suo orgoglio, la sua ambizione e il suo affetto. Aveva anche compreso che Armani padre non sarebbe stato contrario a unirsi a lei, ma aveva evitato con scaltrezza e garbo una esplicita dichiarazione dall'uomo, evitandogli così il disagio d'un rifiuto. Stimava e ammirava assai Armani, ma capiva che con lui avrebbe dovuto affrontare un'esistenza alla quale non si sentiva preparata. Armani era saldo e ancora capace di farsi amare dalla donna che gli fosse piaciuta. E Delizia, che aveva sognato le più vive carezze da Marini, si sentiva incapace di tollerare l'ardore di qualunque altro uomo. Sarebbe vissuta così, godendo della sua ricchezza, viaggiando, adorando, quando fossero nati, i bei bambini di Pervinca e Franco.

Come tutte le donne come lei, bella ancora, fresca e affascinante, già era vecchia nello spirito per un desiderio di pace, di tranquillità, di sonni lunghi e beati in un letto piccolo e fatto solo per lei. Si alzava tardi, si coricava presto, leggeva, lei che aveva sempre letto poco e male, non temeva più di perdere la linea e si abbandonava a piccole ghiottonerie da bimba. Qualche volta guardava le fotografie di Lili Sybel: ne aveva un baule colmo. E sorrideva e le piaceva quella donna seminuda, dalla gran bocca splendente, dai magnifici occhi, dal lungo corpo perfetto. Si guardava e diceva:

– Che bella donna! Che sorriso! Che spalle... – e pareva che elogiasse e ammirasse un'estranea.

Si sentiva giovane e non aveva, tuttavia, dei giovani gli slanci. Si sentiva vivere, ma non ardere. Si sentiva donna, ma non femmina. Tutto l'ardore, tutta la femminilità che erano in lei erano morti con Marini, il solo uomo che l'avesse fatta fremere, il solo uomo che pur standole vicino non l'avesse mai baciata. Qualche volta, ripensando al passato, donna Delizia si convinceva di aver avuto un solo amante: Lido Marini. Per lui aveva passato notti colme di sogni ardenti, per lui aveva goduto di una gioia insolita, per lui aveva preparato il suo corpo a dolcezze infinite. Mai aveva prima pensato con gioia all'amore. L'amore faceva parte del suo programma di attrice: «Truccarsi, spogliarsi, sorridere, ballare, cantare, recitare, affascinare, fare l'amore».

Ma con Lido Marini ella aveva immediatamente dato all'amore un'espressione diversa che certo era quella esatta e non faceva dell'amore un numero d'un programma, ma una necessità del cuore e del sangue.

Ora, con la lettera di Walter Rook tra le dita, pensava a tutto questo ed esitava a stracciare la busta. Infine, disse tra sé: «Che fastidi potrebbe darmi, questo povero vecchio?».

E lacerò la busta. Walter Rook le scriveva:

«Mia cara Delizia, avrete pensato che Walter sa dimenticare. Io invece non ho mai dimenticato. E sono stato vicino a voi sempre, durante i primi giorni di lutto e poi via via che i giorni passavano. Pensai di scrivervi, ma rimandai. Mi pareva che voi poteste pensare che un uomo, da poco rimasto vedovo, non debba dare troppo affidamento, scrivendo subito a un'altra donna. Così lasciai passare alcun tempo e per non essere troppo lontano da voi, di voi io chiesi ad amici e conoscenti. E seppi molte cose. Piccole, graziose e gentili cose che non mi avevate mai detto. Voi avete un figlia che si chiama Pervinca, che è molto bella e buona e che presto si sposerà con un galantuomo che saprà renderla felice. Più tardi seppi anche il resto: seppi cioè che dovevate sposarvi... Mia dolce Delizia, voi avete sofferto molto, lo so. Voi, lo sento, soffrite ancora. Vostra figlia se ne va; l'uomo che avevate scelto a compagno della vostra vita, s'è immolato nel suo cielo di gloria. Che fate sola, mia dolce Delizia? Sono tanto solo anch'io, sono triste, sono vecchio. Ho visto le fotografie del vostro perduto amore; era bello, giovane, forte: era l'amore. Io non sono bello, sono vecchio, non sono forte. Potrei essere un buon amico, un buon amico che vi offre il suo nome e vi dice: "Volete Delizia essere la compagna di questo povero uomo del quale siete stata la sola passione, l'ultima fiamma?". Vi ho detto che sono vecchio, ma non era necessario dirvelo, ché certo, lo sapevate. Non vi darò noia. Vi chiederò solo di essermi un poco vicina, così che io un giorno, spegnendomi, possa portarmi di là, dove ci deve essere tanto buio, la luce dei vostri occhi, il raggio del vostro sorriso. Qui a Vienna ho comperato recentemente un bel castello. Non si eleva nella città ma nei dintorni. È bello, quassù. Vedo lontano il parco, più prossima la piscina. Al di là del mio studio, sfilano saloni silenziosi, che la vostra voce rallegrerà. In una camera che ha un letto piccolo e un grande balcone, ho posto uno scrignetto. Lì dentro ci sono tutti i gioielli che ho radunato in tanti anni e che ora offro a voi, perché io ho solo voi, cui poterli donare. Venite, Delizia, il vostro vecchio Walter che non ha parenti, che non ha nessuno al mondo, attende voi, che siete tutto il suo mondo. Venite quando volete. Io vi aspetterò ogni giorno, fin che avrò vita. Ma forse dovrò attendervi poco: e allora venite presto, mia bella, mia buona amica. Il vostro Walter».

«P.S. Ho spedito a mezzo d'un incaricato, un gioiello per la vostra cara Pervinca. Ditele che le voglio bene e che porti sempre il gioiello augurale del vecchio Walter Rook. E ditele pure che penso a lei come penserei a quella figlia che non ebbi mai.»

Donna Delizia sentì scorrerle sul viso le lacrime.

– Vecchio buon Walter! – mormorò.

E sorrise e pensò a quel castello lassù che non conosceva, ma che immaginava fiero e silenzioso, ovattato dagli alberi secolari, rallegrato dal canto d'un ruscello che scendeva dal bosco a pendìo e si buttava nella piscina. Doveva essere tutto molto bello, lassù!

Si levò dal letto, fece preparare il bagno, si tuffò. E quando fu nel bagno, s'accorse di pensare a quella piscina cui Walter accennava.

«Chi sa come sarà fredda l'acqua! Bisognerà dire a Walter che trovi il modo di farla riscaldare...»

Strofinò vigorosamente la pelle delicata, si asciugò senza chiamare la cameriera, si vestì. E allora si accorse di non essersi truccata. Si avvicinò alla toeletta. Vide barattolini, astucci, boccette, matite, cosmetici, creme. Passò solo un lieve, lievissimo strato di rossetto sulle labbra. Non toccò nessun altro oggetto. Solo guardandosi nello specchio, vide i suoi capelli. Dove era la scriminatura i capelli erano più scuri e fra i capelli scuri ne brillava uno bianco.

«Bisognerà andare dal parrucchiere» – pensò. – «O per le nozze di Pervinca sarò malconcia...»

Allora pensò all'abito da cerimonia che la «Sartoria Delizia» le stava preparando. Era davvero un abito magnifico, che valorizzava la linea del suo corpo senza tuttavia ostentarla. Poi pensò a Franco Armani. Bel ragazzo e buono e generoso! Pervinca poteva considerarsi fortunata; ma era fortuna meritata, ché Pervinca era un angelo di bellezza e bontà... e per di più un angelo con una bella dote.

Fece colazione, offrendosi quanti biscottini il suo appetito reclamava. Era inutile ormai temere per un chilo in più di peso! E infine... infine Rook un giorno le aveva detto:

– Sei perfetta, ma per i miei gusti di uomo d'altri tempi, anche se avessi più carne non sarebbe male...

Suonò il campanello, ordinò alla cameriera:

– Qualche biscotto... Molti biscotti...

Febbraio era colmo di profumi primaverili. I mandorli erano tutti in fiore e donna Delizia, guardando a destra, nel suo giardino, poteva vedere una distesa candida, morbida, che pareva neve aerea ed erano petali ben saldi ai loro calici. Non c'era un alito di vento, non una foglia tremava. E dal cielo limpido, tutto ugualmente azzurro, prorompeva una vivida luce solare che faceva scintillare tutte le cose, anche le più umili, anche le più celate.

Donna Delizia infilò una corta pelliccia di volpi argentate. Rimase perplessa innanzi allo specchio:

«Una pelliccia di volpi argentate, il mattino, Lili Sybel non l'avrebbe mai indossata. Ma donna Delizia se ne infischia; donna Delizia vuole mettersi questo pellicciotto e lo mette e se ne va in macchina senza cappello, a ordinare le rose per l'aiuola centrale».

In macchina si allungò comodamente. – Non correte troppo – ordinò all'autista.

D'un tratto, vide volteggiare nel cielo un aeroplano. Il cuore le si contrasse per uno spasimo improvviso. E una voce che ella tentava di soffocare, ma che ogni tanto si faceva udire, lamentosa e triste, chiamò:

– Oh, Lido! Oh, mio caro, mio solo amore!

Lido... Piccolo, breve nome d'un grande ragazzo rimasto lassù, dove più vivido è il sole, dove più brillano le stelle, dove più sereno è il cielo. Lido, bel sogno tramontato prima del risveglio, unica passione, ultimo e solo amore! Addio, Lido!

L'automobile andava piano, come donna Delizia aveva ordinato. Donna Delizia chiuse gli occhi e così non vide il punto dove s'era fermata con Marini al suo ritorno da Vienna, non vide il luogo dove ella aveva sperato d'essere baciata, dove aveva invano, per la prima volta nella sua vita, atteso il bacio d'un uomo. Tutto il passato era scomparso. Non restava neppure l'amicizia di Folchi, ché egli era stato trasferito in un aeroporto lontano e non s'era più fatto vivo.

Tornò a «Villa Delizia» poco dopo mezzogiorno. E come ella fu entrata, il cameriere le annunciò che la signorina Pervinca aveva telefonato avvertendo che sarebbero giunti tutti l'indomani sera. Era stabilito che si sarebbero radunati tutti a «Villa Delizia», ché Pervinca desiderava sposarsi nella Basilica di Assisi.

Nel pomeriggio, donna Delizia, chiusa in un austero abito nero ornato di agnellino di Persia, chiuso il capo in un cappellino molto sobrio, si recò ad Assisi e seppe che tutto era già stato predisposto: fiori, organo, tappeti e cantori erano già stati preparati.

Padre Michele, che ormai la conosceva, vide quel giorno sul volto della donna una incertezza, una specie di ansia. Uso a scrutare nelle anime delle creature umane, l'uomo, dopo un attento esame, le chiese:

– Lei non ha mai visto la tomba del Santo, vero?

– Mai...

E con il pensiero aggiunse:

«Perché non ho osato, io peccatrice, inginocchiarmi davanti alla tomba del più Santo dei Santi...».

Come se avesse letto nella sua mente, padre Michele sussurrò:

– Scenda e preghi. Vada sola, questa è la scala: si tenga salda, è un poco buia... Oltrepassi il cancello: il Santo è là, nella sua luce. Preghi...

Ella scese cauta per la scala stretta. Fu nel buio del sottosuolo, vide alcune nicchie illuminate fiocamente, vide, di fronte a lei, la rozza bara sopraelevata e rischiarata da una luce che pioveva dall'alto. Urtò con il piede contro un gradino, vacillò, cadde in ginocchio. Curvò il capo. Non aveva mai pregato, donna Delizia, non conosceva preghiera alcuna. Ma un cuore quando è buono, sa sempre inventare una preghiera e donna Delizia poté dire al mistico spirito che aleggiava attorno a lei:

«Se ho fatto male, Signore, perdonami, cercherò di far bene nell'avvenire. Se ho accumulato una ricchezza con mezzi poco leciti, Signore, perdonami, farò del bene e col danaro mio aiuterò i poveri. Se ho tanto desiderato un uomo, se per lui ho peccato di desiderio e di passione, Signore, perdonami, perché Tu questo uomo l'hai voluto presso di Te e io sono stata abbastanza punita. Se per avere la tua benedizione, Signore, può bastare una vita buona e devota presso un vecchio Walter, ecco, o Signore, Tu puoi credere che io sarò una buona moglie per il vecchio Walter. Proteggi, o San Francesco, la mia bambina; fai che ella abbia dei figli belli e sani come lei, fai che suo marito le sia fedele e non la faccia mai soffrire come certi mariti che si perdono dietro certe donne...».

Troncò la sua preghiera, capì che al Santo certo cose non doveva dirle, ché il Santo le sapeva. E le parve, proprio le parve, che la mistica santa mano di quel Santo chiuso nel rozzo feretro, scendesse fino a lei, le toccasse lievemente il capo chino.

Si levò, colmo il cuore di una commozione viva e sincera. Guardò su, verso quella luce che veniva di non sapeva dove, ebbe un sorriso dolcissimo che non le scoprì i denti. Rapidamente pensò a quanto aveva lasciato alle spalle. Ebbe un brivido: vide lontana lontana Lili Sybel, che rideva e cantava. Ma né canto né riso potevano giungere fino a donna Delizia, ormai. E Lili Sybel, lontana, sempre più lontana, si dissolveva dietro un velario di polvere.

XXI

Donna Delizia attendeva trepidante l'arrivo degli ospiti. Con Pervinca e Franco sarebbero arrivati Armani padre, Vanna, Giuseppe Rider, i genitori di questo e tre sorelle. Di queste sorelle si sapeva ben poco. Dei genitori si sapeva che erano gente alla buona, che avevano faticato tanto a far studiare il loro figliolo.

Le camere degli ospiti erano pronte; nella Basilica di Assisi già si addobbavano le pareti, gli altari, le corsie.

La giornata fu molto movimentata, quasi febbrile per donna Delizia. Tuttavia, ella trovò il tempo di scrivere a Walter Rook un biglietto breve, ma molto chiaro:

«Mio buon amico, dal mio dolore sto guarendo. La gioia di vedere mia figlia felice, affidata a un uomo che saprà amarla, mi compensa del mio dolore. Non si può rimproverare a Delizia di aver sognato una famiglia e forse un bimbo col quale sostituire l'immancabile vuoto che Pervinca avrebbe lasciato nella casa. Ma il destino una volta tanto avverso a me ha voluto diversamente e io non sogno più. Sono giovane, ma sono stanca, ho vissuto molto e vorrei riposare. E per riposare ho bisogno di aver vicino un marito che mi capisca e mi voglia bene. Se non ho mal capito, questo marito potrebbe essere il buon Walter. Volete attendermi, Walter? Non so se verrò a voi presto: ma verrò. Questo è certo. A rivederci, Walter! Delizia».

Mandò a imbucare la lettera, si preparò a ricevere gli ospiti. E con due macchine questi giunsero quando il sole stava per tramontare. Da un'automobile scesero

Pervinca, Franco, Vanna e il padre di Franco. Dall'altra scesero il padre, la madre e Giuseppe Rider e tre bambine bionde, che parevano tutt'è tre uguali e che fecero subito pensare a Delizia:

«Ma queste sono nate alla stessa ora, nello stesso giorno...».

Erano Bianca, Rosetta e Brunella, nate esattamente a un anno di distanza l'una dall'altra e a parecchi anni di distanza da Giuseppe, il primogenito. La prima bimba era cresciuta adagio, le altre erano cresciute in fretta e così, un bel giorno, s'erano trovate della stessa statura, e poiché erano tutt'è tre bionde e rubiconde, con corti e lisci capelli, con occhioni scuri e labbra scarlatte, sembravano tre bei ritratti della salute tirati sullo stesso esemplare. La maggiore aveva dieci anni. Erano vestite allo stesso modo con un gusto così barbaro che Vanna, vedendole, aveva sentito gli occhi schizzarle dall'orbita. Calzavano scarpe nere, alte, con stringhe, calze nere, di lana. Indossavano, sotto un paltoncino alla marinara, un abito pure alla marinara, a pieghe che le ingoffava e le faceva sembrare più larghe che lunghe. Ma avevano quel bel faccione ridente e contento, quell'espressione di bimbe sane e ingenue, che faceva subito nascere nei cuori affetto e simpatia. Rider padre era un omone massiccio, molto a disagio nell'abito scuro e nel colletto duro. La madre era simile alle figlie, con alcuni anni di più, si capisce. E anche lei vestiva come una brava contadina che si sia un poco elevata. E dai grandi, miti occhi, scaturivano la sua bontà e nello stesso tempo la sua gioconda voglia di vivere e la sua fiducia nella vita e la tranquillità del suo animo onesto e semplice.

Rider figlio era diverso da tutti. Di statura media, ma ben proporzionato, vestiva con eleganza: un abito di buona stoffa e di ottimo taglio era da lui portato con molta disinvoltura. Aveva un chiaro viso né bello né brutto, ma colmo di espressione e gli occhi, molto belli, grigi, luminosi, gareggiavano con il brillìo dei denti quando egli rideva. E rideva facilmente rivelando così il carattere della madre, delle sorelle e forse del padre.

Vanna gongolava. Aveva già in dito un anello che era più di buon gusto che di valore, ma che presto avrebbe chiamato a compagno un anello prezioso. Vestiva con molta eleganza e con buon gusto, anche se i colori erano vivaci e arditi.

Quando tutti furono collocati nelle loro camere, Delizia si avvide che Brunella, la bimba più piccola, era un poco esitante e stava in disparte. Si fece presso la piccina e le chiese:

– Che hai, cara?

La bimba rise mostrando nella sua bocca un buchetto nero che tradiva la caduta di un dentino.

– Dove siamo, signora? – balbettò la piccina.

– Come dove siamo? A «Villa Delizia».

– Ma «Villa Delizia», dov'è?

La donna restò un poco perplessa. Non capiva. E la bimba coraggiosamente disse:

– Le mie sorelline mi hanno detto che siamo vicine a Perugia; certo fra poco mi domanderanno se so in quale regione si trovi Perugia. Io non lo so davvero e mi daranno la baia e mi sgrideranno...

– Oh, cara piccola! – rise Delizia. – Perugia è in Umbria e quindi anche «Villa Delizia». Ma sono così cattive le tue sorelline che ti danno la baia? Tu sei piccola, non puoi sapere troppe cose...

Brunella levò gli occhioni verso la donna che era di lei tanto più alta. Donna Delizia si accosciò, le parlò sul viso:

– Ma come sei carina e bella e fiorente, Brunella!

La bimba levò, prima esitante e poi decisa, una mano, passò la sua fresca e morbida palma sul viso di Delizia.

– Come è bella lei, signora!

Donna Delizia trattenne sulla sua guancia quella manina. Chiuse gli occhi, restò immota. Ella sentiva che quella carezza non si fermava lì, ma scendeva, scendeva fino al cuore, lo colmava di gioia. Poche carezze aveva avute da Pervinca, ché, pur adorandola, ella aveva dovuto troppe volte allontanarsi da lei. E ora questa piccina quasi ignota le faceva repentinamente conoscere le carezze d'una mano grassoccia di bambino, d'una mano pura e innocente, che poteva dare tanto bene, che poteva far dimenticare tutto quanto s'era avuto, tutto quanto s'era perduto. Strinse la piccola contro il petto, si sollevò, le tese la mano:

– Vieni con me, Brunella...

E Brunella, aggrappata a quella mano, saltellando, se ne andò, e di tanto in tanto, sul ritmo del suo salto, diceva:

– Perugia è in Umbria, Villa Delizia è in Umbria, l'Umbria è a villa Perugia...

Come entrò nella camera di Delizia, la piccina rimase a bocca aperta. Guardò il letto sul quale era distesa la grande coperta di pelliccia bionda. S'avvicinò, toccò il pelo, delicatamente.

Poi domandò:

– La bocca, dov'è?

– Gliel'hanno tappata, così non c'è pericolo che quella grossa volpe morda Brunella.

Soddisfatta, la piccina si aggrappò senz'altro al letto, sedette sulla pelliccia.

– Lei mi sgrida se sto qui?

– No, cara. E non mi dare del lei. Io mi chiamo Delizia.

– Che nome!

– Ti piace o non ti piace?

– Mi piace. E anche tu mi piaci. Fammi vedere le unghie. Come sono lucide, come sono belle! Graffiano?

– Oh, no!

– Posso toccarle?

– Certo...

Con la punta dell'indice roseo, grassoccio e piccolino, la bimba toccò le unghie, scosse il capo, mormorò:

– Non graffiano davvero!

– Te lo dicevo!

– Non dici mai bugie!

– Ne ho dette tante, ma ora non ne dico più.

– Ti hanno messa in castigo quando le dicevi?

– Altroché!

– Nemmeno io dico bugie.

– Fai molto bene. E Delizia ti farà tanti regali, se sarai buona.

– Io sono buona.

– Allora domani mattina andremo a Perugia che è in Umbria, ricordalo, e compreremo una bambola magnifica.

– E Rosetta e Bianca?

– Per Rosetta e Bianca che sono più grandi compreremo bellissime scatole da lavoro.

– E dopo, quando Giuseppe andrà via dovrò andare via anch'io?

– Vuoi restare con me, Brunella?

La bimba senza esitare rispose:

– Sì, voglio restare con te.

– Mi vuoi bene?

– Sì, ti voglio bene. E poi sei bella e hai una bestia senza denti, che mi fa solletico al culetto.

– Oh, perbacco! Mi pare che non si debba dire culetto...

– Non si deve dire, lo so. Ma esce da solo... E come devo dire?

– Devi dire: mi fa solletico a mezzanotte. Così diceva Pervinca quando era piccina.

La bimba balzò giù dal letto, andò presso Delizia che si pettinava; guardò tutte le cose lucenti che erano sulla toeletta di cristallo.

– Non ti piaceva più restare sulla pelliccia?

– No: ora avevo mezzanotte troppo caldo. E non si rompe questo vetro se ci metti sopra le scatole e le boccette?

– Non si rompe...

E pensava:

«Ecco, tornano a me, le frasi e le parole di Pervinca piccina. Ecco che questa bimba mi diverte... ecco che questa bimba mi rallegra. Io mi sento rinnovare... Oh, se la sorte fosse stata completamente buona con me! Forse poteva nascere da me e da Lido una creatura da adorare...».

– Perché scuoti la testa, signora? Sembra che tu dica di no e invece non c'è nessuno che ti fa dire no...

– Scuotevo una mosca... era nei capelli...

– Era noiosa la mosca? Il babbo dice che le mosche sono proprio noiose e non sa perché ci siano al mondo.

Delizia si curvò, prese la bimba in grembo.

– Cara... – mormorò carezzandola.

– Che buon odore hai! È profumo, vero? Me ne dai un poco su i capelli?

Allora ci fu un poco di trambusto, ché Brunella davanti al getto dello spruzzatore si spaventò e non poco. Ma si divertì a premere la peretta e smise solo quando la boccetta non ebbe più una goccia di liquido.

Poi qualcuno bussò ed entrò. Era Pervinca, bella e luminosa. Aveva tra le mani una bambolina bellissima: Enrica.

– Me la dai? – chiese Brunella.

– È per te, cara.

La piccina afferrò la pupa, la baciò sul visetto, la strinse al cuore.

– Si chiama Enrica – suggerì Pervinca.

Donna Delizia guardò la figlia e sorrise.

– Perché sorridi, mamma?

– Sorrido pensando a un mio errore. Figurati che

per qualche tempo ti credetti innamorata di Folchi... Ma se puoi cedere tanto gaiamente la sua bambola...

– Non sono mai stata innamorata di Folchi, mamma!

– Beato Franco, dunque, che ti prende al tuo primo amore!

Pervinca non rispose.

Ella aveva terribilmente sofferto rientrando nella sua casa. E ancora soffriva, passando per le sale dove Marini aveva pure sostato. Una poltroncina, un divano, un angolo, un ninnolo, gli parlavano di lui che non c'era più. Ma se nella sua pena volgeva lo sguardo e incontrava l'occhio leale e buono di Franco, il cuore pativa meno, quasi non pativa più. E ben sapeva Pervinca, che, in un tempo non troppo lontano, avrebbe cessato di soffrire, completamente.

– Ma sai che è deliziosa questa piccina – disse Delizia alla figlia. – E se sapessi di fare cosa grata ai genitori di Rider, me la porterei a Vienna...

– A Vienna? – fece Pervinca stupefatta.

Donna Delizia prese nelle sue una mano della figlia.

– Se ti do un padre molto buono, che già ti vuole bene, che non avrà altra figlia da adorare all'infuori di te, ti spiace?

– Oh, mamma! Se questo può farti tranquilla, darti un senso di sicurezza...

– Ecco: è bene che io mi sposi, che io abbia veramente un cognome da portare con orgoglio. Nessuno potrà più dire nulla sul mio conto, ché nulla si può dire sul conto della signora Rook.

– Sposi il signor Rook, mamma?

– Sì...

– Mi pareva vecchio...

– Che importa? Invecchierò anch'io... e più presto delle altre donne, perché io ho bruciato i tempi.

– Mamma cara!

Lido era tra loro, nuovamente. Pervinca capì. E volle essere generosa con sua madre che soffriva ancora, volle essere generosa perché lei, oramai, soffriva meno.

– Di lassù ti guiderà, mamma... Deve averti voluto tanto bene!

Vide sua madre avvampare poi, subitamente, impallidire.

– Che dici? Che cosa te lo fa credere?

– Oh, tante piccole cose, mamma, che vengono alla mente a poco a poco, con ritardo... Mi parlava di te, diceva tante cose buone di te... E una volta, una volta che gli scrivesti, non finiva più di leggere e rileggere la tua lettera... Furtivamente, la traeva di tasca e rileggeva qualche frase tua e io, che avevo ben riconosciuta la tua calligrafia, sorridevo e anche mi indispettivo, perché Marini dimostrava di essere più interessato al tuo scritto che alle chiacchiere mie e di Vanna...

Il volto di donna Delizia era raggiante: pareva che quella luce che tutto lo irradiava, venisse da una lampada accesa nel cuore e tutta la sua luce riverberasse nella donna felice.

– Caro, caro amore! – mormorò, fermando una lacrima.

– Chi è l'amore? – fece Brunella che aveva aperto una scatola di cipria e si era ridotta come un mugnaio.

– Sei tu! – gridò ridendo donna Delizia. – E se i tuoi genitori sono contenti, io, dopo un breve soggiorno a Vienna, torno e ti porto con me! Vuoi venire con me?

– Sì, subito.

– Subito non si può. Ma fra qualche settimana, sì.

Sorrise e soggiunse:

– E fra qualche settimana sarà primavera!

Poi alla figlia dolcemente disse:

– Vuoi un consiglio, piccola? Dopo le nozze, non partire. Manda via tutti gli ospiti e rimani qui, sola con il tuo sposo. Per viaggiare, per portare da un albergo all'altro la vostra gioia, sarete sempre in tempo. Noi ce ne andremo tutti...

– Anche tu, mamma?

– Sì, Pervinca. Subito dopo la cerimonia io partirò. Gli altri partiranno a comodo loro. Ma tu rimani qui, nella tua casa. È così cheta, così luminosa... Guarda i mandorli in fiore, Pervinca? Tu non li avevi mai visti fiorire qui, è vero?

– Mai, mamma! Ero sempre lontana.

– E allora stai qui e aspetta che anche gli altri alberi diano i loro fiori. Lontana, mi sarà di gioia pensarti qui, protetta da tuo marito, attorniata da tutto quanto io ho amato e curato per te. E poi, ci saranno tutti quei fiori, Pervinca, tutti quei petali che ti sbocceranno sotto gli occhi...

Brunella, dipingendo aste sul cristallo della toeletta con una matita per le labbra, canterellò:

– L'Umbria è a Perugia, Perugia è a Villa Delizia e Villa Delizia è una bella signora che mi vuole bene e ha la bestia senza bocca...

E subito, quasi spaventata gridò:

– E nemmeno la coda! Non c'è la coda! E che cosa tiro, io, allora?

XXII

Quando Delizia vide sua figlia uscire dalla Basilica, tutta bella e bianca, tutta luminosa e sorridente, mormorò a fior di labbra:

– Dio, ti ringrazio!

E mai ringraziamento umano fu più fervido, più sincero e devoto, di quello uscito dalle labbra di colei che era stata Lili Sybel.

Nella grande sala, seduti alla lunga tavola di cristallo, tutti furono molto lieti. Brunella s'era issata sopra una pila di cuscini posti sulla seggiola e pendeva tutta verso donna Delizia. Di tanto in tanto, una sua manina, non perfettamente pulita, toccava il viso di Delizia, per richiamarne l'attenzione:

– Senti, che cos'è quella roba che portano ora? Posso mangiarne un poco?

Oppure:

– Guarda, signora Delizia, il babbo mi fa gli occhiacci. Gli dici che non deve sgridarmi?

O ancora:

– Lo vedi, Delizia, che Pervinca e Franco si toccano le mani? Perché si toccano le mani?

Donna Delizia si divertiva immensamente. Aveva già ottenuto di portarsi a Vienna la piccina e aveva già rasserenato Rosetta e Bianca, assicurando che poi sarebbe venuta a prendere anche loro. C'era tanto posto nel grande castello di Walter Rook! E ci volevano, ci volevano proprio tre passerette allegre, che rallegrassero il silenzio di quelle stanze, di quel bosco, di quella vita!

Quando tutti furono raccolti nella stanza da fumo, quando tutti furono intenti a discutere di cose belle e serene, fumando, bevendo, ridendo, donna Delizia fece un cenno a Franco.

– Io me ne vado, Franco. Dalle tu il mio bacio, dille che sono contenta e fammela contenta...

– Non dubitare, mamma Delizia. Fidati. Io l'adoro...

– Anche lei ti ama tanto.

– Faccio salire la macchina, mamma?

– No, potrebbero udire. Ho dato ordine perché la macchina resti giù al cancello. Scendo a piedi.

– Ti accompagno, mamma.

– No, caro, stai qui... A rivederci, Franco, saluta tutti...

Strinse furtivamente la mano al genero, uscì.

Franco rimase dietro la vetrata che guardava nel giardino. D'un tratto trasalì. Pervinca gli si era fatta appresso e gli aveva posto una mano sulla spalla:

– Che cosa guardi, Franco?

– Se ne va...

– La mamma? Oh, ma io voglio...

– No cara, rimani. Ha voluto lei così...

Restarono immoti, presso i vetri.

Poco dopo, videro apparire nel viale l'alta, bella, elegante figura di donna Delizia. Laggiù al cancello, la macchina attendeva e l'autista, con il berretto in mano, si teneva già pronto ad aprire la portiera.

Donna Delizia scendeva piano a capo chino. D'un tratto un sospiro di vento portò nell'aria infiniti petali bianchi. Alcuni caddero subito sul suolo. Delizia si chinò, raccolse qualche petalo, lo mise nella borsetta.

Poi andò verso la macchina che l'attendeva.

Nell'aria, tra i petali bianchi, passò una rondine. La prima.

LIALA

La preghiamo di compilare questo breve questionario per aiutarci ad offrire un servizio sempre migliore e in linea con le esigenze dei lettori.
La ringraziamo per la gentile collaborazione.

Dove ha acquistato questo libro?
❐ libreria ❐ supermercato ❐ edicola

Ha acquistato altri titoli della collana "Liala"?
❐ sì ❐ no

Se sì, quanti?..

Pensa di acquistare altri titoli della collana "Liala" in futuro?
❐ sì ❐ no

Li colleziona?
❐ sì ❐ no

Oltre che da Lei, il libro "Liala" viene letto da:
(possibili più caselle)
❐ nessuno ❐ familiari ❐ amici

Quanti libri acquista in un anno?
❐ meno di 5 ❐ da 5 a 10 ❐ più di 10

Solitamente acquista romanzi rosa / d'amore sotto le 10.000 lire?
❐ sì ❐ no

Che genere di letture preferisce? (al massimo 3 caselle)
❐ romanzi letterari ❐ romanzi rosa ❐ fantascienza
❐ azione/triller ❐ gialli/spionaggio ❐ manuali
❐ saggi d'attualità ❐ romanzi di svago ed evasione

DATI ANAGRAFICI

Sesso:
❏ uomo   ❏ donna

Età:
❏ 13-17   ❏ 18-24   ❏ 25-34
❏ 35-44   ❏ 45-54   ❏ oltre 54

Titolo di studio:
❏ nessun titolo   ❏ elementare   ❏ media inferiore
❏ media superiore   ❏ università

Professione:
❏ studente   ❏ operaio   ❏ impiegato
❏ insegnante   ❏ dirigente   ❏ commerciante
❏ libero professionista   ❏ casalinga   ❏ pensionato
❏ altro ....

Nome ....Cognome ....
Via...N° ....
Città...C.A.P. ....

Si prega di ritagliare lungo la linea tratteggiata e spedire in busta affrancata indirizzando a:
Liala - RCS Marketing Libri - via Mecenate 91 - 20138 Milano

Supplemento n. 50 al periodico Tascabili Sonzogno
Registr. Tribunale di Milano n. 102 del 7/2/1989
Direttore responsabile: Ornella Robbiati
Finito di stampare nel mese di agosto 2004 presso
il Nuovo Istituto Italiano d'Arti Grafiche - Bergamo
Printed in Italy

ISBN 88-454-1513-9